F la

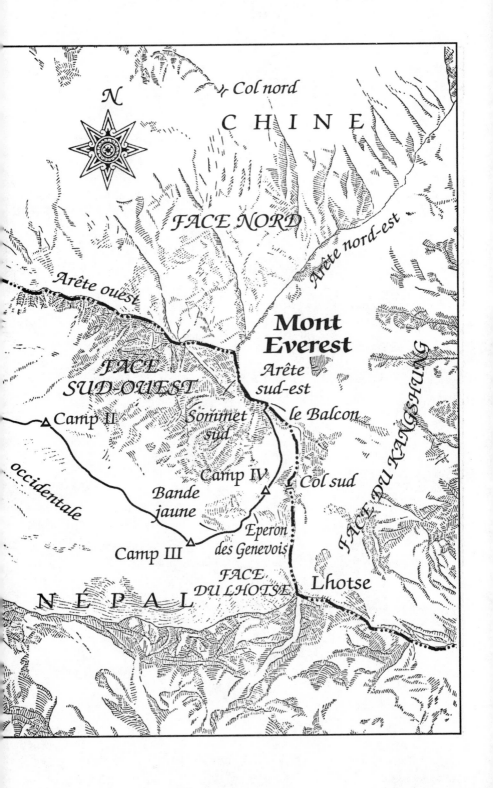

TRAGÉDIE À L'EVEREST

Jon Krakauer

TRAGÉDIE À L'EVEREST

Document

Titre original : *Into Thin Air*

Traduit par Christian Molinier

© Jon Krakauer, 1997.
Publié avec l'accord de Villard Books, département de Random House, Inc.
© Presses de la Cité, 1998, pour la traduction française.
ISBN 2-258-04862-1

Pour Linda,
et en souvenir d'Andy Harris, Doug Hansen, Rob Hall,
Yasuko Namba, Scott Fischer, Ngawang Topche Sherpa,
Chen Yu-Nan, Bruce Herrod et Lopsang Jangbu Sherpa

Les hommes jouent la tragédie parce qu'ils ne croient pas à la réalité de celle qui se déroule véritablement dans le monde civilisé.

José Ortega y Gasset

Introduction

En mars 1996, le magazine *Outside* m'envoya au Népal pour participer à une ascension de l'Everest et en faire le récit. Je faisais partie d'un groupe de huit clients conduits par un guide réputé, originaire de Nouvelle-Zélande, Rob Hall. Le 10 mai, j'atteignis le sommet, mais le prix en fut terrible.

Sur les cinq compagnons de cordée qui parvinrent au sommet avec moi, quatre — et parmi eux, Hall lui-même — périrent au cours d'une tempête qui s'abattit brusquement sur nous alors que nous étions encore en haut du pic.

Pendant que je redescendais pour rejoindre le camp de base, neuf autres grimpeurs appartenant à quatre expéditions différentes furent tués et trois autres encore devaient disparaître avant la fin de ce même mois.

J'en revins fortement secoué et j'eus du mal à rédiger mon article. Néanmoins, cinq semaines après mon retour du Népal, je remis mon texte à *Outside,* qui le publia dans son numéro de septembre. Ensuite, je tentai de chasser l'Everest de mon esprit. En vain. Plongé dans un brouillard de sentiments confus, je persistais à tenter de comprendre ce qui s'était passé là-haut et je revenais de façon obsessionnelle sur les circonstances de la mort de mes camarades.

Mon article était aussi précis que possible, mais je l'avais écrit dans un délai trop court. L'enchaînement des événements était trop complexe et les souvenirs des survivants étaient déformés par l'épuisement, le manque d'oxygène et le traumatisme subi. Au cours de mon travail préparatoire, j'avais demandé à trois personnes de raconter un incident que nous avions vécu ensemble sur la montagne. Aucun d'entre nous ne put s'accorder avec les autres sur des points aussi importants que le moment, les paroles prononcées ou même les personnes présentes.

Peu après l'impression de mon article, je m'aperçus qu'il contenait des erreurs de détail — de ces petites imprécisions inévitables dans le journalisme — mais aussi une bévue plus grave qui pouvait affecter les amis et la famille de l'une des victimes.

D'une manière à peine moins gênante que ces erreurs, le manque de place m'avait obligé à laisser de côté une partie de ce que j'avais à dire. Pour ce récit, j'avais obtenu quatre ou cinq fois plus de place qu'on n'en accorde habituellement aux reportages mais, malgré tout, j'avais le sentiment que mon histoire était trop abrégée. Cette ascension m'avait profondément troublé. J'éprouvais un besoin presque désespéré de rapporter l'aventure dans tous ses détails, sans être obligé de m'en tenir à un nombre limité de colonnes.

Tragédie à l'Everest est né de ce besoin.

Mais la reconstitution de cette histoire était difficile à cause des effets de la haute altitude sur l'esprit humain. Pour éviter de m'en tenir à ma propre vision des choses, je me suis longuement entretenu avec la plupart des protagonistes de cette expédition. Chaque fois que cela a été possible, j'ai vérifié des points particuliers dans le cahier des communications radio du camp de base.

Plusieurs personnes — auteurs et éditeurs — m'ont déconseillé d'écrire ce livre «à chaud». Elles m'ont suggéré d'attendre deux ou trois ans afin que la distance me permette de trouver la perspective adéquate. Cet avis était plein de bon sens. Pourtant, je n'en ai pas tenu compte. Ce qui s'était passé sur la montagne continuait à me torturer et je pensais que l'écriture pourrait me libérer du souvenir de l'Everest.

Bien entendu, ça n'a pas été le cas. J'admets qu'un auteur qui écrit pour soulager sa peine, comme je l'ai fait dans ce livre, rend bien peu service à ses lecteurs. Mais j'espérais qu'en libérant mon âme, dans le trouble et le tourment qui suivirent ce malheur, mon récit y gagnerait quelque chose. Je voulais qu'il ait ce caractère brut, direct et véridique que le temps et la dissipation de mon angoisse auraient pu atténuer.

Parmi ceux qui m'ont mis en garde contre la tentation d'écrire tout de suite, plusieurs m'avaient déjà déconseillé d'aller sur l'Everest. Et, de fait, les raisons de ne pas y aller ne manquaient pas, mais l'escalade d'une telle montagne est un acte profondément irrationnel. C'est le triomphe du désir sur la raison. Quiconque l'envisage sérieusement se place, presque par définition, au-delà du raisonnement.

La vérité, c'est que je savais parfaitement ce qu'il en était mais que j'y suis allé malgré tout. En cela, je suis en partie responsable de la mort de mes camarades, ce qu'il me sera difficile d'oublier avant longtemps.

Jon Krakauer
(Seattle, novembre 1996)

1

Sommet de l'Everest. 10 mai 1996.
8 848 mètres

Une ligne rouge, pourrait-on dire, est tracée autour de la partie supérieure de ces hautes montagnes. Personne ne devrait la dépasser. Au-delà de 7 500 mètres, la pression atmosphérique trop basse a un effet si sévère sur l'organisme qu'un obstacle peut rendre l'escalade impossible et que la moindre tempête peut avoir des conséquences mortelles. Seules des conditions météorologiques parfaites offrent une chance de succès. Or, une fois en haut, lorsqu'il s'agit de franchir la dernière étape, personne ne peut choisir le bon moment.

Non, il n'est pas étonnant que l'Everest ait résisté aux premiers assauts des alpinistes. Le contraire eût été surprenant et même assez triste. Peut-être sommes-nous devenus un peu trop arrogants avec nos nouvelles techniques — crampons et espadrilles d'escalade — et notre esprit de conquête secondé par des moyens mécaniques. Nous avons oublié que c'est la montagne qui détient la carte maîtresse, qu'elle n'accorde le succès qu'au moment choisi par elle. Sinon, pourquoi l'alpinisme engendrerait-il une telle fascination ?

Eric Shipton, 1938
Sur cette montagne

Installé sur le toit du monde, un pied en Chine, un pied au Népal, j'essuyai la glace qui s'était formée sur mon masque à oxygène, me recroquevillai pour me protéger du vent et contemplai distraitement l'immense Tibet. Avec une conscience affaiblie et détachée, je comprenais que j'avais devant moi un paysage spectaculaire. Pendant de nombreux mois, j'avais imaginé ce moment et anticipé l'émotion qu'il provoquerait. Mais maintenant, alors que je me tenais vraiment au sommet de l'Everest, je n'avais même plus la force de m'en soucier.

C'était au début de l'après-midi du 10 mai 1996. Je n'avais pas dormi depuis cinquante-sept heures. La seule nourriture que j'avais réussi à avaler depuis trois jours se réduisait à un bol de potage soluble et une poignée de cacahuètes enrobées de chocolat. Une toux violente, qui durait depuis des semaines, transformait chacune de mes respirations en épreuve douloureuse. A 8 848 mètres, dans la troposphère, l'oxygène était si raréfié que mes aptitudes mentales étaient ramenées à celles d'un enfant attardé. Dans ces conditions, je sentais que j'avais froid, que j'étais fatigué, et rien d'autre.

J'étais arrivé au sommet quelques minutes après Anatoli Boukreev, un guide russe qui travaillait pour une expédition américaine, et juste devant Andy Harris, guide de l'équipe néo-zélandaise à laquelle j'appartenais. Je connaissais à peine Boukreev, mais en revanche j'avais appris à apprécier Harris au cours des semaines précédentes. Je pris rapidement quelques photos des deux hommes puis je me retournai et commençai à redescendre. A ma montre, il était 13 h 17. J'avais passé moins de cinq minutes sur le toit du monde.

Peu après, je m'arrêtai à nouveau pour prendre une autre photo, celle de l'arête sud-est que nous avions empruntée pour monter. En faisant ma mise au point sur deux grimpeurs qui approchaient du sommet, je remarquai quelque chose qui m'avait échappé jusqu'alors. Au sud, là où le ciel avait été parfaitement dégagé une heure plus tôt, des nuages cachaient le Pumori, l'Ama Dablam et les autres pics secondaires qui entourent l'Everest.

Plus tard, quand on eut découvert six corps et renoncé à retrouver ceux des deux autres disparus, quand les chirurgiens eurent amputé la main droite gangrenée de mon compagnon de cordée Beck Weathers, certains se demandèrent pourquoi, puisque le temps avait commencé à se gâter, les grimpeurs qui se trouvaient dans la partie supérieure de la montagne n'en avaient pas tenu compte. Pourquoi des guides himalayens aguerris avaient-ils poursuivi l'ascension, entraînant dans un piège mortel des amateurs peu expérimentés, dont chacun avait versé 65 000 dollars pour parvenir sain et sauf au sommet de l'Everest ?

Personne ne peut le dire à la place des chefs des deux expéditions, et ils sont morts l'un et l'autre. Mais je peux attester qu'en ce début d'après-midi du 10 mai rien ne suggérait qu'une tempête meurtrière se préparait. Pour mon esprit affaibli par le manque d'oxygène, les nuages qui remontaient la grandiose vallée de glace connue sous le nom de combe ouest[1] avaient l'air inoffensifs, épars, sans consistance. Illuminés par le soleil à son zénith, ils ressemblaient à l'inoffensive condensation de convection qui s'élève de la vallée presque tous les après-midi.

Au moment où j'entamai ma descente, j'étais très inquiet, mais cela n'avait rien à voir avec la météorologie : la jauge de ma bouteille d'oxygène venait de m'apprendre que celle-ci était presque vide. Il me fallait redescendre sans tarder.

La dernière partie de l'arête sud-est de l'Everest est une mince lame de roche couverte de neige qui forme une corniche abrupte et serpente sur environ quatre cents mètres

1. La combe ouest a été découverte par George Leigh Mallory au cours de sa première expédition sur l'Everest en 1921. Il l'aperçut depuis le col du Lho La, à la frontière entre le Népal et le Tibet.

depuis le sommet jusqu'à un pic secondaire connu sous le nom de «sommet sud». La descente de cette arête en dents de scie ne comporte pas de passages très techniques mais la voie est terriblement étroite. Après une descente précautionneuse de quinze minutes le long d'un abîme profond de deux mille mètres, je parvins au célèbre ressaut Hillary, une forte cassure qui exige quelques manœuvres délicates. A l'instant où je fixais mon mousqueton à une corde déjà installée pour descendre en rappel, je m'aperçus que, neuf mètres plus bas, plus d'une douzaine de personnes faisaient la queue pour monter. Trois grimpeurs étaient déjà engagés sur la corde. N'ayant pas le choix, je défis mon mousqueton et fis un pas en arrière.

Ceux qui provoquaient cet embouteillage appartenaient à trois expéditions différentes : la mienne, constituée de clients conduits par un guide néo-zélandais réputé, Rob Hall; une autre dirigée par l'Américain Scott Fischer; et une cordée non commerciale venue de Taïwan. Progressant à la vitesse d'un escargot — ce qui est normal au-dessus de 8 000 mètres —, cette foule, individu par individu, escaladait avec effort le ressaut Hillary. Pendant ce temps, j'évaluais nerveusement le temps d'oxygène qui me restait.

Harris, qui avait quitté le sommet peu après moi, me rejoignit bientôt. Désireux d'économiser le précieux gaz, je lui demandai de fermer le robinet du détendeur. Ce qu'il fit. Pendant les dix minutes qui suivirent, je me sentis étonnamment bien. Mon esprit devenait plus lucide et j'étais moins fatigué que quand le robinet était ouvert. Puis, brusquement, j'eus l'impression de suffoquer. Ma vue s'obscurcit et je fus pris de vertiges. J'étais sur le point de perdre conscience.

Au lieu de couper l'oxygène, Harris l'avait ouvert à fond! J'avais gaspillé ma dernière réserve! Une autre bonbonne m'attendait au sommet sud, soixante-quinze mètres plus bas, mais pour l'atteindre il me faudrait descendre une voie très accidentée sans oxygène.

Et d'abord, il fallait attendre que tous ces gens passent. J'ôtai mon masque devenu inutile, plantai mon piolet dans le sol gelé et m'accroupis. Tout en échangeant des congratulations banales avec ceux qui passaient, j'étais intérieurement fou d'impatience : «Dépêchez-vous, dépêchez-vous, suppliais-je en silence. Pendant que vous traînez ici, je perds mes cellules cérébrales par millions!»

La plupart des grimpeurs appartenaient au groupe de Fischer, mais parmi les derniers survinrent deux de mes compagnons, Rob Hall et Yasuko Namba.

Modeste et réservée, Namba, qui avait quarante-sept ans, deviendrait quarante minutes plus tard la femme la plus âgée à avoir escaladé l'Everest et la deuxième Japonaise à avoir vaincu le plus haut sommet de chaque continent, ce qu'on appelle les Sept Sommets. Elle pesait à peine plus de quarante-cinq kilos mais ses formes menues dissimulaient une formidable volonté. Une passion intense et indéfectible avait permis à Yasuko d'atteindre son but.

Un peu plus tard, Doug Hansen parut en haut du ressaut. Membre de notre expédition, il gagnait sa vie comme postier dans un faubourg de Seattle. Il était mon plus proche ami sur cette montagne. «C'est gagné», lui criai-je malgré le vent, en essayant de paraître plus en forme que je ne l'étais. Epuisé par l'effort, il marmonna derrière son masque, me serra faiblement la main et continua sa lente et pénible progression.

Tout à fait en queue de cordée venait Scott Fischer, que j'avais rencontré à Seattle où nous habitions tous les deux. Sa force et son énergie étaient célèbres. En 1994, il avait escaladé l'Everest sans oxygène. Aussi fut-ce pour moi une surprise de le voir avancer si lentement et, quand il écarta son masque pour me saluer, d'apercevoir son visage marqué par la fatigue. «Bruuuuce!» fit-il en lançant d'une voix forcée le salut qu'il avait l'habitude d'employer. Quand je lui demandai comment il allait, il m'assura qu'il se sentait très bien. «Je me traîne un peu aujourd'hui pour une raison que j'ignore, mais ce n'est rien.»

La voie enfin libre, je m'accrochai à la corde orange, contournai rapidement Fischer qui s'effondrait sur son piolet et descendis en rappel.

Lorsque j'atteignis le sommet sud, il était 15 heures passées. A cet instant, des tourbillons de brume dépassaient le Lhotse et venaient se nicher dans la pyramide que forme le sommet de l'Everest. Le temps ne semblait plus du tout serein. Je saisis une bouteille d'oxygène, la fixai sur mon détendeur et me hâtai de descendre au milieu des nuages qui s'épaississaient. Peu après, il se mit à neiger faiblement et la visibilité devint épouvantable. Cent vingt mètres au-dessus, sous un ciel bleu cobalt immaculé, le sommet brillait encore dans la lumière du soleil. Mes camarades déployaient des fanions et prenaient des photos pour marquer leur passage sur le toit du monde, gaspillant de précieux instants. Aucun ne soupçonnait qu'une terrible épreuve approchait et qu'à la fin de cette journée chaque minute serait décisive.

2

Dehra Dun, Inde. 1852. 680 mètres

Loin des montagnes enneigées, je découvris une pâle photo de l'Everest dans Le Livre des merveilles *de Richard Halliburton. Ce pauvre cliché montrait des sommets blancs se détachant sur le fond grotesquement barbouillé du ciel noir. L'Everest, un peu en retrait des autres pics, ne semblait pas les dépasser mais cela n'avait pas d'importance. La légende le présentait comme le plus haut. Cette photo ouvrait la porte aux rêves et permettait à un jeune garçon de s'imaginer sur une arête battue par le vent, en train de monter vers le sommet qui n'était plus très loin...*

C'était l'un de ces rêves sans retenue qui s'épanouissent à l'adolescence. J'étais sûr de ne pas être le seul à rêver de l'Everest. Le point le plus élevé, le plus inaccessible de la Terre, servait précisément à cela : être l'objet des aspirations de beaucoup de jeunes gens et aussi de beaucoup d'adultes.

Thomas F. Hornbein
Everest, l'arête ouest

Le détail des événements demeure obscur, masqué par le mythe. C'était en 1852, dans les locaux du Bureau topographique des Indes installés dans les collines du Nord, à Dehra Dun. Selon la version la plus plausible, un employé se précipita un jour dans le service de sir Andrew Waugh, arpenteur général des Indes, en déclarant qu'un calculateur bengali nommé Radhanath Sikhdar, dépendant du Bureau topographique de Calcutta, avait « découvert la plus haute montagne de la Terre ». (A l'époque de Waugh, le mot « calculateur » désignait un métier et non une machine.) La montagne en question avait été appelée le pic XV par les arpenteurs qui avaient mesuré trois ans auparavant le degré de sa pente au moyen d'un théodolite. Elle appartenait à la chaîne de l'Himalaya, dans le royaume interdit du Népal.

Jusqu'à ce que Sikhdar ait rassemblé les données et réalisé les calculs, personne ne s'était douté que le pic XV avait quelque chose de remarquable. Les six sites d'observation à partir desquels la triangulation avait été effectuée se trouvaient en Inde du Nord, à plus de cent soixante kilomètres de la montagne. Selon les arpenteurs, toute la montagne, à l'exception du sommet, présentait des escarpements de tailles diverses dont certains, parce qu'ils étaient placés au premier plan, donnaient l'illusion d'être plus hauts que le pic lui-même. Mais, d'après les calculs trigonométriques de Sikhdar — qui prenaient en compte tous les facteurs : la courbure de la Terre, la réfraction de l'air, la marge d'erreur du fil à plomb —, le pic XV atteignait la hauteur de 8 839 mètres[1] au-dessus du niveau de la mer et représentait par conséquent le point le plus élevé du globe.

En 1865, neuf ans après la confirmation des calculs de Sikhdar, Waugh attribua au pic XV le nom de « mont Eve-

1. Les mesures actuelles, qui utilisent des lasers et des transmissions par satellite, ont corrigé ce résultat. On admet aujourd'hui que l'altitude de l'Everest est de 8 848 mètres.

rest» en l'honneur de sir George Everest, son prédécesseur dans la fonction d'arpenteur général. Mais les Tibétains, qui vivent au nord de la montagne, lui donnaient depuis longtemps le nom plus doux de «Chomolungma», ce qui signifie «déesse-mère du monde», et les Népalais, qui habitent au sud, l'appelaient «Sagarmatha», «déesse du ciel». Waugh, cependant, décida d'ignorer ces appellations indigènes malgré les consignes officielles qui encourageaient l'usage des dénominations d'origine locale, et la montagne prit le nom d'Everest.

Une fois établi que l'Everest était le plus haut sommet du monde, il fallait s'attendre qu'un jour ou l'autre quelqu'un décide d'en faire l'escalade. L'explorateur américain Robert Peary avait annoncé qu'il avait atteint le pôle Nord en 1909. Roald Amundsen avait mené une expédition norvégienne au pôle Sud en 1911. L'Everest, le «troisième pôle», devenait l'objectif le plus convoité des explorateurs terrestres. Gunther O. Dyrenfurth, alpiniste influent et chroniqueur des premières expéditions himalayennes, proclama que l'escalade de ce sommet «devait être l'objet d'un effort universel et constituait une cause qui n'admettait aucun retour en arrière, quelles que soient les pertes».

Ces pertes ne furent pas négligeables. Cent un ans s'écoulèrent après la découverte de Sikhdar avant que le sommet soit finalement atteint. Quinze expéditions s'étaient succédé et vingt-quatre hommes avaient perdu la vie.

Les alpinistes et les connaisseurs ne trouvent pas que l'Everest ait des formes particulièrement esthétiques. Il est trop massif, trop évasé, trop grossièrement taillé. Mais la grâce qui lui manque est compensée par son énorme stature. Marquant la frontière entre le Népal et le Tibet, il s'élève à plus de trois mille six cents mètres au-dessus des vallées qui l'entourent en formant une pyramide à trois côtés constituée d'une roche stratifiée et sombre et de glace brillante.

Les huit premières expéditions furent anglaises. Toutes firent leur tentative par la face nord, du côté tibétain, non pas parce que cette face présentait un abord plus facile, mais parce que, en 1921, le gouvernement tibétain avait ouvert ses frontières aux étrangers après les avoir long-temps maintenues fermées alors que, dans le même temps, le Népal demeurait résolument interdit.

Les premiers alpinistes furent obligés de parcourir six cent quarante kilomètres en terrain difficile pour, depuis le Darjeeling, traverser le plateau tibétain et atteindre le pied de la montagne. Ils connaissaient mal les effets — aux conséquences mortelles — de la haute altitude et leur équipement paraîtrait aujourd'hui bien rudimentaire. Cependant, en 1924, un membre de la troisième expédi-tion britannique, Edward Felix Norton, atteignit l'alti-tude de 8573 mètres — soit moins de trois cents mètres en dessous du sommet — avant de renoncer, à bout de forces et aveuglé par la neige. Cet extraordinaire exploit ne fut probablement pas dépassé pendant vingt-neuf ans.

Je dis «probablement» à cause de ce que l'on apprit quatre jours après la tentative de Norton. Aux premières lueurs de l'aube, le 8 juin, deux autres membres de la même expédition, George Leigh Mallory et Andrew Irvine, quittèrent leur campement supérieur en direction du sommet.

Mallory, dont le nom est associé à l'Everest, était l'élé-ment moteur des trois premières expéditions. Aux Etats-Unis, lors d'une conférence illustrée par des images de lanterne magique, à un journaliste qui lui demandait pourquoi il tenait tant à escalader l'Everest il fit cette réponse demeurée célèbre : «Parce qu'il est là.»

En 1924, Mallory avait trente-huit ans. Il exerçait le métier d'instituteur, était marié et avait trois jeunes enfants. Issu de la bonne société anglaise, c'était un esthète et un idéaliste, avec une sensibilité résolument romantique. Sa grâce athlétique, son charme et sa beauté avaient attiré l'attention de Lytton Strachey et du groupe de Bloomsbury[1]. Quand ils se trouvaient dans leur tente sur les flancs de l'Everest, Mallory et ses compagnons se lisaient à haute voix des extraits de *Hamlet* et du *Roi Lear*.

Tandis que Mallory et Irvine progressaient lentement vers le sommet, le 8 juin 1924, une nappe de brume recouvrit la partie supérieure de la montagne, ce qui empêchait les membres de l'expédition de suivre la marche des deux hommes. A 12 h 50, le temps s'étant éclairci un instant, leur camarade Noel Odell put les apercevoir fugitivement. Ils avaient environ cinq heures de retard sur leur horaire mais ils montaient d'une manière décidée vers le sommet.

Cependant, lorsque la nuit fut tombée, ils n'étaient toujours pas revenus, et ils ne réapparurent jamais. Depuis, la légende prétend qu'ils auraient pu atteindre le sommet avant d'être avalés par la montagne. La discussion dure encore, mais il est probable qu'ils n'y parvinrent pas.

En 1949, après des siècles de fermeture de ses frontières, le Népal s'ouvrit au monde extérieur et, un an plus tard, le nouveau régime communiste de Chine ferma la frontière du Tibet aux étrangers. En conséquence, les alpinistes se mirent à s'intéresser à la face sud de l'Everest. Au printemps 1953, une équipe anglaise nombreuse, organisée avec une précision militaire, fit une tentative à partir du Népal. C'était la troisième. Le 28 mai, après deux mois d'efforts prodigieux, ces alpinistes parvinrent à établir un camp rudimentaire sur l'arête sud-est, à 8 503 mètres. Le matin suivant, à la première heure, un Néo-Zélandais de haute taille nommé Edmund Hillary et

1. Groupe d'intellectuels qui se réunissaient dans le quartier de Bloomsbury à Londres autour de John Maynard Keynes, de Virginia Woolf et de Lytton Strachey. *(N.d.T.)*

Tenzing Norgay, un Sherpa très expérimenté, se mirent en route pour le sommet, équipés de masques à oxygène.

A 9 heures, ils étaient parvenus au sommet sud, qui mène au sommet proprement dit par une arête si étroite qu'elle donne le vertige. Une heure plus tard, ils parvenaient au pied de ce que Hillary décrivit plus tard ainsi : «Le problème d'escalade le plus impressionnant sur cette arête : un ressaut rocheux de douze mètres de haut... La roche était lisse et sans prise. Elle aurait pu constituer un intéressant problème d'escalade pour un groupe de grimpeurs aguerris s'entraînant un dimanche après-midi dans le Lake District[1], mais là, c'était un obstacle qui paraissait impossible à franchir compte tenu de notre état de fatigue.»

Tandis que Tenzing laissait filer nerveusement la corde depuis le bas, Hillary se calait entre le pilier rocheux et une arête de neige fixée verticalement sur son bord. Puis il entreprit de monter le long de ce qui allait devenir «le ressaut Hillary». L'ascension était épuisante et incertaine, mais il continua jusqu'au moment où, comme il l'écrivit plus tard :

Je pus enfin basculer sur le haut des rochers et me hisser hors de la fissure pour me rétablir sur une vire. Je restai allongé un moment pour reprendre mon souffle et, pour la première fois, je sentis avec une fière détermination que désormais rien ne pourrait nous empêcher d'atteindre le sommet. Je pris fermement appui sur le balcon et fis signe à Tenzing de monter. Tandis que je tirais de toutes mes forces sur la corde, Tenzing se tortillait en s'élevant dans la fissure et finalement il s'effondra, épuisé, sur le bord comme un poisson géant qui vient juste d'être pêché après une terrible lutte.

---

1. Région montagneuse située au nord-ouest de l'Angleterre et dominée par le pic Scafell (979 mètres). (N.d.T.)

Surmontant leur épuisement, les deux grimpeurs continuèrent leur ascension le long de l'arête sinueuse.

D'une humeur plutôt sombre, je me demandais si nous aurions assez de force pour réussir. Je contournai une autre bosse et vis que la montagne redescendait. La vue portait loin vers l'intérieur du Tibet. Je regardai en haut et là, au-dessus de nous, il y avait un cône de neige. Encore quelques coups de piolet, quelques pas précautionneux, et Tenzing et moi étions au sommet.

Et c'est ainsi que le 29 mai 1953, un peu avant midi, Hillary et Tenzing devinrent les premiers alpinistes à atteindre le sommet de l'Everest.

Trois jours plus tard, la nouvelle parvint à la reine Elisabeth, la veille de la cérémonie de son couronnement, et le *Times* de Londres rapporta l'événement dans sa première édition du 2 juin. C'est un jeune correspondant, James Morris, qui transmit l'information depuis l'Everest au moyen d'un message codé (à cause des journaux concurrents). Vingt ans plus tard, ayant acquis une grande notoriété par ses écrits, il devint célèbre pour tout autre chose : il changea de sexe et adopta le prénom de Jan.

Dans *Le Couronnement de l'Everest*, Morris écrit, quarante ans après l'expédition :

Aujourd'hui, il est difficile d'imaginer l'euphorie presque mystique que provoqua en Grande-Bretagne la coïncidence des deux événements [le couronnement et l'ascension]. Sortant enfin de la longue période d'austérité qu'ils avaient dû subir après la Seconde Guerre mondiale, mais en même temps obligés d'admettre la perte de leur empire et le déclin inévitable de leur puissance dans le monde, les Britanniques s'étaient à demi convaincus que le couronnement de la jeune reine était le signe d'un renouveau, d'un nouvel âge élisabéthain, comme l'écrivaient volontiers les journaux. Le jour du couronnement, le 2 juin 1953, devait être un jour de réjouissance et d'espoir qui avait valeur de symbole, un moment suprême où s'exprimeraient les sentiments patriotiques. Et voilà que — merveille des merveilles — des confins de l'Empire parvint précisément ce jour-là la nouvelle qu'un groupe d'alpinistes britanniques avait atteint le plus haut objectif possible de l'exploration et de l'aventure : le toit du monde...

A ce moment, un riche éventail d'émotions se déploya dans notre peuple — fierté, patriotisme, nostalgie du temps de la guerre et des actes de bravoure, espoir d'un avenir régénéré... Les gens d'un certain âge gardent un vif souvenir de ce jour. Alors qu'ils attendaient par un matin de juin bruineux le passage du cortège du couronnement, ils apprirent cette nouvelle magique : le sommet de la terre était pour ainsi dire à eux.

Tenzing devint un héros national en Inde, au Népal et au Tibet, chacun de ces pays le revendiquant comme l'un des siens. Sir Edmund Hillary, anobli par la reine, put voir son visage énergique reproduit sur les timbres-poste, les bandes dessinées, les livres, les couvertures de magazines. On tourna des films sur son exploit. Instantanément, l'apiculteur d'Auckland devint l'un des hommes les plus célèbres du monde.

C'est un mois avant que je sois conçu que Hillary et Tenzing vainquirent l'Everest. Aussi n'ai-je pu partager l'émerveillement et la fierté collective qui s'emparèrent du monde et qui, d'après un vieil ami, furent comparables à ce qui se produisit quand l'homme marcha pour la première fois sur la Lune. Cependant, dix ans plus tard, une autre ascension eut un effet décisif sur l'orientation de mon existence.

Le 22 mai 1963, Tom Hornbein — un médecin de trente-deux ans originaire du Missouri — et Willi Unsoeld — trente-six ans, professeur de théologie dans l'Oregon — atteignirent le sommet de l'Everest par l'impressionnante arête ouest, voie qui n'avait encore jamais été empruntée. A cette époque, onze grimpeurs étaient déjà parvenus au sommet en quatre expéditions, mais l'arête ouest était bien plus difficile que les deux voies utilisées précédemment : le col sud et l'arête sud-est d'une part et le col nord et l'arête nord-est d'autre part. Depuis, l'ascension de Hornbein et Unsoeld est saluée à juste titre comme l'un des grands exploits de l'histoire de l'alpinisme.

L'après-midi était déjà bien avancé quand les deux Américains, lors de leur progression vers le sommet, escaladèrent une strate de roche friable, la tristement célèbre Bande-Jaune. Cette falaise exigeait beaucoup de force et d'habileté. Aucune paroi de cette sorte n'avait jamais été franchie à une telle altitude. Arrivés en haut de la Bande-Jaune, Hornbein et Unsoeld se dirent qu'il leur serait difficile de redescendre sans risque. Leur seul espoir de s'en sortir vivants était de parvenir au sommet et de redescendre par l'arête sud-est en suivant la voie déjà tracée. Ce plan était très audacieux étant donné l'heure avancée, l'incertitude du terrain et le peu d'oxygène dont ils disposaient.

Ils parvinrent au sommet à 18 h 15, juste au moment où le soleil se couchait. En conséquence, ils durent passer la nuit sur le sommet, à la belle étoile. C'était le bivouac le plus haut de l'Histoire. La nuit fut froide, mais heureusement sans vent. Malgré tout, Unsoeld eut les doigts de pieds gelés et dut plus tard être amputé.

A cette époque, j'avais neuf ans. Je vivais à Corvallis, dans l'Oregon, ville où Unsoeld résidait également.

C'était un ami intime de mon père et, quelquefois, je jouais avec ses enfants. Regon avait un an de plus que moi et Devi un an de moins. Quelques mois avant que Willi Unsoeld parte pour le Népal, j'atteignis mon premier sommet — celui d'un volcan tout à fait ordinaire de 2 700 mètres dans la chaîne des Cascades. On y accède aujourd'hui par un télésiège. J'étais en compagnie de mon père, de Willi et de Regon. Il n'est donc pas surprenant que les récits de l'épopée himalayenne de 1963 aient eu un écho fort et durable dans mon imagination enfantine. Tandis que mes amis avaient pour idoles les astronautes de la NASA, mes héros à moi s'appelaient Hornbein et Unsoeld.

Je rêvais secrètement d'escalader un jour l'Everest et, pendant plus de quinze ans, ce désir est resté vivace. A un peu plus de vingt ans, l'escalade était devenue le centre de mon existence, à l'exclusion de tout autre intérêt. Atteindre un sommet, c'était concret, tangible, incontestable. Les dangers inhérents à cette activité lui conféraient un caractère sérieux qui faisait douloureusement défaut au reste de ma vie. J'étais séduit par la perspective d'ajouter au cours ordinaire de l'existence une rafraîchissante dimension verticale.

L'escalade me faisait aussi entrer dans une communauté. Devenir grimpeur, c'était rejoindre une société, indépendante et farouchement idéaliste, qui passait largement inaperçue et qui, de façon surprenante, échappait à la corruption générale. L'esprit de l'alpinisme se caractérisait par un sens aigu de la compétition et par un machisme pur et dur mais, pour la plupart, les membres de cette société n'aspiraient qu'à obtenir le respect de leurs semblables. Atteindre le sommet d'une montagne était moins important en soi que la façon d'y parvenir. Ce qui donnait du prestige, c'était d'affronter les voies les plus difficiles avec le minimum d'équipement et de la façon la plus hardie. Nul n'était plus admiré que les grimpeurs en solo qui réalisaient leur ascension sans corde ni accessoires.

Dans ces années-là, je vivais pour grimper. Je gagnais 5 000 ou 6 000 dollars par an comme charpentier ou comme pêcheur de saumons, travaillant le temps de rassembler des fonds pour ma prochaine expédition. Mais, à un moment donné, vers l'âge de vingt-cinq ans, j'abandonnai mon fantasme puéril d'escalader l'Everest. C'était l'époque où il était devenu de bon ton parmi les alpinistes de dénigrer l'Everest, ce crassier trop dépourvu de difficultés techniques et d'attraits esthétiques pour constituer un objectif valable aux yeux d'un grimpeur sérieux — ce que précisément j'aspirais à devenir. Je me mis à regarder de haut la plus haute montagne du globe.

Un tel snobisme provenait du fait qu'au début des années 1980 la voie la plus facile de l'Everest — celle qui passe par le col sud et l'arête sud-est — avait été empruntée avec succès plus d'une centaine de fois. Mes amis et moi considérions l'arête sud-est comme un sentier à vaches. Notre mépris fut renforcé en 1985 quand un certain Dick Bass — un riche Texan de cinquante-cinq ans qui n'avait que peu d'expérience en matière d'escalade — fut guidé jusqu'au sommet de l'Everest par un jeune grimpeur extraordinaire, David Breashears. Cet événement fut accompagné par un déluge de commentaires médiatiques dépourvus de tout esprit critique.

L'Everest était demeuré jusque-là un domaine réservé à une élite d'alpinistes. Selon Michael Kennedy, le rédacteur en chef du magazine *Climbing* : « Participer à une expédition sur l'Everest était un honneur réservé à ceux qui avaient suivi un long apprentissage sur des montagnes moins hautes, et atteindre le sommet plaçait un grimpeur tout en haut du panthéon de l'alpinisme. » L'ascension de Bass bouleversa tout cela. En allant au sommet de l'Everest, il devint le premier à avoir escaladé les Sept Sommets[1], ce qui lui conféra une renommée mondiale, incita un essaim de grimpeurs du dimanche à suivre ses traces et fit brusquement entrer l'Everest dans l'époque post-moderne.

En avril dernier, tandis que nous montions vers le camp de base sur l'Everest, Seaborn Beck Weathers — un médecin de quarante-neuf ans, client de Rob Hall — m'expliqua avec son accent texan à couper au couteau : «Pour les rêveurs vieillissants comme moi, Dick Bass représente un exemple. Il a montré que l'Everest était à la portée des gens ordinaires, à condition d'être raisonnablement entraîné et de disposer de certains revenus. L'obstacle principal, c'est probablement de quitter son travail et sa famille pendant deux mois.»

Néanmoins, les statistiques montrent que prélever du temps sur leur existence ordinaire n'a pas été un obstacle insurmontable pour beaucoup de grimpeurs. Pas plus que la dépense. Au cours des cinq dernières années, l'affluence sur les Sept Sommets, et tout particulièrement sur l'Everest, s'est accrue dans des proportions astronomiques. Pour satisfaire la demande, les entreprises commerciales offrant des ascensions guidées se sont multipliées dans une mesure identique. Au printemps 1996, trente expéditions se trouvaient sur les flancs de l'Everest et au moins dix d'entre elles avaient un but exclusivement lucratif.

---

1. Les plus hautes montagnes de chaque continent sont : l'Everest, 8 848 mètres (Asie) ; l'Aconcagua, 6 960 mètres (Amérique du Sud) ; le mont McKinley, appelé aussi Denali, 6 193 mètres (Amérique du Nord) ; le Kilimandjaro, 5 895 mètres (Afrique) ; l'Elbrous, 5 642 mètres (Europe) ; le mont Vinson, 4 897 mètres (Antarctique) ; le Kosciusko, 2 230 mètres (Australie). Après que Dick Bass eut escaladé ces sept montagnes, un grimpeur canadien, Patrick Morrow, fit remarquer que le sommet le plus élevé d'Océanie (à laquelle appartient l'Australie) étant non pas le Kosciusko mais la pyramide de Carstensz (5 040 mètres), située dans la province indonésienne d'Irian Barat, ce n'était pas Bass qui, le premier, avait vaincu les Sept Sommets mais bien lui, Morrow. Plus d'un alpiniste a critiqué la notion même de Sept Sommets en signalant que ce serait un exploit supérieur d'escalader le second sommet de chaque continent, car plusieurs de ces montagnes présentent de grandes difficultés.

Le gouvernement du Népal a fini par s'apercevoir que cette foule engendrait de sérieux problèmes de sécurité mais aussi nuisait à la beauté du site et à la qualité de l'environnement. Il a donc pris une mesure qui semblait avoir le double avantage de limiter l'affluence et de procurer au pays des devises fortes : augmenter le prix du permis d'accès. En 1991, le ministère du Tourisme faisait payer 2 300 dollars un permis valable pour une cordée, quelle que soit son importance. En 1992, le prix passa à 10 000 dollars pour un groupe de neuf personnes au maximum, chaque grimpeur supplémentaire devant verser 1 200 dollars.

Malgré cela, la foule continua à affluer. Au printemps 1993, pour le quarantième anniversaire de la première ascension, quinze expéditions comprenant en tout deux cent quatre-vingt-quatorze grimpeurs tentèrent leur chance à partir du Népal. A l'automne, le ministère augmenta encore le prix du permis. Il atteignit la somme exorbitante de 50 000 dollars pour une cordée de cinq, plus 10 000 dollars par grimpeur supplémentaire avec un maximum de sept. Il fut en outre décidé que seules quatre expéditions seraient autorisées chaque année.

Mais ce que les Népalais n'avaient pas pris en considération, c'est que, pour les départs depuis le Tibet, la Chine ne demandait que 15 000 dollars pour une cordée, quelle que soit sa taille, et ne limitait pas le nombre d'expéditions. Dès lors, le flot des grimpeurs se dirigea vers le Tibet et des centaines de Sherpas furent privés de travail. Le mécontentement qui en découla obligea, au printemps 1996, les autorités népalaises à ne plus limiter le nombre d'expéditions. Dans le même temps, elles augmentèrent encore le prix du permis, qui passa à 70 000 dollars pour sept grimpeurs et 10 000 dollars par grimpeur supplémentaire. Etant donné que, sur les trente expéditions qui tentèrent l'ascension de l'Everest au printemps 1996, seize partirent du Népal, il semble que le coût élevé du permis n'ait pas été véritablement dissuasif.

Mais même avant la saison d'escalade de 1996 et son résultat catastrophique, la prolifération des expéditions commerciales au cours des dix dernières années était devenue un problème sensible. Les traditionalistes s'offusquaient que le plus haut sommet du monde soit vendu à de riches parvenus dont certains, privés de guide, auraient eu du mal à arriver au sommet d'une montagne modeste, et ils se plaignaient que l'Everest soit avili, profané.

Ces mêmes esprits critiques signalaient également qu'à cause de sa commercialisation cette montagne sacrée avait été entraînée dans le marécage de la jurisprudence américaine. Certains grimpeurs, qui avaient payé rubis sur l'ongle pour être emmenés sur l'Everest, engagèrent à leur retour des poursuites contre leur guide parce qu'ils n'avaient pu parvenir au sommet. Peter Athans, guide respecté qui est allé quatre fois au sommet en onze expéditions, s'en plaint : «De temps en temps, on tombe sur un client qui pense avoir acheté un ticket pour le sommet. Il y a des gens qui ne comprennent pas qu'une expédition sur l'Everest ne peut se dérouler comme un voyage en chemin de fer.»

Malheureusement, les poursuites judiciaires ne sont pas toujours injustifiées. Des sociétés sans compétence ou sans scrupules ne fournissent pas le soutien logistique — les bouteilles d'oxygène par exemple — qu'elles avaient promis. Lors de certaines expéditions, les guides sont allés au sommet en laissant leurs clients derrière eux, ce qui faisait penser aux plus amers qu'on n'avait fait appel à eux que pour payer la facture. En 1995, le responsable d'une expédition disparut avant le départ avec les dizaines de milliers de dollars qu'on lui avait confiées.

En mars 1995, je reçus un appel téléphonique d'un rédacteur en chef d'*Outside*. Il me proposait de rejoindre une expédition sur l'Everest qui devait partir cinq jours plus tard et d'écrire un article sur le développement parasitaire des expéditions commerciales ainsi que sur les controverses qui en découlent. On ne me demandait pas d'escalader le pic mais de rester au camp de base et de rédiger mon récit depuis le glacier du Rongbuk, au pied de la montagne du côté tibétain. Je pris cette offre au sérieux, allant jusqu'à réserver une place d'avion et à me faire vacciner. Puis je fis machine arrière à la dernière minute.

Les propos dédaigneux que j'avais tenus sur l'Everest au cours des dernières années auraient pu faire penser que je serais conséquent avec moi-même et que je refuserais cette offre. En réalité, la proposition d'*Outside* avait réveillé un vieux désir enfoui au fond de moi-même. Je répondis par la négative parce que je trouvais qu'il aurait été insupportablement frustrant de passer deux mois sur l'Everest sans aller plus haut que le camp de base. Si je devais me rendre dans un pays éloigné et passer huit semaines loin de ma femme et de mon foyer, je voulais avoir au moins la possibilité d'escalader la montagne.

Je demandai à Mark Bryant — le rédacteur en chef — s'il n'était pas possible de reporter le projet d'un an, ce qui me donnerait le temps de m'entraîner convenablement. Je voulais également savoir si le magazine était prêt à m'assurer les services d'un guide réputé — et à lui payer les 65 000 dollars d'honoraires — afin que j'aie une chance d'atteindre le sommet. A vrai dire, je n'attendais pas de lui qu'il donne son accord à ce projet. Au cours des quinze années précédentes, j'avais rédigé plus de soixante articles pour *Outside* et, pour chacun de ces papiers, le budget de déplacement avait rarement dépassé 200 ou 300 dollars.

Le lendemain, après en avoir parlé à la direction du magazine, Bryant me rappela. Il me dit qu'*Outside* n'était pas prêt à débourser 65 000 dollars mais que lui-même ainsi que les autres rédacteurs en chef pensaient que la place croissante des activités commerciales sur l'Everest constituait un sujet important. Si je songeais sérieusement à faire l'ascension de cette montagne, *Outside* trouverait un moyen pour que la chose se fasse.

Pendant les trente-trois ans où je me suis considéré comme un alpiniste, j'ai entrepris des ascensions difficiles. En Alaska, j'ai ouvert une voie nouvelle — et périlleuse — sur Mooses Tooth et réalisé une ascension en solitaire du Devils Thumb qui supposait de passer trois semaines sur une calotte de glace isolée. J'ai aussi effectué de nombreuses courses de glace passablement ardues, au Canada et dans le Colorado. Près de la pointe sud de l'Amérique latine, un endroit où le vent balaie tout sur son passage à la manière du «balai de Dieu», selon l'expression des habitants de la région, j'ai escaladé un bec de granit de 800 mètres de haut — une effrayante paroi verticale, surplombante, appelée le Cerro Torre. Battu par des vents de cent nœuds, recouvert d'une fragile couche de givre, il fut pendant un temps (pas très longtemps, en réalité) considéré comme la montagne la plus difficile du monde.

Mais ces escapades avaient eu lieu bien des années auparavant, deux dizaines d'années pour certaines, à l'époque où j'avais vingt ou trente ans. Lors de ma conversation avec Bryant, j'en avais quarante et un, et le temps où je me trouvais au mieux de ma forme était passé depuis longtemps. Ma barbe grisonnait, j'avais de mauvaises gencives et une surcharge pondérale de huit kilos. Et puis j'étais marié à une femme que j'aimais et qui m'aimait. Ayant fini par trouver un travail acceptable, je vivais au-dessus du seuil de pauvreté pour la première fois de ma vie. En deux mots, mon désir d'escapade s'était estompé grâce à une série de petites satisfactions qui, en s'additionnant, avaient fini par constituer quelque chose qui ressemblait au bonheur.

En outre, aucune de mes ascensions précédentes n'avait eu lieu en haute atmosphère. A vrai dire, je n'avais pas dépassé 5 200 mètres, ce qui n'était même pas l'altitude du camp de base de l'Everest.

Passionné par l'histoire de l'alpinisme, je savais que l'Everest avait tué plus de cent trente personnes depuis la première expédition britannique, en 1921. Ce qui faisait environ un mort pour quatre alpinistes ayant atteint le sommet. En outre, beaucoup de ces morts étaient partis en bien meilleure condition physique que moi et leur expérience de la haute altitude dépassait de beaucoup la mienne. Mais les rêves de jeunesse ont la vie dure et on ne peut pas être constamment raisonnable. A la fin de février 1996, Bryant m'appela pour m'annoncer qu'une place avait été réservée pour moi dans la prochaine expédition de Rob Hall sur l'Everest. Quand il me demanda si j'étais sûr de vouloir aller jusqu'au bout, je lui répondis « oui » sans une hésitation.

3

Au-dessus de l'Inde du Nord.
29 mars 1996. 10 000 mètres

Prenant brusquement la parole, je me servis d'une méta-phore. Je vous parle de la planète Neptune, leur dis-je, de la planète elle-même et non pas du paradis, au sujet duquel je ne sais rien. Vous voyez que cela vous concerne. Il s'agit de vous et de vous seulement. Là-haut, leur dis-je, il y a une grande montagne et je dois vous prévenir que les gens sont plutôt idiots sur Neptune, principalement parce que chacun vit dans son propre cocon. Certains — c'est d'eux que je veux vous parler — ont voulu absolument escalader cette montagne. C'était incroyable! Qu'il y ait des morts ou non, que cela soit utile ou non, ces gens en avaient pris l'habitude et passaient leur temps libre, dépensaient toute leur énergie à courir après la gloire en montant et descendant les pentes les plus raides du district. Et tous sans exception en revenaient régénérés. Il était amusant de constater que même sur Nep-tune la plupart d'entre eux se contentaient d'affronter les parois les plus faciles sans trop de risques. Néanmoins, la régé-nération se produisait et elle était visible à la fois dans leur air résolu et dans la lueur de gratitude qui brillait dans leurs yeux. Comme je l'ai dit, cela se passait non pas au paradis mais sur Neptune où, peut-être, il n'y a rien de mieux à faire.

John Menlove Edwards
Lettre d'un homme

Ayant deux heures à passer dans le vol 311 de la compagnie Thaï Air entre Bangkok et Katmandou, je quittai mon siège pour me diriger vers l'arrière de l'avion. Je m'accroupis près des toilettes, à tribord, pour regarder par un petit hublot placé à mi-hauteur dans l'espoir d'apercevoir des montagnes. Je ne fus pas déçu. La chaîne de l'Himalaya dentelait l'horizon. Penché au-dessus d'un sac-poubelle rempli de boîtes de soda et de reliefs de repas, je demeurai fasciné près de ce hublot pendant tout le vol, le visage collé au plexiglas froid.

Je reconnus aussitôt l'énorme masse évasée du Kanchenjunga, la troisième montagne du monde, qui s'élève à 8 586 mètres au-dessus du niveau de la mer. Quinze minutes plus tard apparut le Makalu, le cinquième sommet mondial, et finalement — impossible à manquer — l'Everest lui-même. La pointe du sommet, noire comme de l'encre, ressortait avec netteté au-dessus des arêtes. Elle déchirait la traînée de cristaux de glace que l'avion laissait derrière lui, vers l'est, comme un long foulard de soie. En regardant le ciel de ce côté-là, il m'apparut que le sommet de l'Everest était à la même hauteur que l'avion. L'idée que je me préparais à grimper à l'altitude de croisière d'un Airbus A300 me frappa à ce moment comme quelque chose de grotesque, ou pire. Je sentis mes mains devenir moites.

Quarante minutes plus tard, j'étais à l'aéroport de Katmandou. Après la douane, un jeune homme fortement charpenté et rasé de près jeta un regard sur mes deux énormes sacs et s'approcha : «Etes-vous Jon?» s'enquit-il avec l'accent chantant des Néo-Zélandais tout en consultant une feuille où figuraient les photos des clients de Hall. Il me serra la main et se présenta. C'était Andy Harris, l'un des guides de Hall, venu m'accueillir pour me conduire à notre hôtel.

Harris, qui était âgé de trente et un ans, me dit qu'un autre client arrivait par le même vol, Lou Kasischke, un avocat de cinquante-trois ans qui venait de Bloomfield Hills dans le Michigan. Il fallut une heure à Kasischke pour récupérer ses bagages. Pendant ce temps, Andy et moi comparions nos impressions de quelques escalades difficiles de l'ouest du Canada et discutions des mérites respectifs du ski et du snowboard. A l'évidence, Andy était un passionné d'escalade. Son enthousiasme sans mélange pour la montagne me fit penser avec nostalgie à la période de ma vie où grimper était ce que je pouvais imaginer de plus important. Le cours de mon existence était alors déterminé par les montagnes que j'avais gravies et par celles que j'espérais gravir un jour.

Juste avant que Kasischke — un homme de haute taille, aux cheveux argentés et à l'allure réservée d'un patricien — sorte des encombrements de la douane, je demandai à Andy combien de fois il était allé sur l'Everest. «En fait, admit-il, ce sera la première fois, comme pour vous. Il sera intéressant de voir comment je me débrouillerai.»

Hall avait réservé des chambres à l'hôtel Garuda, un établissement à l'atmosphère chaleureuse et branchée situé dans une rue étroite, encombrée de cyclo-pousses et de prostituées, au cœur du Thamel, le quartier touristique très animé de Katmandou. Le Garuda hébergeait depuis longtemps les expéditions en route pour l'Himalaya. On pouvait voir sur ses murs les portraits des alpinistes célèbres qu'il avait reçus : Reinhold Messner, Peter Habeler, Kitty Calhoun, John Roskelley, Jeff Lowe. En montant l'escalier, je passai devant un grand poster en quadrichromie intitulé «La trilogie himalayenne», où l'on voyait l'Everest, le K2 et le Lhotse. En surimpression apparaissait le visage souriant d'un homme barbu en tenue d'alpiniste : c'était Rob Hall. Le poster — supposé attirer des clients vers la société de Hall, Adventure Consultants — commémorait son exploit le plus impressionnant : en 1994, il avait escaladé ces trois sommets en l'espace de deux mois.

Une heure plus tard, je rencontrai Hall en chair et en os. C'était une grande perche de 1,90 mètre avec quelque chose d'angélique dans le visage. Il paraissait plus vieux que ses trente-cinq ans, peut-être à cause de ses rides profondes aux coins des yeux, ou de son air d'autorité. Il portait une chemise hawaïenne et un jean délavé rapiécé à un genou par un morceau de tissu portant le symbole du yin et du yang. Une mèche de cheveux châtains descendait en boucle sur son front et sa barbe avait besoin d'être remise en ordre.

Sociable par nature, il se révéla un remarquable conteur doué d'un esprit caustique typiquement néozélandais. Se lançant dans une longue histoire qui impliquait un touriste français, un moine bouddhiste et un yak à longs poils, il en livra la chute avec un regard malicieux, fit une pause, renversa la tête en arrière et laissa éclater un rire tonitruant, contagieux, irrépressible. Il me plut immédiatement.

Hall était né dans une famille ouvrière catholique à Christchurch, en Nouvelle-Zélande. Il était le plus jeune de neuf enfants. Bien qu'il fût doué d'une vive intelligence, il quitta l'école à quinze ans après s'être heurté à un professeur particulièrement autoritaire. En 1976, il fut embauché par un fabricant local d'articles d'escalade, Alp Sports. «Il se mit à faire des choses étranges, par exemple à travailler sur une machine à coudre, se souvient Bill Atkinson, un guide expérimenté qui a lui aussi travaillé chez Alp Sports. Mais grâce à ses qualités d'organisateur, qui étaient déjà évidentes quand il avait seize ou dix-sept ans, il en vint rapidement à diriger tout le secteur de la production.»

Depuis plusieurs années, Hall faisait des randonnées dans les collines. A peu près à l'époque où il se mit à travailler chez Alp Sports, il commença à s'attaquer au rocher et à la glace. «Il apprenait vite, dit Atkinson, qui fut son plus fidèle camarade d'escalade. Il savait très bien tirer des enseignements de tout le monde.»

En 1980, âgé de dix-neuf ans, Hall participa à une expédition sur l'arête nord de l'Ama Dablam, une montagne de 6 795 mètres, difficile mais d'une incomparable beauté, qui se trouve à vingt-quatre kilomètres au sud de l'Everest. C'était son premier voyage dans l'Himalaya. Il en profita pour faire une excursion au camp de base de l'Everest et décida qu'un jour il escaladerait la plus haute montagne du monde. Cela lui demanda dix ans et trois tentatives, mais en mai 1990 il atteignit le sommet en tant que chef d'une expédition à laquelle participait Peter Hillary, le fils de sir Edmund. Du haut de la montagne, il envoya un message radio qui fut diffusé en direct dans toute la Nouvelle-Zélande et, en réponse, il reçut les félicitations du Premier ministre, Geoffrey Palmer.

Hall était à cette époque un grimpeur professionnel à plein temps. Comme la plupart de ses pairs, il recherchait des sponsors pour financer ses coûteuses expéditions sur l'Himalaya et il était assez perspicace pour comprendre que plus il attirerait l'attention des médias, plus il lui serait facile d'obtenir une participation financière des entreprises. C'est précisément ce qui arriva. Il se révéla très habile pour obtenir qu'on parle de lui dans les journaux et que son visage apparaisse sur les écrans de télévision. «Oui, admet Atkinson, Rob a toujours eu le sens de la publicité.»

En 1988, un guide d'Auckland nommé Gary Ball devint le meilleur ami de Hall et son principal compagnon d'escalade. Ils atteignirent ensemble le sommet de l'Everest en 1990 et, peu après leur retour en Nouvelle-Zélande, ils firent le projet d'escalader le plus haut sommet de chacun des sept continents, comme Dick Bass, mais en l'espace de sept mois [1].

Ayant déjà gravi l'Everest, le plus difficile, Hall et Ball

1. Il avait fallu quatre ans à Bass pour réaliser ces ascensions.

se débrouillèrent pour obtenir le soutien d'une grande firme de distribution d'électricité. Le 12 décembre 1990, quelques heures avant la date limite, ils atteignirent le sommet de la septième montagne, le mont Vinson, qui culmine à 4 897 mètres. La fanfare résonna dans toute la Nouvelle-Zélande.

Cependant, en dépit de leur succès, Hall et Ball étaient préoccupés par leur avenir.

«Pour continuer à être soutenu par des sponsors, explique Atkinson, un grimpeur doit toujours augmenter la mise. Toute escalade doit être plus dure et plus spectaculaire que la précédente. Cela forme une spirale toujours plus contraignante et, à la fin, vous n'êtes plus à la hauteur du défi. Rob et Gary comprirent que tôt ou tard ils ne seraient plus à même de réaliser l'exploit attendu, ou bien ils auraient un accident et se tueraient... Aussi décidèrent-ils de changer de direction et de devenir guides de haute montagne. Quand on est guide, on ne réalise pas nécessairement les courses qu'on désire le plus ; il s'agit d'emmener les clients au sommet et de les ramener, ce qui correspond à une satisfaction très différente. Mais c'est un métier plus stable que la recherche continuelle de sponsors. Il y a une réserve inépuisable de clients, à condition de leur offrir des services de qualité.»

Pendant leur ascension à grand spectacle des Sept Sommets, Hall et Ball mirent au point leur projet d'une entreprise destinée à accompagner des clients sur ces sommets-là. Convaincus qu'il existait un marché inexploité de doux rêveurs fortunés mais dépourvus de l'expérience nécessaire, ils créèrent une société qu'ils baptisèrent «Adventure Consultants».

Presque immédiatement, ils connurent le succès. En mai 1992, ils emmenèrent six clients au sommet de l'Everest. L'année suivante, ils servirent de guides à un groupe de sept personnes. Cette fois-là, au cours du même après-midi, quarante grimpeurs atteignirent le sommet de l'Everest. Toutefois, quand ils revinrent de cette expédition, ils furent l'objet de critiques inattendues de la part de sir Edmund Hillary, qui dénonçait le rôle de Hall dans la commercialisation croissante de l'Everest. Emmener des foules de novices au sommet en échange d'honoraires revenait selon lui à « un manque de respect envers la montagne ».

En Nouvelle-Zélande, Hillary est l'une des figures les plus prestigieuses de la nation. Son visage énergique apparaît même sur les billets de 5 dollars. Hall fut attristé et embarrassé d'essuyer publiquement les reproches de ce demi-dieu, de ce pionnier qui avait été l'un des héros de son enfance. « Hillary est considéré comme un monument national vivant, remarque Atkinson. Ce qu'il dit a du poids et être critiqué par lui devait faire très mal. Rob voulait se défendre publiquement, mais il se rendit compte qu'affronter quelqu'un d'aussi respecté ne conduirait à rien. »

Cinq mois après le tumulte provoqué par l'intervention de Hillary, un coup bien plus grave atteignit Hall. En octobre 1993, Gary Ball mourut d'un œdème cérébral causé par la haute altitude au cours d'une tentative d'ascension du Dhaulagiri, la sixième montagne du globe, qui culmine à 8 167 mètres. Ball, gisant dans le coma sous une petite tente installée dans la partie supérieure du pic, rendit son dernier souffle dans les bras de Hall. Le lendemain, celui-ci enterra son ami dans une crevasse.

A son retour en Nouvelle-Zélande, au cours d'un entretien télévisé, il décrivit, le visage sombre, comment il avait pris leur corde préférée pour descendre le corps dans les profondeurs du glacier. « Une corde est destinée à vous attacher à l'autre, vous ne la lâchez jamais, et il a fallu que je la laisse filer entre mes mains. »

Selon Helen Wilton, qui a travaillé en 1993, 1995 et 1996 comme responsable du camp de base de Hall sur l'Everest : « Rob a été anéanti par la mort de Gary, mais il a affronté cette situation très calmement. C'était sa façon à lui de réagir. »

Hall décida d'assurer seul la direction d'Adventure Consultants. Il poursuivit l'amélioration méthodique des infrastructures et des services de l'entreprise et continua avec un succès extraordinaire à accompagner des alpinistes amateurs sur les sommets de montagnes lointaines.

Entre 1990 et 1995, Hall emmena trente-neuf grimpeurs au sommet de l'Everest. Dans ses documents publicitaires, il présentait Adventure Consultants comme « le leader mondial sur l'Everest, avec plus d'ascensions à son actif que toute autre organisation ». La brochure qu'il adressait à ses clients potentiels indiquait :

Vous avez soif d'aventure ! Vous rêvez peut-être de voyager dans les sept continents ou de parvenir au sommet d'une haute montagne. La plupart d'entre nous n'osent pas réaliser leurs rêves et se risquent rarement à en parler ou même à regarder en face leurs aspirations profondes.

Adventure Consultants est spécialisé dans l'organisation d'ascensions guidées. Nous savons comment transformer vos rêves en réalité et nous vous aidons à atteindre votre but. Nous ne vous tirerons pas en haut d'une montagne — il faudra faire beaucoup d'efforts par vous-mêmes — mais nous nous engageons à vous offrir les meilleures chances de succès et de sécurité pendant votre aventure.

Pour ceux qui osent regarder leurs rêves en face, leur réalisation présente quelque chose de particulier qui défie toute description. Nous vous invitons à escalader la montagne de votre choix avec nous.

En 1996, Hall demandait 65 000 dollars par personne pour guider ses clients sur le toit du monde. C'est une grosse somme — qui correspond à ce que j'ai dû emprunter pour payer ma maison à Seattle — et elle ne comprend ni le transport en avion jusqu'au Népal, ni l'équipement personnel. Aucun autre guide ne faisait payer aussi cher et certains concurrents fixaient leur tarif au tiers de cette somme. Mais grâce à son taux de réussite hors du commun, il n'eut aucune difficulté à faire le plein de clients pour cette expédition-ci, la huitième sur l'Everest. Si vous aviez un désir ardent d'escalader cette montagne et si vous pouviez d'une façon ou d'une autre en trouver le financement, il fallait de toute évidence choisir Adventure Consultants.

Le 31 mars 1996 au matin, deux jours après notre arrivée à Katmandou, les membres de l'expédition traversèrent la piste de l'aéroport international de Tribhuvan et montèrent à bord d'un hélicoptère russe Mi-17 de la compagnie Asian Airlines. C'était un survivant tout cabossé de la guerre d'Afghanistan qui donnait l'impression d'avoir été assemblé dans l'arrière-cour d'un particulier. Grand comme un autobus, il pouvait accueillir vingt-six passagers. Le mécanicien ferma la porte et nous tendit des morceaux de coton à mettre dans nos oreilles, puis le monstrueux appareil s'éleva lourdement dans un grondement à fendre le crâne.

Sur le plancher s'empilaient des sacs de marin, des sacs à dos et des boîtes en carton. Quant à la cargaison humaine, elle s'entassait sur des strapontins le long de la carlingue de l'aéronef, le regard tourné vers l'intérieur et les genoux contre la poitrine. Le bruit assourdissant des turbines rendait toute conversation impossible. Ce n'était vraiment pas confortable mais personne ne s'en plaignit.

En 1963, l'expédition de Tom Hornbein avait commencé sa longue randonnée vers l'Everest à partir de Banepa, à une vingtaine de kilomètres de Katmandou, et avait passé trente et un jours sur la piste avant d'arriver au camp de base. Comme la plupart des grimpeurs actuels, nous avions choisi de franchir d'un saut la plus grande partie de ce chemin d'approche poussiéreux et pentu. L'hélicoptère devait nous déposer au village de Lukla, situé à 2 804 mètres d'altitude. A supposer que l'appareil ne s'écrase pas, il nous épargnerait environ trois semaines de marche.

Tout en examinant le vaste intérieur de l'hélicoptère, j'essayai de retenir les noms de mes camarades d'expédition. En plus de Rob Hall et d'Andy Harris, il y avait Helen Wilton — âgée de trente-neuf ans et mère de quatre enfants, elle prenait la responsabilité du camp de base pour la troisième fois. Caroline Mackenzie, alpiniste confirmée et âgée d'un peu moins de trente ans, était le médecin du groupe. Comme Helen Wilton, elle ne dépasserait pas le camp de base. Lou Kasischke, l'homme de loi distingué que j'avais rencontré à l'aéroport, avait escaladé six des sept sommets, tout comme la taciturne Yasuko Namba, quarante-sept ans, qui était directrice du personnel de la Federal Express à Tokyo. Beck Weathers, quarante-neuf ans, était un médecin de Dallas, très loquace. Stuart Hutchison, trente-quatre ans, vêtu d'un T-shirt, cérébral, l'air fragile, était un cardiologue canadien en disponibilité grâce à une bourse de recherche. John Taske était, à cinquante-six ans, le plus âgé du groupe. Médecin anesthésiste à Brisbane, il s'était passionné pour l'escalade après avoir pris sa retraite de l'armée australienne. Frank Fischbeck, cinquante-trois ans, éditeur à Hongkong, gentil et soigné, avait essayé par trois fois d'atteindre le sommet de l'Everest avec l'un des concurrents de Hall ; en 1994, il était parvenu jusqu'au sommet sud, à cent mètres du sommet à la verticale. Doug Hansen, quarante-six ans, était un postier américain qui était venu sur l'Everest en 1995 et, comme Fischbeck, était parvenu jusqu'au sommet sud avant d'être contraint de faire demi-tour.

Je ne savais que penser de mes compagnons. Par leur aspect et leur peu d'expérience, ils n'avaient rien à voir avec les alpinistes purs et durs qui m'accompagnaient d'ordinaire dans mes escalades. Mais ils avaient l'air gentils, comme il faut, et aucun d'entre eux n'était un incapable notoire, pour autant qu'on puisse en juger à ce stade préliminaire. Cependant, je n'avais pas grand-chose de commun avec eux, sauf avec Doug. Cet homme sec, dont le visage prématurément vieilli évoquait un vieux ballon de football, travaillait à la poste depuis plus de vingt-sept ans. Il me raconta qu'il avait réussi à payer sa place dans l'expédition en effectuant son service à la poste la nuit et en s'engageant sur des chantiers de construction le jour. Ayant moi-même exercé le métier de charpentier pendant huit ans avant de devenir écrivain, je me situais dans la même tranche d'impôt que lui — ce qui manifestement nous distinguait des autres membres du groupe. Aussi me sentis-je tout de suite plus à l'aise avec lui.

J'attribuai l'essentiel de ma gêne croissante au fait que je n'avais jamais grimpé au sein d'un groupe si nombreux et composé de personnes inconnues. A part une expédition en Alaska, vingt et un ans auparavant, j'avais accompli toutes mes ascensions seul ou avec un ou deux amis en qui j'avais pleinement confiance.

Dans l'escalade, pouvoir compter sur ses partenaires est d'une importance majeure. Le comportement d'un seul grimpeur peut affecter la sécurité de toute la cordée. Les conséquences d'un nœud mal serré, d'un faux pas, d'un caillou qui tombe se font sentir sur tout le groupe. Il n'est donc pas surprenant que les grimpeurs hésitent beaucoup à se joindre à des personnes qu'ils ne connaissent pas.

Mais quand on s'inscrit comme client d'une ascension guidée, on ne sait quels seront ses compagnons, il faut se contenter de la confiance qu'inspire le guide. Tandis que l'hélicoptère se dirigeait vers Lukla en bourdonnant, je soupçonnais ceux qui voyageaient avec moi de faire des vœux — tout comme moi-même — pour que Hall ait bien pris soin d'éliminer les clients inexpérimentés et pour qu'il ait la capacité de protéger chacun d'entre nous des erreurs des autres.

4

Phakding. 31 mars 1996. 2 800 mètres

Pour ceux qui ne traînaient pas, nos marches quotidiennes finissaient tôt dans l'après-midi, mais rarement avant que la canicule ou les douleurs aux pieds ne nous aient forcés à demander à chaque Sherpa qui passait : «Sommes-nous loin du camp?» La réponse, comme nous devions vite le découvrir, était toujours la même : «Seulement trois kilomètres, Sah'b...»

Les soirées étaient paisibles, la fumée s'élevait doucement dans le crépuscule, des lumières clignotaient à l'endroit de notre prochaine halte et les nuages masquaient la passe que nous devions franchir le lendemain. Mes pensées se tournaient avec une excitation croissante vers l'arête ouest...

Le coucher du soleil était aussi un moment de solitude, mais les doutes ne revenaient que rarement. Dans ces moments-là, je me sentais accablé comme si toute ma vie était désormais derrière moi. Je savais qu'une fois dans la montagne je serais entièrement absorbé par les tâches à accomplir mais, parfois, je me demandais si je n'avais pas fait ce long chemin pour découvrir que ce que je cherchais se trouvait en réalité derrière moi.

Thomas F. Hornbein
Everest, l'arête ouest

Après Lukla, le chemin qui conduisait vers l'Everest s'orientait vers le nord et traversait la gorge crépusculaire de la Dudh Kosi — une rivière pleine de glace et de rochers, dont les eaux froides coulaient en bouillonnant. Nous passâmes notre première nuit de randonnée au hameau de Phakding, constitué d'une demi-douzaine de maisons et de chalets serrés les uns contre les autres sur une parcelle de terrain plat en surplomb de la rivière. A la nuit tombée, l'air devenait froid et, le matin, lorsque je me dirigeai vers la piste, je vis le givre briller sur les feuilles des rhododendrons. Mais la région de l'Everest se trouve à 28 degrés de latitude nord — juste au-dessus du tropique. Dès que le soleil fut assez haut pour pénétrer dans les profondeurs de la gorge, la température monta en flèche. A midi, après le passage d'un pont suspendu fort instable — le quatrième de la journée —, la sueur coulait sur mon visage et je me mis en short et T-shirt.

Au-delà du pont, le sentier quittait les berges de la Dudh Kosi et montait en serpentant le long de la pente à travers des sapins qui parfumaient l'air. Les aiguilles du Thamserku et du Kusum Kangru, avec leurs spectaculaires dentelles de glace, pointaient vers le ciel à plus de trois kilomètres au-dessus de nous. C'était un paysage magnifique, parmi les plus imposants de la Terre, mais la contrée n'était pas sauvage et ne l'était plus depuis des centaines d'années.

Chaque parcelle de terre arable avait été cultivée en terrasse pour y faire pousser l'orge, le sarrasin et la pomme de terre. Des drapeaux de prière étaient suspendus à flanc de colline et, même sur les cols les plus élevés, de vieux *chortens*[1] bouddhistes et des murs de pierres *mani*[2] déli-

---

1. Un *chorten* est un monument religieux, généralement en pierre, qui contient souvent des reliques. On l'appelle aussi un *stupa*.
2. Les pierres *mani* sont de petites pierres plates méticuleusement gravées de caractères sanscrits qui formulent l'invocation des bouddhistes tibétains :

catement gravés semblaient monter la garde. Le chemin qui s'élevait au-dessus de la rivière était encombré de randonneurs, de files de yaks [1], de moines en robe orange et de Sherpas nu-pieds courbés sous des charges de bûches, de kérosène et de sodas.

Une demi-heure plus tard, je franchis une large arête, dépassai les murs de pierre d'un corral pour yaks et arrivai brusquement à Namche-Bazar, le cœur commercial et social de la société sherpa.

Située à 3 400 mètres au-dessus du niveau de la mer, Namche occupe une énorme cuvette à mi-pente d'une montagne très abrupte. Plus d'une centaine de constructions sont nichées dans les rochers et reliées par un réseau de petites sentes et de passages étroits. Je découvris le Khumbu Lodge dans la partie basse de la ville et, en écartant la couverture qui sert de porte d'entrée, retrouvai mes compagnons attablés dans un coin en train de boire du thé au citron.

Rob Hall me présenta à Mike Groom, le troisième guide de l'expédition. Agé de trente-trois ans, les cheveux couleur carotte, Groom était mince comme un coureur de marathon. Il exerçait le métier de plombier à Brisbane et travaillait occasionnellement comme guide. En 1987, il dut passer une nuit sans abri en redescendant du sommet du Kanchenjunga, haut de 8 586 mètres. Ses pieds gelèrent et il fallut lui amputer tous les orteils. Toutefois, cet accident ne diminua pas son goût pour l'Himalaya. Il devait par la suite escalader le K2, le Lhotse, le Cho Oyu,

---

Om mani padme hum. Elles sont empilées au milieu de la piste pour former des murets longs et bas : les murs *mani*. Le protocole bouddhiste exige qu'on les contourne par la gauche.

1. A proprement parler, la grande majorité des yaks qu'on trouve dans l'Himalaya sont des *dzopkyo*, c'est-à-dire des mâles issus d'un croisement de yaks et de vaches, ou des *dzom*, c'est-à-dire des femelles issues du même croisement. Les yaks femelles non croisées sont appelées des *naks*. Mais la plupart des Occidentaux, ayant du mal à distinguer toutes ces grosses bêtes, les appellent indistinctement des yaks.

l'Ama Dablam et, en 1993, l'Everest, sans oxygène. C'était un homme extrêmement calme et pondéré. Il était d'une compagnie agréable bien qu'il ne parlât que si on lui adressait la parole. Il donnait alors des réponses concises d'une voix à peine audible.

Pendant le repas, trois clients, tous médecins, dominèrent la conversation : Stuart, John et surtout Beck. Il devait en être presque toujours ainsi par la suite. Fort heureusement, John et Beck étaient très drôles. Le groupe se tordait de rire. Mais Beck avait l'habitude de se lancer dans des monologues cinglants contre les gens de gauche, «ces grands immatures». Au cours de cette soirée, je commis l'erreur de le contredire en suggérant que l'augmentation du salaire minimum était une mesure nécessaire et sage. Bien informé et doué pour la repartie, Beck mit en lambeaux ma profession de foi maladroite sans que je puisse trouver le moyen de lui répondre. Tout ce que je pouvais faire, c'était rester assis, lèvres closes, en écumant de rage.

Comme il continuait — avec l'accent traînant et pâteux de l'est du Texas — à pourfendre les innombrables folies de l'Etat-providence, je dus me lever et quitter la table pour éviter que mon humiliation se prolonge. Quand je revins dans la salle à manger, je m'approchai de la propriétaire pour lui demander une bière. C'était une charmante petite Sherpani qui, pour l'heure, prenait la commande d'un groupe de randonneurs américains. Un gros rougeaud s'adressait à elle d'une voix forte en mimant l'acte de manger :

— Nous faim. Vouloir manger pommes de terre. Yak burger. Co-ca Co-la. Vous avoir?

— Désirez-vous consulter le menu? répondit la Sherpani dans un anglais impeccable agrémenté d'une pointe d'accent canadien. Nous disposons d'un choix assez large et je pense qu'il nous reste de la tarte aux pommes d'aujourd'hui pour le dessert, si cela vous convient.

Mais l'Américain, incapable d'assimiler le fait que cette moricaude des montagnes s'adressait à lui dans un anglais digne d'Oxford, persévéra dans son idiome petit-nègre :

— Me-nu. Bon. Bon. Nous vouloir me-nu.

Pour la plupart des étrangers, les Sherpas sont une énigme et on a tendance à leur appliquer des clichés romantiques. Ceux qui connaissent mal la démographie de l'Himalaya pensent que tous les Népalais sont des Sherpas, alors qu'en fait il n'y a guère plus de vingt mille Sherpas dans tout le Népal, pays qui compte vingt millions d'habitants répartis en plus de cinquante groupes ethniques. Les Sherpas sont des montagnards, bouddhistes fervents, dont les ancêtres sont venus du Tibet il y a quatre ou cinq siècles. Les villages sherpas sont disséminés dans les montagnes himalayennes du Népal oriental, mais on trouve aussi des communautés sherpas en Inde, dans les régions du Sikkim et du Darjeeling. Cependant, le cœur du pays sherpa est le Khumbu, constitué par un petit groupe de vallées nichées en contrebas des pentes sud de l'Everest. C'est une petite région, étonnamment archaïque, sans routes, sans voitures ni véhicules à roues d'aucune sorte.

Dans ces vallées très encaissées, froides et en altitude, les activités agricoles sont difficiles. C'est pour cette raison que l'économie sherpa traditionnelle reposait essentiellement sur l'élevage des yaks et le commerce avec le Tibet et l'Inde. Puis, en 1921, les Britanniques lancèrent leur première expédition sur l'Everest. Leur décision d'engager des Sherpas transforma brusquement la vie des habitants de ces vallées.

Le royaume du Népal ayant gardé ses frontières closes jusqu'en 1949, la première expédition de reconnaissance sur l'Everest et les huit qui suivirent durent aborder la montagne par le nord, au Tibet, et ne s'approchèrent pas du Khumbu. Mais ces neuf expéditions prirent leur départ dans le Darjeeling, où de nombreux Sherpas avaient émigré. Là, ils avaient acquis la réputation d'être durs à la tâche, affables, intelligents. De surcroît, comme la plupart des Sherpas vivaient depuis des générations dans des villages situés entre 3 000 et 4 000 mètres d'altitude, ils étaient physiologiquement adaptés aux conditions éprouvantes de la haute montagne. Sur le conseil de A.M. Kellas, un médecin écossais qui avait fait de nombreuses escalades en compagnie de Sherpas, les responsables de l'expédition de 1921 engagèrent un grand nombre d'entre eux comme porteurs et comme aides. Cette pratique fut imitée par presque toutes les expéditions qui suivirent, jusqu'à aujourd'hui.

Pour le meilleur et pour le pire, l'économie et la culture du Khumbu sont devenues depuis vingt ans de plus en plus dépendantes de l'afflux saisonnier des randonneurs et des grimpeurs. Ils sont environ quinze mille à visiter la région chaque année. Les Sherpas qui ont appris les techniques d'escalade et atteignent des altitudes élevées — et tout particulièrement ceux qui ont atteint le sommet de l'Everest — jouissent d'une grande estime dans leur communauté. Mais ceux qui deviennent des champions d'escalade sont, hélas, les plus exposés à perdre la vie. Depuis 1922, date à laquelle sept Sherpas furent emportés par une avalanche au cours de la deuxième expédition britannique, de nombreux Sherpas sont morts sur l'Everest. Cinquante-trois en tout. Ils représentent plus du tiers des victimes.

Malgré les dangers, la compétition est rude parmi les Sherpas pour obtenir les douze à dix-huit places que comprend une expédition sur l'Everest. Les postes les plus recherchés sont au nombre d'une demi-douzaine et ils sont réservés aux grimpeurs expérimentés. Ceux qui les obtiennent peuvent compter sur une rétribution qui va de 1 400 à 2 500 dollars pour deux mois d'un travail dangereux. C'est un salaire enviable dans un pays où règne une misère écrasante et où le revenu annuel par habitant tourne autour de 160 dollars.

Pour accueillir les randonneurs et les grimpeurs occidentaux de plus en plus nombreux, de nouveaux chalets et de nouvelles maisons de thé se sont élevés dans tout le Khumbu, mais ces constructions récentes sont particulièrement visibles à Namche-Bazar. Sur la piste qui mène à Namche, j'ai dépassé d'innombrables porteurs qui revenaient des forêts des terres basses avec des pièces de bois de plus de cinquante kilos. Ce labeur éreintant leur était payé 3 dollars par jour.

Les visiteurs qui connaissent le Khumbu de longue date sont attristés par le développement du tourisme et par les transformations qu'il a entraînées dans ce qu'ils considéraient comme un petit paradis. Des vallées entières ont perdu leurs arbres pour satisfaire aux besoins en bois de chauffage. Les adolescents qui traînent dans les salles des auberges portent plus souvent des jeans et des T-shirts à l'emblème des Chicago Bulls que les charmantes robes traditionnelles, et les familles passent volontiers leurs soirées agglutinées devant un magnétoscope pour regarder le dernier film de Schwarzenegger.

Cette transformation de la culture du Khumbu n'est certainement pas sans inconvénients, mais je n'ai guère entendu les Sherpas se plaindre du changement. Les devises apportées par les randonneurs et les grimpeurs et les subventions accordées par les organisations humanitaires soutenues par les alpinistes ont permis de créer des écoles et des établissements de soins, de réduire la mortalité infantile, de construire des passerelles, de fournir de l'énergie hydroélectrique à Namche et à d'autres agglomérations. Les Occidentaux qui déplorent la disparition de la vie d'autrefois, si simple et si pittoresque, font preuve d'une certaine condescendance. La majorité des habitants de ce pays difficile ne souhaitent pas rester à l'écart du monde moderne et des apports douteux du progrès. La dernière chose que désirent les Sherpas, c'est bien d'être conservés en l'état, comme des spécimens dans un musée anthropologique.

Un bon marcheur, habitué à la vie en altitude, pourrait parcourir la distance qui sépare l'aire d'atterrissage de Lukla du camp de base sur l'Everest en deux ou trois longues journées de marche. Mais comme la plupart d'entre nous arrivaient tout juste de localités situées au niveau de la mer, Hall prit soin de nous faire adopter une allure plus tranquille pour que notre organisme ait le temps de s'accoutumer à l'atmosphère de plus en plus raréfiée. Nous marchions rarement plus de trois ou quatre heures par jour. Et plusieurs fois, lorsque l'itinéraire exigeait une plus grande accoutumance, nous avons pris un jour de repos.

Le 3 avril, après avoir passé une journée à Namche, nous reprîmes notre montée vers le camp de base. Au bout de vingt minutes, au détour d'un virage, je fus surpris par un panorama à couper le souffle. Six cents mètres plus bas, dans une profonde entaille, le cours sinueux de la Dudh Kosi scintillait dans l'ombre comme un fil d'argent. Trois mille mètres au-dessus, l'énorme dent de l'Ama Dablam, éclairée par l'arrière, dominait la vallée comme une apparition. Et, la dépassant de deux mille mètres, jaillissait le pic glacé de l'Everest à peine masqué par le Nuptse. Comme d'habitude, la condensation qui formait une traînée horizontale sur la cime, semblable à de la fumée gelée, révélait la violence du vent.

Je contemplai la montagne pendant une demi-heure, essayant d'imaginer ce que je ressentirais sur ce sommet battu par la tornade. Bien que j'eusse escaladé des centaines de pics, l'Everest était tellement différent des autres que mon imagination ne m'était d'aucun secours. Le sommet semblait si froid, si haut, si inaccessible! C'était aussi étrange qu'une expédition sur la Lune. Tout en reprenant ma progression sur la piste, j'oscillais entre une anticipation non dénuée de nervosité et un sentiment d'effroi qui menaçait de m'envahir complètement.

Assez tard dans l'après-midi, j'arrivai à Tengboche[1], le plus vaste et le plus important monastère bouddhiste du Khumbu. Chhongba Sherpa, un homme ironique et réfléchi qui participait à l'expédition comme cuisinier du camp de base, nous proposa d'arranger une rencontre avec le *rimpoche* — «Le chef de tous les lamas du Népal, nous expliqua-t-il, un saint homme. Depuis hier, il a terminé une longue période de méditation silencieuse. Cela fait trois mois qu'il n'a pas prononcé une parole. Nous serons ses premiers visiteurs, ce qui est de très bon augure.» Doug, Lou et moi donnâmes cent roupies (environ deux dollars) à Chhongba pour qu'il achète des *katas* (foulards de soie blanche) de cérémonie, puis nous ôtâmes nos chaussures et il nous conduisit dans une petite pièce pleine de courants d'air située derrière le temple principal.

Accroupi sur un coussin de brocart, enveloppé dans une tunique couleur lie de vin, se tenait un petit homme rond au visage lumineux. Il avait l'air vieux et fatigué. Chhongba s'inclina avec respect, lui dit quelques mots en sherpa et nous fit signe d'approcher. Le rimpoche nous bénit un par un en plaçant le kata que nous avions acheté autour de notre cou. Après quoi, avec un sourire de béatitude, il nous offrit le thé. Chhongba me dit d'une voix solennelle : «Vous devez porter ce kata jusqu'au sommet de l'Everest[2], cela plaira à la divinité et vous protégera.»

---

1. A la différence du tibétain, auquel il est apparenté, le sherpa est une langue orale, aussi les Occidentaux doivent-ils avoir recours à des équivalents phonétiques. Il en résulte des différences dans la restitution des mots ou des noms sherpas. Tengboche, par exemple, est parfois orthographié Tengpoche ou Thyangboche. De nombreux mots sherpas sont affectés par des incongruités du même genre.

2. Bien que le nom tibétain de la montagne soit Chomolungma et son nom népalais Sagarmatha, la plupart des Sherpas l'appellent l'Everest dans la conversation courante, même lorsqu'ils s'adressent à d'autres Sherpas.

Ne sachant comment me comporter devant cette sainte présence dans laquelle se réincarnait un illustre lama d'autrefois, j'étais terrorisé à l'idée de commettre une irrémédiable maladresse. Tandis que je buvais mon thé à petites gorgées en m'agitant malgré moi, Sa Sainteté alla farfouiller dans une armoire, en tira un grand ouvrage à couverture décorée et me le tendit. J'essuyai mes mains sales sur mon pantalon et ouvris le livre avec nervosité. C'était un album photo sur le premier séjour que le rimpoche avait effectué récemment aux Etats-Unis. On pouvait y voir Sa Sainteté à Washington devant le mémorial Abraham Lincoln et au musée de l'Air et de l'Espace, puis Sa Sainteté en Californie sur le front de mer de Santa Monica. En souriant largement, il me désigna avec enthousiasme ses deux photos préférées : celle où il pose auprès du comédien Richard Gere et une autre où on le voit au côté de Steven Seagal.

Les six premiers jours de randonnée s'écoulèrent comme un rêve. La piste passait au milieu de genévriers, de bouleaux nains, de sapins bleus et de rhododendrons ; elle longeait des chutes d'eau assourdissantes, des jardins de galets enchanteurs et traversait des rivières pleines de tourbillons. Dans un ciel grandiose s'élevaient les montagnes que je connaissais par les lectures de mon enfance. Comme la plus grande partie de notre équipement était transportée par des yaks et des porteurs, mon sac ne contenait qu'une veste, quelques sucreries et un appareil photo. N'étant pas chargé, disposant de tout mon temps, je me laissais envahir par la joie de marcher dans une contrée exotique, ce qui me mettait dans un état proche de la transe. Mais cette euphorie ne durait jamais longtemps. Tôt ou tard, je me rappelais ma destination et l'ombre que l'Everest jetait sur mon esprit me ramenait à la vigilance.

Chacun avançait à son rythme. Nous nous arrêtions souvent dans les maisons de thé situées au bord de la piste pour nous rafraîchir et bavarder avec des inconnus. La plupart du temps, je marchais en compagnie de Doug Hansen, le postier, et d'Andy Harris, le jeune assistant de Rob Hall. Andy, que Rob et ses amis néo-zélandais appelaient «Harold», était un grand garçon robuste avec un regard bon et franc. Pendant l'hiver de l'hémisphère Sud, il travaillait comme moniteur de ski et, l'été, il se mettait au service de scientifiques lors de leur campagne de recherches géologiques en Antarctique, ou bien il accompagnait des alpinistes dans le sud des Alpes néo-zélandaises.

Pendant que nous suivions la piste, Andy évoquait avec nostalgie la jeune femme avec laquelle il vivait. Elle s'appelait Fiona McPherson et était médecin. Au cours d'un repos sur un rocher, il tira une photo de son sac et me la montra. Elle était grande, blonde et avait l'air sportive. Andy me confia que Fiona et lui étaient en train de se construire une maison dans les collines proches de Queenstown. Il s'était pris de passion pour le plaisir simple de scier une poutre et de planter des clous. Aussi avait-il beaucoup hésité quand Rob lui avait proposé ce travail sur l'Everest : «Ce fut vraiment dur de quitter Fiona et la maison. Nous venions tout juste de finir le toit. Mais comment pouvais-je laisser passer une occasion d'escalader l'Everest? Surtout avec quelqu'un comme Rob Hall.»

Bien que ce fût sa première expédition sur l'Everest, il connaissait déjà l'Himalaya. En 1985, il avait escaladé le Chobutse, une montagne difficile, haute de 6 683 mètres, qui se trouve à cinquante kilomètres à l'ouest de l'Everest. Et à l'automne 1994, il avait passé plusieurs mois à aider Fiona dans un centre médical à Pheriche, un triste hameau battu par les vents à 4 267 mètres d'altitude. Nous y avions d'ailleurs passé les nuits des 4 et 5 avril.

Ce centre médical était financé par une fondation — l'Himalayan Rescue Association — dont le but est de soigner les maladies causées par l'altitude (mais il offrait aussi des soins gratuits aux Sherpas) et d'informer les randonneurs des dangers d'une ascension trop rapide à une altitude élevée. Il avait été créé en 1973 après le décès de quatre randonneurs japonais. Dans la période antérieure, le mal des montagnes avait tué un ou deux randonneurs sur cinq cents parmi ceux qui avaient traversé Pheriche. Une avocate pleine d'allant, Laura Ziemer — qui au moment de notre passage travaillait dans cette installation de quatre pièces avec son mari, le Dr Jim Litch, et un autre jeune médecin nommé Larry Silver —, précisa que ce taux alarmant ne prenait pas en compte les accidents de montagne. Les victimes étaient «des randonneurs ordinaires qui ne s'aventuraient pas hors des sentiers».

Aujourd'hui, grâce aux réunions d'information et aux soins d'urgence prodigués par une équipe de volontaires, le taux de mortalité est descendu à un pour trente mille randonneurs. Bien que ceux qui travaillent dans ce centre le fassent par idéalisme — ils ne reçoivent aucune rétribution et doivent même payer leur voyage au Népal —, cette activité a un caractère prestigieux qui attire des candidats très qualifiés venus du monde entier. Le médecin de notre expédition, Caroline Mackenzie, y avait travaillé à l'automne 1994 avec Fiona McPherson et Andy.

En 1990, l'année où Hall atteignit pour la première fois la cime de l'Everest, ce centre était dirigé par une jeune femme médecin pleine d'assurance, Jan Arnold. Hall fit sa connaissance en passant par Pheriche lors de sa montée vers l'Everest et il fut instantanément séduit. «J'ai demandé à Jan de sortir avec moi dès que je serais redescendu, se souvint Hall lors de notre première soirée dans le village. A notre premier rendez-vous, je lui ai proposé de venir avec moi en Alaska pour que nous fassions

ensemble l'escalade du mont McKinley. Elle a accepté.»
Deux ans plus tard, ils se marièrent. En 1993, elle accompagna Hall dans une ascension de l'Everest. En 1994 et 1995, elle travailla au camp de base comme médecin de l'expédition. Elle aurait bien voulu être là cette année encore, mais elle était enceinte de sept mois et le poste revint au Dr Mackenzie.

Lors de notre premier jour à Pheriche, Laura Ziemer et Jim Litch invitèrent Hall, Harris et Helen Wilton — notre responsable du camp de base — à venir prendre un verre le soir au centre médical. Au cours de la soirée, on en vint à parler des risques inhérents à l'escalade et au métier de guide sur l'Everest. Litch en garde un souvenir précis. Hall, Harris et Litch lui-même s'accordaient à penser que tôt ou tard une catastrophe impliquant un nombre élevé de clients était inévitable. «Mais, me dit Litch — qui avait fait l'ascension depuis le Tibet le printemps précédent —, Rob pensait que ça ne lui arriverait pas à lui. Il était préoccupé à l'idée de devoir aller porter secours à un "âne" et à son équipe, et il était sûr que cela se produirait au Tibet, sur la face nord, qui est beaucoup plus dangereuse.»

Le samedi 6 avril, à quelques heures de marche de Pheriche, nous atteignîmes la base du glacier du Khumbu, une langue de glace de dix-neuf kilomètres qui descend le long du flanc sud de l'Everest. Elle devait constituer pour nous une sorte d'autoroute vers le sommet. C'est du moins ce que j'espérais. Nous étions à présent à une altitude de 4 800 mètres. Toute trace de végétation avait disparu. Vingt monuments en pierre formaient un triste alignement le long de la crête de la moraine frontale, dominant la vallée emplie de brume. Ils rappelaient le souvenir de grimpeurs — sherpas pour la plupart — morts sur l'Everest. A partir de cet endroit, nous ne verrions plus qu'une étendue de roc nu, monochrome, et de glace fouettée par le vent. Malgré notre allure modérée, je commençais à ressentir les effets de l'altitude. La tête me tournait et je cherchais constamment ma respiration. En de nombreux endroits, la piste demeurait enfouie sous une épaisse couche de neige hivernale. Le soleil la ramollissait dans l'après-midi, au point que les sabots des yaks traversaient la croûte glacée et que les animaux s'enfonçaient jusqu'au ventre. Les conducteurs de yaks, en maugréant, forçaient leurs bêtes à avancer et menaçaient de faire demi-tour. A la fin de la journée, nous atteignîmes un village nommé Lobuje, où nous nous mîmes à l'abri du vent dans un chalet exigu et remarquablement crasseux.

Lobuje était un endroit lugubre : un agglomérat de maisons basses et délabrées, blotties pour faire face aux éléments sur le bord du glacier du Khumbu. Là s'entassaient des Sherpas et des grimpeurs d'une douzaine d'expéditions différentes, des randonneurs allemands et des troupeaux de yaks efflanqués. Tous se dirigeaient vers le camp de base de l'Everest, à une journée de marche. Rob nous expliqua que cette affluence était due à la neige inhabituellement tardive qui, jusqu'à la veille, avait empêché les yaks d'atteindre le camp de base. Les six chalets de ce hameau étaient tous entièrement occupés. Des tentes s'alignaient les unes contre les autres sur les quelques parcelles de terre boueuse que la neige ne recouvrait pas. Beaucoup de porteurs rais et tamangs venus des collines — vêtus de guenilles et chaussés de tongs, ils travaillaient pour diverses expéditions — bivouaquaient dans des grottes ou sous des rochers.

Les trois ou quatre toilettes en dur du village débordaient d'excréments. Ces latrines étaient tellement répugnantes que les Népalais comme les Occidentaux libéraient pour la plupart leurs intestins là où ils trouvaient un endroit qui s'y prêtait. Partout, d'énormes amoncellements fécaux répandaient leur puanteur. Il était impossible de ne pas y mettre les pieds. La rivière qui serpentait au milieu de cette localité était un cloaque à ciel ouvert.

La pièce principale du chalet où nous étions logés comportait des couchettes superposées en bois pour environ trente personnes. Je trouvai une place inoccupée sur une couchette du haut, secouai l'infect matelas pour en chasser autant de puces et de poux qu'il était possible et y étendis mon sac de couchage. Tout près, un petit poêle en fer chauffait la pièce en brûlant de la bouse de yak séchée. Après le coucher du soleil, la température extérieure descendit au-dessous de zéro et les porteurs affluèrent pour se réchauffer autour du poêle. Comme la bouse brûle mal, même dans les meilleures conditions, et plus mal encore dans un air pauvre en oxygène, une fumée âcre et dense se répandit dans le chalet. On aurait dit que le tuyau d'échappement d'un camion diesel était branché sur la pièce. Par deux fois, pris d'une toux irrépressible, je dus sortir pour respirer. Au matin, mes yeux étaient rouges et douloureux, mes narines encombrées d'une suie noire et j'étais atteint d'une toux sèche, persistante, qui dura pendant toute l'expédition.

Rob avait prévu que nous ne passerions qu'un jour à Lobuje pour nous acclimater avant d'effectuer les dix ou onze kilomètres qui nous séparaient du camp de base où nos Sherpas étaient parvenus la veille de façon à tout préparer pour notre arrivée et commencer la recherche d'un chemin d'ascension sur les pentes inférieures de l'Everest. Cependant, le soir du 7 avril, un messager à bout de souffle se présenta à Lobuje en provenance du camp de base. Il apportait de mauvaises nouvelles : Tenzing, un jeune Sherpa employé par Rob, avait fait une chute de cinquante mètres dans une crevasse. Quatre autres Sherpas lui avaient sauvé la vie en le tirant hors du gouffre mais il était sérieusement blessé. On craignait une fracture du fémur. Rob, le visage gris, annonça qu'il se rendrait rapidement au camp de base avec Mike Groom dès l'aube pour organiser le retour de Tenzing : «Je suis désolé, mais vous allez devoir rester à Lobuje avec Harold jusqu'à ce que le problème soit réglé.»

Nous apprîmes plus tard que Tenzing était parti reconnaître la voie au-dessus du camp I en progressant sur une section facile du glacier du Khumbu en compagnie de quatre autres Sherpas. Les cinq hommes avaient pris la précaution de marcher en file indienne, mais ils n'étaient pas encordés, ce qui constituait une sérieuse infraction aux règles de l'alpinisme. Tenzing marchait juste derrière les quatre autres en mettant exactement ses pas dans les leurs. Soudain, il passa au travers d'une mince couche de neige qui dissimulait une crevasse. Avant même d'avoir eu le temps de crier, il tombait comme une pierre dans les profondeurs du glacier. A plus de 6 000 mètres, une évacuation par hélicoptère était impossible. L'air portait peu et l'aéronef aurait dû prendre de trop grands risques aussi bien à l'atterrissage qu'au décollage ou même en survolant simplement le site. Il fallait donc transporter Tenzing jusqu'au camp de base en descendant le glacier du Khumbu, qui représente la partie la plus pentue et la plus traîtresse de toute la montagne. Un énorme effort était nécessaire pour sauver Tenzing.

Rob a toujours eu le souci du bien-être et de la sécurité des Sherpas qui travaillaient avec lui. Avant notre départ de Katmandou, il nous avait fait asseoir pour nous parler d'une façon inhabituellement sérieuse de la nécessité de manifester respect et gratitude envers les Sherpas. «Les Sherpas que nous avons engagés sont les meilleurs. Ils accomplissent un travail très dur pour un salaire qui, selon les critères occidentaux, est faible. Vous devez vous souvenir que, sans eux, nous n'aurions absolument *aucune* chance d'atteindre le sommet. Je vous le répète :

sans leur aide, aucun d'entre nous ne pourrait escalader cette montagne.»

Au cours d'une conversation qui eut lieu plus tard, Rob admit que, ces dernières années, il s'était montré critique à l'égard de certains chefs d'expédition qui avaient fait preuve de négligence envers leurs Sherpas. En 1995, un jeune Sherpa était mort sur l'Everest. Hall supposait que cet accident avait dû se produire parce qu'on avait autorisé ce Sherpa à poursuivre l'ascension alors qu'il n'avait pas encore l'entraînement requis. «Je considère qu'il appartient à ceux qui organisent ces expéditions d'empêcher que ce genre de chose se produise.»

L'année précédente, une expédition américaine guidée avait engagé en tant que garçon de cuisine un Sherpa nommé Kami Rita. Agé de vingt et un ou vingt-deux ans, il s'efforça d'être admis comme Sherpa d'altitude. Quelques semaines plus tard, pour récompenser son dévouement et son enthousiasme, cette fonction lui fut accordée bien qu'il n'eût ni expérience ni formation.

De 6 700 à 7 600 mètres, la voie habituelle suit une pente glacée, abrupte et dangereuse connue sous le nom de «face du Lhotse». Par mesure de précaution, les expéditions installent toujours une série de cordes tout au long de cette pente et les grimpeurs s'y attachent par une auto-assurance. Kami, jeune et audacieux, pensa que cela n'était pas nécessaire. Un après-midi, alors qu'il transportait une charge en haut de la face du Lhotse, il manqua une prise sur la glace dure comme du roc et tomba au pied du mur, 600 mètres plus bas.

Mon camarade Frank Fischbeck avait assisté à toute la scène. Il faisait alors sa troisième tentative pour atteindre la cime de l'Everest en tant que client de la société américaine qui avait engagé Kami. Frank montait en suivant les cordes dans la partie supérieure de la face du Lhotse. Sa voix se trouble lorsqu'il évoque la suite: «Quand j'ai regardé vers le haut, j'ai vu quelqu'un basculer au-dessus de moi et tomber la tête la première. Au moment où il est passé à ma hauteur, il hurlait et laissait sur la paroi une traînée de sang.»

Quelques grimpeurs se précipitèrent vers l'endroit où Kami était tombé. Mais il était mort de toutes les blessures reçues pendant sa chute. On transporta son corps au camp de base et là, selon la tradition bouddhiste, ses amis lui apportèrent des repas pendant trois jours. Puis on l'emmena dans un village près de Tengboche pour la crémation. Pendant que les flammes consumaient son corps, sa mère poussait des gémissements et se frappait le visage avec une pierre acérée.

Aux premières lueurs de l'aube du 8 avril, Rob pensait à Kami en se hâtant vers le camp de base pour essayer de secourir Tenzing.

5

Lobuje. 8 avril 1996. 4 938 mètres

En traversant les hautes aiguilles de glace de l'allée des Fantômes, nous entrâmes, au fond d'un immense amphithéâtre, dans une vallée parsemée de cailloux. A cet endroit, la cascade de glace tournait brusquement pour former le glacier du Khumbu. Nous établîmes notre camp de base à 5 425 mètres, sur la moraine latérale qui bordait l'extérieur du tournant. D'énormes roches donnaient au lieu un air de solidité, mais les décombres qui roulaient sous nos pieds corrigeaient cette impression trompeuse. Tout ce que nous pouvions entendre, voir et ressentir — ligne de glace, moraine, avalanche, froid — révélait un monde où l'homme n'avait pas sa place. Aucune rivière, aucune végétation, rien que la destruction et la dégradation... C'est ici que nous habiterions pendant les mois à venir, jusqu'à ce que nous ayons escaladé la montagne.

Thomas F. Hornbein
Everest, l'arête ouest

Le 8 avril, juste après la tombée de la nuit, la radio portable d'Andy se mit à grésiller devant le chalet à Lobuje. C'était Rob qui appelait du camp de base. Les nouvelles étaient bonnes. Il avait dû faire appel à une équipe de trente-cinq Sherpas venus de plusieurs expéditions et, après une journée d'effort, ils avaient pu ramener Tenzing. Ils étaient parvenus à le transporter dans la cascade de glace en l'attachant à une échelle d'aluminium et maintenant il se remettait de ses épreuves au camp de base. Si la météo était bonne, un hélicoptère viendrait le prendre à l'aube pour l'emmener à l'hôpital de Katmandou. Avec un soulagement perceptible, Rob nous donna le feu vert pour quitter Lobuje le lendemain matin et prendre la direction du camp de base.

Tous les clients furent soulagés d'apprendre que Tenzing avait pu être sauvé. Ils furent non moins soulagés à l'idée de quitter bientôt Lobuje. John et Lou avaient attrapé une sorte d'infection intestinale due à l'insalubrité. Helen, notre responsable du camp de base, souffrait d'un mal de tête tenace. Et ma toux avait considérablement empiré après une deuxième nuit dans le chalet enfumé.

C'est pour cette raison que je décidai de passer notre troisième nuit hors de ce logis malsain et de m'installer dans une tente plantée juste devant, que Rob et Mike avaient libérée en partant pour le camp de base. Andy y vint avec moi. A deux heures du matin, il me réveilla en se levant brusquement. Il s'était assis et gémissait.

«Ça va, Harold? lui demandai-je. — Non. J'ai mangé quelque chose au dîner qui n'a pas l'air de passer... »

Peu après, Andy se précipita vers l'ouverture de la tente. Il eut à peine le temps de passer la tête et le buste à l'extérieur que déjà il vomissait. Ses haut-le-cœur calmés, il resta plusieurs minutes sans bouger, à genoux, en appui sur les mains, le corps à moitié hors de la tente. Puis il bondit sur ses pieds, parcourut quelques mètres et baissa son pantalon, en proie à une violente diarrhée. Il passa le reste de la nuit dehors, dans le froid, secoué par les spasmes violents qui libéraient ses intestins.

Au matin, il se sentait faible, il était déshydraté et tremblait beaucoup. Helen lui suggéra de rester à Lobuje jusqu'à ce qu'il ait repris des forces, mais il refusa d'envisager cette éventualité. «Pour rien au monde je ne passerais une nuit de plus dans ce trou puant, annonça-t-il en grimaçant, la tête entre les genoux. Je pars au camp de base avec vous, même si je dois me traîner.»

A 9 heures nous avions bouclé notre paquetage et repris notre marche. Tandis que les autres avançaient d'un bon pas, Helen et moi restions en arrière pour aider Andy. Il devait faire des efforts considérables pour mettre un pied devant l'autre. A chaque instant, il s'arrêtait, s'appuyait sur ses bâtons de ski pour récupérer, puis il rassemblait ses forces et repartait.

Sur onze kilomètres le chemin montait et descendait parmi les pierres instables de la moraine latérale du glacier du Khumbu, ensuite il descendait sur le glacier lui-même. Scories, graviers et rocs de granit couvraient la glace mais, par endroits, la piste traversait une parcelle de glacier propre, une surface gelée et translucide qui brillait comme de l'acier poli. La glace qui fondait produisait en surface et en sous-sol un ruissellement furieux d'innombrables petits cours d'eau dont le grondement spectral résonnait dans tout le corps du glacier.

Au milieu de l'après-midi, nous parvînmes à un bizarre alignement d'aiguilles de glace dont la plus haute atteignait trente mètres. Il portait le nom d'«allée des Fantômes». Façonnées par le soleil, ces aiguilles donnaient une ombre turquoise et l'on pouvait distinguer à perte de vue leurs pointes recourbées comme des dents de requin. Helen, qui était passée par là d'innombrables fois, nous annonça que le but était proche.

Trois kilomètres plus loin, le glacier s'orientait brusquement vers l'est. Nous montâmes jusqu'au faîte d'une longue pente et là, étendue devant nous, nous aperçûmes une agglomération bigarrée de dômes en nylon. Plus de trois cents tentes logeaient les grimpeurs et les Sherpas de quatorze expéditions sur un sol de glace parsemé de rocs. Il nous fallut vingt minutes pour trouver nos quartiers dans ce vaste campement. Pendant que nous franchissions la dernière pente, Rob descendit vers nous pour nous saluer avec un grand sourire : «Bienvenue au camp de base de l'Everest!» L'altimètre de ma montre indiquait 5 365 mètres.

Le village qui nous servirait de domicile pendant les six semaines à venir était établi à l'extrémité d'un amphithéâtre naturel délimité par d'infranchissables parois. Les escarpements situés sur les hauteurs portaient des glaciers d'où partaient d'immenses avalanches de glace dont le bruit de tonnerre se faisait entendre à toute heure du jour et de la nuit. A quatre cents mètres vers l'est, coincé entre le mur du Nuptse et l'épaule ouest de l'Everest, la langue de glace du Khumbu s'enfonçait dans un étroit passage en un chaos de débris de glace. Ouvert sur le côté sud-ouest, l'amphithéâtre était bien ensoleillé. L'après-midi, quand le temps était dégagé et qu'il n'y avait pas de vent, il faisait assez chaud pour qu'on puisse sortir en T-shirt. Mais dès que le soleil plongeait derrière la cime conique du Pumori — un pic de 7 165 mètres situé à l'ouest du camp de base — la température descendait en flèche. Lorsque je rentrais dans la tente, le soir, un concert de crissements et de craquements me rappelait que j'étais installé sur une rivière gelée.

Le confort du campement d'Adventure Consultants offrait un contraste saisissant avec la dureté et le dépouillement du paysage. Il abritait quatorze Occidentaux et autant de Sherpas qui se servaient pour nous désigner de l'appellation générique de «membres» ou de «sahibs». Notre tente de mess comportait une énorme table en pierre, une chaîne stéréo, une bibliothèque et un éclairage électrique fonctionnant à l'énergie solaire. A côté, une tente de communication possédait un téléphone satellite et un télécopieur. Nous disposions également d'une douche constituée d'un tuyau en caoutchouc fixé au-dessus d'une bassine. Elle recevait une eau chauffée par les cuisiniers. Du pain frais et des légumes nous étaient régulièrement apportés à dos de yak. Enfin, en vertu d'une tradition remontant aux expéditions de jadis, Chhongba et son aide, Tendi, venaient chaque matin nous apporter dans notre sac de couchage une tasse de thé sherpa bouillant.

J'ai souvent entendu dire que l'Everest avait été transformé en décharge publique par des hordes de visiteurs toujours plus nombreuses et que les expéditions commerciales étaient les principales responsables de cet état de fait. Il est exact que, dans les années 1970 et 1980, le camp de base avait été transformé en un vaste dépôt d'ordures mais, ces dernières années, il est redevenu assez propre. C'est certainement ce que j'ai trouvé de plus propre depuis Namche-Bazar, et le nettoyage du lieu est à porter en grande partie au crédit des expéditions commerciales.

Les guides qui conduisent ici des clients année après année ont davantage intérêt à y veiller que les visiteurs occasionnels. L'effort initial fut fourni par Rob Hall et Gary Ball en 1990. Ils évacuèrent cinq tonnes d'ordures du camp de base. Hall et quelques autres guides se mirent à collaborer avec les ministères concernés, à Katmandou, pour définir une politique qui encouragerait les grimpeurs à plus de propreté. En 1996, outre le prix du permis, chaque expédition dut verser un dépôt de 4 000 dollars qui lui serait restitué si elle rapportait à Namche et à Katmandou une certaine quantité de détritus fixée au préalable. Même les bacs de nos toilettes durent être retirés et emportés.

Le camp de base était aussi animé qu'une fourmilière.

D'une certaine façon, le campement d'Adventure Consultants servait de siège du gouvernement au camp de base, en raison de l'autorité que Hall avait acquise. Chaque fois qu'un problème survenait — un conflit avec les Sherpas, une urgence médicale, une décision importante dans la préparation d'une escalade —, les gens faisaient irruption dans notre mess pour solliciter l'avis de Hall. Et il s'y prêtait avec générosité, donnant des conseils à ceux-là mêmes qui étaient ses concurrents — et tout particulièrement à Scott Fischer.

En 1995, ce dernier avait déjà guidé avec succès une expédition sur une montagne de 8 000 mètres [1] : le Broad Peak, haut de 8 047 mètres, qui appartient à la chaîne de Karakoram, au Pakistan. Il avait également fait quatre tentatives sur l'Everest et avait atteint une fois le sommet, en 1994, mais pas en tant que guide. En ce printemps 1996, il inaugurait son premier séjour sur la montagne en tant que chef d'une expédition commerciale. Tout comme Hall, il avait la responsabilité d'un groupe de huit clients. Son campement, situé à cinq minutes du nôtre, se distinguait par une énorme bannière publicitaire d'une marque de café fixée sur un bloc de granit haut comme une maison.

Les hommes et les femmes qui font profession d'escalader les plus hautes montagnes du monde constituent un petit club très fermé. Fischer et Hall étaient concurrents en affaires, mais en tant que membres éminents de cette fraternité de la haute altitude leurs chemins se croisaient souvent et, sur un certain plan, ils se considéraient comme des amis. Ils se rencontrèrent pour la première fois dans le Pamir russe et ensuite ils se fréquentèrent

---

1. Il existe quatorze pics dits de 8 000 mètres. Bien que ce soit quelque peu arbitraire, les alpinistes ont toujours accordé un prestige particulier aux ascensions de ces montagnes. Le premier à les avoir toutes escaladées fut Reinhold Messner, en 1986. A ce jour, seuls cinq grimpeurs ont réalisé cet exploit.

beaucoup, en 1989 et en 1994, sur l'Everest. Ils envisageaient même sérieusement de s'associer pour faire une tentative d'ascension du Manaslu — un pic difficile de 8 163 mètres dans la partie centrale du Népal — aussitôt après avoir guidé leurs clients respectifs sur l'Everest en 1996.

Le lien qui les unissait s'était resserré en 1992 lorsqu'ils avaient eu la surprise de se rencontrer sur le K2, la plus haute montagne du monde après l'Everest. Hall faisait sa tentative avec son *compañero* et associé, Gary Ball. Fischer était accompagné d'un excellent grimpeur américain nommé Ed Viesturs. En redescendant du sommet dans une forte tempête, Fischer, Viesturs et un troisième Américain, Charlie Mace, rencontrèrent Hall qui s'efforçait de porter secours à Gary Ball. Celui-ci venait d'être frappé par une attaque aiguë du mal des montagnes : il ne pouvait plus bouger. Dans le blizzard, Fischer, Viesturs et Mace aidèrent Hall à descendre Ball le long des pentes inférieures de la montagne, où les avalanches sont fréquentes. Ce qui lui sauva la vie. Un an plus tard, Ball mourut, du même mal, sur le Dhaulagiri.

Agé de quarante ans, Fischer était un solide gaillard dont les cheveux blonds étaient coiffés en queue de cheval. Il était sociable et plein d'énergie. C'est à quatorze ans, en regardant par hasard une émission de télévision dans le New Jersey, qu'était née sa passion de la montagne. Cet été-là, il se rendit dans le Wyoming pour participer à un stage organisé par la National Outdoor Leadership School (NOLS). Dès qu'il eut obtenu son diplôme de fin d'études, il partit s'installer dans l'Ouest, trouva un emploi saisonnier comme moniteur à la NOLS et fit définitivement de l'escalade son centre d'intérêt principal.

A l'âge de dix-huit ans, travaillant toujours pour la NOLS, il s'éprit d'une de ses élèves nommée Jean Price. Sept ans plus tard, ils se marièrent et s'établirent à

Seattle. Leurs deux enfants, Andy et Katie-Rose, avaient respectivement neuf et cinq ans quand Scott partit pour l'Everest en 1996. Jean Price avait obtenu une licence de pilote et travaillait comme commandant de bord pour Alaska Airlines. Grâce au salaire confortable de sa femme, Fischer pouvait se consacrer à temps plein à l'escalade. C'est aussi ce qui lui permit en 1984 de lancer Mountain Madness.

Si le nom de la société de Hall, Adventure Consultants, reflétait bien son approche méthodique voire méticuleuse de l'escalade, Mountain Madness («folie de la montagne») correspondait encore mieux au style personnel de Fischer. A vingt ans, il avait déjà acquis une réputation de casse-cou et tout au long de sa carrière, plus particulièrement dans les premières années, il avait survécu à des mésaventures qui, en toute logique, auraient dû lui coûter la vie.

Au cours de deux escalades au moins, l'une dans le Wyoming, l'autre au Yosemite, il chuta de plus de vingt-cinq mètres. Une autre fois, alors qu'il travaillait comme moniteur pour la NOLS dans la chaîne de Wind River, il fit un plongeon de vingt mètres, sans corde, au fond d'une crevasse du glacier de Dinwoody. Mais sa chute la plus fameuse se produisit quand il commença son apprentissage sur la glace. Il décida de se lancer dans l'ascension d'une cascade gelée, les Bridal Veil Falls, dans le canyon de Provo (Utah). Faisant une course avec deux grimpeurs expérimentés, il lâcha prise à trente mètres au-dessus de la base et tomba.

Au grand étonnement des témoins de cet accident, il se releva sans blessures importantes. Cependant, au cours de sa chute, un de ses instruments lui avait transpercé le mollet. Quand il le retira, le métal emporta un morceau de chair, ce qui lui laissa dans la jambe un trou du diamètre d'un crayon. Fischer ne jugea pas nécessaire de gaspiller de l'argent en allant se faire soigner. Pendant six mois, il continua à grimper avec cette plaie ouverte et suppurante. Quinze ans plus tard, il me montra la cicatrice avec fierté : deux marques brillantes, de la taille d'une petite pièce de monnaie, de chaque côté du tendon d'Achille.

«Scott voulait dépasser toute limite physique», se souvient Don Peterson, un alpiniste américain de renom qui fit la connaissance de Fischer peu de temps après sa chute de Bridal Veil Falls. Il devint une sorte de mentor pour Fischer et, pendant près de vingt ans, ils grimpèrent ensemble de façon intermittente : «Il avait une volonté étonnante et ne tenait aucun compte de sa douleur. Ce n'était pas le genre de type qui fait demi-tour parce qu'il a mal à un pied... Scott était dévoré par l'ambition de devenir un grand alpiniste, d'être l'un des meilleurs du monde. Je me souviens qu'à la NOLS il y avait une salle de gymnastique où Fischer se donnait tellement qu'il finissait par vomir. Régulièrement. On ne rencontre pas beaucoup de gens qui ont une telle détermination.»

Fischer plaisait par son énergie, sa générosité, son caractère direct et son enthousiasme presque enfantin. Franc et passionné, répugnant à l'introspection, il avait une personnalité magnétique qui lui valait beaucoup d'amis. Même ceux qui ne l'ont rencontré qu'une fois ou deux le considéraient comme un ami d'enfance. Il était aussi d'une grande beauté, avec un corps de culturiste et les traits ciselés d'un acteur de cinéma. De nombreuses femmes étaient attirées par lui et il n'y était pas insensible.

Fischer, dont les désirs étaient sans frein, fumait beaucoup de cannabis (mais il s'en abstenait pendant le travail) et buvait plus que de raison. Une pièce discrète du bureau de Mountain Madness servait à Scott de club privé. Après avoir mis ses enfants au lit, il aimait à s'y retirer avec ses amis. Une pipe circulait tandis qu'ils projetaient des diapositives de leurs exploits dans les hauteurs.

Au cours des années 1980, Fischer réalisa un grand nombre d'ascensions impressionnantes qui lui valurent une petite renommée locale, mais il ne parvint pas à se rendre célèbre dans la communauté mondiale des alpinistes. En dépit de ses efforts, il fut incapable de s'assurer le soutien de sponsors, comme le faisaient d'autres grimpeurs plus connus, et il s'inquiétait de n'avoir pu obtenir la considération de ces alpinistes de premier plan.

«Etre reconnu était important pour Scott», dit Jane Bromet, qui fut sa confidente et sa partenaire d'escalade. Elle accompagna l'expédition de Mountain Madness jusqu'au camp de base afin de réaliser un reportage sur Internet pour *Outside Online*. «Il avait un côté vulnérable que la plupart des gens ne voyaient pas. Ça le chagrinait vraiment de ne pas être plus respecté qu'un grimpeur du dimanche. Il y voyait un affront et cela lui faisait mal.»

Lorsqu'il partit pour le Népal, au printemps 1996, il avait commencé à acquérir un peu de la reconnaissance à laquelle il pensait avoir droit et qu'il obtint pour la plus grande part au lendemain de son ascension sans oxygène de l'Everest en 1994. Baptisant l'entreprise «Sagarmatha Environmental Expedition», Fischer et son équipe enlevèrent deux tonnes et demie de détritus qui souillaient la montagne. Ce fut une bonne chose pour le paysage, et plus encore pour les relations publiques de Fischer. En janvier 1996, il dirigea une ascension humanitaire sur le Kilimandjaro — le plus haut sommet d'Afrique — et récolta un demi-million de dollars pour l'organisation caritative CARE. Grâce à l'expédition de nettoyage sur l'Everest et plus tard à l'escalade caritative, Fischer était devenu, au moment de partir pour l'Everest en 1996, une figure connue dont les médias de Seattle parlaient fréquemment. Sa carrière de grimpeur prenait son essor.

Les journalistes l'interrogeaient sur les risques inhérents au type d'escalade qu'il pratiquait et lui demandaient comment il pouvait les concilier avec sa situation d'époux et de père de famille. Il répondait qu'il prenait beaucoup moins de risques que pendant sa jeunesse téméraire, qu'il était devenu un grimpeur plus traditionnel sachant faire preuve de prudence. Peu de temps avant de partir, il confia à un écrivain de Seattle, Bruce Barcott : «Je crois à cent pour cent que je vais revenir... ma femme le croit aussi. Elle ne se fait pas de souci pour moi parce qu'elle sait que je prendrai les bonnes décisions. Quand des accidents surviennent, c'est toujours à cause d'une erreur humaine, à mon avis. C'est précisément ce que je veux éviter. J'ai eu beaucoup d'accidents dans ma jeunesse. On peut toujours les expliquer par de nombreuses raisons mais, au fond, ils sont toujours dus à une erreur humaine.»

En dépit des affirmations de Fischer, sa carrière d'alpiniste voyageur était difficile à supporter pour sa famille. Il adorait ses enfants et, quand il était à Seattle, il leur accordait beaucoup de temps. Mais l'escalade l'éloignait de son foyer pendant des mois. Ainsi, sur neuf anniversaires de son fils, il en avait manqué sept. En fait, d'après ses amis, il y avait de fortes tensions dans le couple et sa dépendance financière à l'égard de sa femme ne faisait qu'envenimer les choses.

Comme la plupart de ses concurrentes, Mountain Madness était restée une toute petite entreprise. En 1995, Fischer n'en retira qu'une somme de 12 000 dollars. Mais les perspectives devenaient meilleures grâce à la célébrité croissante de Fischer et aux efforts de son associée, Karen Dickinson, dont le sens de l'organisation et le caractère réfléchi compensaient le comportement insouciant de Scott. Quand il constata le succès qu'obtenait Rob Hall en tant que guide sur l'Everest — et les gros honoraires qui en découlaient —, Fischer décida que le moment était venu de faire son entrée sur le marché de l'Everest. S'il parvenait au même résultat que Hall, Mountain Madness deviendrait vite rentable.

Pour Fischer, l'argent n'était pas important en soi. Il n'avait pas de gros besoins, mais il aspirait au respect — de la part de sa famille, de ses camarades, de la société en général — et il savait que dans notre culture l'argent est la principale mesure du succès.

Quelques semaines après sa victoire sur l'Everest en 1994, je le rencontrai à Seattle. Je ne le connaissais pas très bien mais nous avions quelques amis communs et nous nous retrouvions souvent sur les mêmes montagnes ou dans des réunions d'alpinistes. Cette fois-là, il me coinça et entreprit de me parler de son projet d'expédition sur l'Everest. Il fallait que je l'accompagne pour écrire ensuite un article dans *Outside*. J'objectai que ce serait une folie étant donné mon peu d'expérience de la haute altitude. Il me répondit : «L'expérience, c'est dépassé. Ce n'est pas l'altitude qui compte, c'est ton attitude. Tu as déjà réalisé quelques jolies ascensions, des trucs plus durs que l'Everest. Maintenant, le grand E est complètement domestiqué, il est ficelé. Je te le dis, on a construit une route en briques jaunes jusqu'au sommet.»

Scott avait piqué mon intérêt — plus encore qu'il ne l'imaginait. Et il était tenace. Il me parlait de l'Everest chaque fois qu'il me voyait et il faisait régulièrement la leçon à Brad Wetzler, l'un des rédacteurs en chef d'*Outside*. En janvier 1996, en grande partie grâce à l'insistance de Fischer, le magazine s'engagea à m'envoyer sur l'Everest, «probablement avec l'expédition de Fischer», selon les termes de Wetzler. Dans l'esprit de Scott, le marché était conclu.

Cependant, un mois avant la date prévue, Wetzler me téléphona pour m'informer qu'il avait modifié ses plans. Rob Hall avait fait au magazine une bien meilleure offre, aussi Wetzler me suggérait-il de me joindre à l'expédition d'Adventure Consultants plutôt qu'à celle de Fischer. Je connaissais bien Fischer et j'avais de la sympathie pour lui; d'un autre côté, je savais peu de choses sur Hall à ce moment-là; je fus donc assez réticent. Mais après qu'un camarade d'escalade en qui j'avais toute confiance m'eut assuré de l'excellente réputation de Hall, je donnai mon accord avec enthousiasme.

Un après-midi, au camp de base, je demandai à Hall pourquoi il avait tellement tenu à m'avoir avec lui. Il m'expliqua avec candeur qu'il ne s'intéressait pas particulièrement à moi, ni même à la publicité que pourrait lui faire mon article. Ce qui lui avait paru très attrayant dans l'accord avec le magazine, c'étaient toutes les annonces publicitaires gratuites qui y étaient prévues.

Selon les termes de cet arrangement, il acceptait de baisser son tarif à 10 000 dollars et il obtenait en échange de l'espace publicitaire gratuit dans le magazine. Or le public de cet organe de presse correspondait exactement au profil de ses clients. «Plus important encore, me dit Hall, c'est un public américain. Et quatre-vingts ou quatre-vingt-dix pour cent du marché potentiel pour les expéditions guidées sur l'Everest et plus généralement sur les Sept Sommets se trouvent aux Etats-Unis. Après cette saison, quand mon camarade Scott se sera établi comme guide sur l'Everest, il aura un grand avantage sur Adventure Consultants par le seul fait que sa base est en Amérique. Pour compenser, il me faut une action publicitaire conséquente.»

En janvier, quand Fischer découvrit que Hall avait obtenu que je participe à son expédition, cela le rendit fou de rage. Il m'appela du Colorado pour me dire, dans un état de fureur extrême, qu'il ne se considérait pas comme battu. Tout comme Hall, il ne chercha pas à dissimuler que ce n'était pas moi qui l'intéressais mais la publicité. Finalement, il renonça à faire une meilleure offre au magazine.

Lorsque j'arrivai au camp de base en tant que membre

d'Adventure Consultants, Scott ne m'en tint pas rancune. Je me rendis à son campement, il me servit une tasse de café, passa son bras sur mes épaules et parut sincèrement content de me voir.

Malgré les nombreux signes de civilisation qu'offrait le camp de base, il était impossible d'oublier que nous étions à 5 000 mètres au-dessus du niveau de la mer. Aller à pied au mess pour les repas me laissait essoufflé pendant plusieurs minutes. Si je m'asseyais trop vite, j'étais pris de vertiges. La toux profonde et tenace que j'avais contractée à Lobuje empirait de jour en jour. Le sommeil devint difficile, ce qui est un symptôme mineur du mal d'altitude. Presque toutes les nuits, je me réveillais trois ou quatre fois avec l'impression de suffoquer. Mes coupures et mes égratignures ne se cicatrisaient pas. Je perdis l'appétit et mon système digestif, qui avait besoin de beaucoup d'oxygène pour assimiler la nourriture, ne parvenait pas à tirer profit de ce que je me forçais à manger. En compensation, mon corps se mit à se consommer lui-même. Peu à peu, mes bras et mes jambes s'amenuisèrent jusqu'à ressembler à de simples bâtons.

Dans cet environnement pauvre en oxygène et peu hygiénique, certains de mes camarades enduraient des souffrances pires que les miennes. Andy, Mike, Caroline, Lou, Stuart et John étaient victimes de violents maux de ventre qui les obligeaient continuellement à se précipiter vers les latrines. Helen et Doug avaient de terribles maux de tête. Doug me dit : « J'ai l'impression que quelqu'un m'enfonce un clou entre les yeux. »

C'était la deuxième fois que Doug venait sur l'Everest avec Hall. L'année précédente, Rob les avait obligés, lui et trois autres clients, à faire demi-tour à cent mètres du sommet. Et cela parce qu'il se faisait tard et que le sommet était recouvert d'un manteau de neige instable. Doug s'en souvenait avec un rire plein de regrets : «Le sommet paraissait tellement proche! Crois-moi, depuis, il ne s'est pas écoulé un seul jour sans que j'y pense.» Hall l'avait invité à revenir cette année. Comme il était désolé que Hansen ait manqué le sommet d'aussi peu, il lui avait fait une remise importante pour lui permettre de réaliser une nouvelle tentative.

Parmi les clients, Doug était le seul qui ait grimpé souvent sans l'aide d'un guide; bien qu'il ne fût pas un alpiniste de premier ordre, ses quinze années d'expérience le rendaient pleinement capable d'affronter la haute montagne. Dans notre expédition, si quelqu'un devait atteindre le sommet, c'était Doug. Il était fort, déterminé, et il avait déjà réalisé l'ascension dans sa plus grande partie.

A moins de deux mois de son quarante-septième anniversaire et divorcé depuis dix-sept ans, Doug me confia qu'il avait été très lié à plusieurs femmes qui avaient toutes fini par le laisser tomber, fatiguées d'être en compétition avec la montagne. Une semaine avant de partir pour l'Everest en 1996, il avait rencontré une autre femme à l'occasion d'une visite qu'il rendait à un ami à Tucson. Ils s'étaient épris l'un de l'autre. Au début de l'expédition, ils s'envoyèrent de fréquentes télécopies, puis plusieurs jours passèrent sans que Doug ait de nouvelles de son amie. «Je parie qu'elle me laisse tomber, soupira-t-il d'un air abattu. Elle était vraiment bien. Je pensais qu'avec elle ça aurait pu durer.» Un peu plus tard dans l'après-midi, il se dirigea vers ma tente en agitant une télécopie qui venait d'arriver : «Karen Marie me dit qu'elle déménage pour s'installer à Seattle! me cria-t-il d'un air extatique. Cette fois, c'est peut-être sérieux, je ferais bien d'aller au sommet et ensuite d'oublier l'Everest avant qu'elle change d'avis.»

En plus de sa correspondance avec la nouvelle femme de sa vie, Doug occupait son temps au camp de base en envoyant d'innombrables cartes postales aux élèves d'une école de Kent, près de Washington, qui avaient vendu des T-shirts pour l'aider à financer son ascension. Il écrivit à une certaine Vanessa : « Il y a des gens qui font de grands rêves, d'autres de petits rêves, mais le plus important, c'est de ne jamais cesser de rêver. »

Doug passait plus de temps encore à envoyer des télécopies à ses deux enfants — Angie et Jaime, âgés respectivement de dix-neuf et vingt-sept ans —, qu'il avait élevés seul. Il couchait dans la tente voisine de la mienne et chaque fois qu'une télécopie d'Angie lui parvenait, il venait me la lire en déclarant : « Doux Jésus ! Comment se peut-il qu'un idiot comme moi ait engendré une enfant pareille ? »

Pour ma part, j'envoyais peu de cartes postales et de télécopies. Au lieu de cela, je passais le plus clair de mon temps à me demander comment je me comporterais à plus haute altitude et notamment dans ce qu'on appelle la zone de la mort, au-dessus de 7 500 mètres. Plus que la plupart des autres clients et même des guides, j'avais l'expérience des parois techniques, qu'il s'agisse de roche ou de glace. Mais sur l'Everest, cela ne comptait presque pas, et j'avais passé moins de temps que les autres en haute altitude. En fait, ici, au camp de base, au pied de l'Everest, j'étais déjà plus haut que je ne l'avais jamais été dans toute ma vie.

Hall ne paraissait pas s'en soucier. Après sept expéditions sur l'Everest, m'expliqua-t-il, il avait mis au point un programme d'acclimatation très efficace qui nous permettrait de nous adapter au manque d'oxygène (au camp de base, il y avait à peu près deux fois moins d'oxygène qu'au niveau de la mer). Quand le corps humain est placé à une altitude élevée, il s'adapte de plusieurs façons : il respire plus, le pH du sang se modifie, le nombre de globules rouges, qui transportent l'oxygène, augmente. Mais tout cela demande des semaines.

Hall nous affirma cependant qu'après seulement trois

sorties en montant chaque fois plus haut de six cents mètres, nos corps se seraient suffisamment acclimatés pour que nous puissions atteindre le sommet en toute sécurité. Quand je lui fis part de mes doutes, il me répondit avec un sourire en coin : «Jusqu'ici, ça a marché trente-neuf fois. Et parmi les types qui sont montés au sommet avec moi, certains avaient un air aussi pitoyable que le tien.»

6

Camp de base de l'Everest.
12 avril 1996. 5 365 mètres

Plus la situation est improbable, plus grandes sont les exigences qu'elle impose à l'alpiniste, plus doux sera ensuite le relâchement de toute sa tension. L'éventualité du danger ne fait qu'aiguiser son attention et sa maîtrise de soi. Là réside peut-être la raison d'être de tous les sports à risque : on élève délibérément le niveau d'effort et de concentration requis de façon, semble-t-il, à libérer son esprit des trivialités de la vie quotidienne. A une petite échelle, c'est un modèle de vie. Mais il y a une différence. Dans la vie ordinaire, les erreurs peuvent généralement être réparées et on peut trouver une sorte de compromis, alors que là, pendant cette courte période, chaque action peut avoir des conséquences mortelles.

A. Alvarez
Le Dieu sauvage, étude sur le suicide

Faire l'ascension de l'Everest suppose un processus de préparation et de soutien long et fastidieux qui ressemble plus à la construction d'un grand bâtiment qu'à l'escalade telle que je l'avais connue jusque-là. En comptant les Sherpas, le groupe de Hall comprenait vingt-six personnes. Les nourrir, les abriter, les maintenir en bonne santé à 5 000 mètres d'altitude et à cent soixante kilomètres de la route carrossable la plus proche ne représentait pas un mince exploit. Mais Hall était un maître d'œuvre sans pareil, parfaitement à la hauteur de sa tâche. Au camp de base, on pouvait le voir se pencher sur les feuilles sorties des imprimantes qui précisaient tous les détails de la logistique : menus, pièces détachées, outils, médicaments, matériel de transmission, programmes des transports de charges, disponibilités en yaks. En ingénieur né, il adorait le matériel, l'électronique et les gadgets de toutes sortes. Il passait son temps libre à tripoter interminablement l'appareil de production d'électricité solaire ou à lire de vieux numéros de la revue *Popular Science*.

Suivant la tradition de George Leigh Mallory et de la plupart des conquérants de l'Everest, sa stratégie consistait à faire le siège de la montagne. Les Sherpas établiraient progressivement quatre camps au-dessus du camp de base par paliers successifs d'environ six cents mètres de dénivellation. Ils transporteraient de campement en campement de pesantes charges de nourriture, de pétrole pour les réchauds de cuisine et de bouteilles d'oxygène jusqu'à ce que tout le matériel soit parvenu au col sud, à 7 925 mètres d'altitude. Si tout se déroulait selon le plan établi par Hall, nous nous lancerions à l'assaut du sommet à partir du camp le plus élevé — le camp IV — un mois plus tard.

Même si, en tant que clients, on ne nous demandait pas de participer au transport des charges[1], il nous faudrait effectuer plusieurs raids au-dessus du camp de base

---

1. Depuis les premières tentatives d'ascension de l'Everest, la plupart des expéditions — qu'elles soient commerciales ou non — ont fait appel à des Sherpas pour transporter la plus grande partie de leur chargement. Mais en tant que clients d'une expédition guidée, nous ne portions strictement aucune charge à l'exception de quelques affaires personnelles et, à cet égard, nous étions dans des conditions bien différentes de celles des expéditions non commerciales de jadis.

afin de nous acclimater. Rob annonça que la première de ces sorties d'acclimatation aurait lieu le 13 avril. Nous ferions dans la journée un aller-retour au camp I, qui était perché sur le front supérieur de la langue de glace du Khumbu, huit cents mètres au-dessus du camp de base.

Nous passâmes l'après-midi du 12 avril — jour de mon quarante-deuxième anniversaire — à préparer notre équipement d'escalade. Le camp prit l'allure d'une vaste foire. Nous étalions nos affaires parmi les rochers pour trier nos vêtements, ajuster nos baudriers, régler nos longes d'auto-assurance et adapter les crampons à nos chaussures (les crampons sont constitués par une armature portant des pointes d'acier de 5 centimètres que l'on ajuste à la semelle des chaussures pour franchir les surfaces couvertes de glace). Je fus surpris et contrarié de voir Beck, Stuart et Lou déballer des chaussures de montagne quasiment neuves. De leur propre aveu, ils les avaient à peine portées. Je me demandais s'ils étaient bien conscients des risques qu'ils prenaient en venant sur l'Everest avec des chaussures neuves. Vingt ans auparavant, au cours d'une expédition, j'avais appris à mes dépens quelles blessures invalidantes peuvent causer ces lourdes et rigides chaussures avant de se faire.

Stuart, le jeune cardiologue canadien, s'aperçut que ses crampons ne s'adaptaient pas à ses chaussures. Heureusement, Rob, qui avait toutes sortes d'instruments sous la main et une ingéniosité infinie, parvint à résoudre le problème.

Au moment où je remplissais mon sac à dos pour le lendemain, j'appris que, dans leur majorité, mes compagnons-clients, pris entre leurs obligations familiales et celles de leurs prestigieux métiers, n'avaient guère pu pratiquer l'escalade qu'une ou deux fois au cours de l'année écoulée. Bien qu'ils semblassent tous en parfaite forme physique, les circonstances les avaient obligés à s'entraîner en salle et non sur une vraie montagne. Cela me fit réfléchir. La condition physique est un élément crucial de l'alpinisme, mais il y en a d'autres tout aussi importants auxquels on ne peut se préparer dans une salle de gymnastique.

Je m'objectai que je cédais peut-être au snobisme. De toute façon, il était évident que tous mes camarades étaient aussi enthousiastes que moi à la perspective d'affronter une montagne bien réelle le lendemain matin.

Notre route devait suivre le glacier du Khumbu jusqu'à la moitié de la montagne. Depuis la rimaye[1] qui marquait à 7 000 mètres son extrémité supérieure, cette grande rivière de glace descendait sur quatre kilomètres le long d'une combe en pente relativement douce appelée la combe ouest. En passant sur les bosses et les creux de son lit de rocher, elle se fissurait en d'innombrables crevasses verticales. Certaines étaient assez étroites pour qu'on puisse les franchir d'un pas, d'autres avaient vingt-cinq mètres de large et s'enfonçaient à une profondeur de plusieurs dizaines de mètres. Pour notre ascension, les plus grandes pouvaient constituer un obstacle gênant et, lorsqu'elles étaient dissimulées sous une couche de neige, le danger était sérieux. Mais, au fil des années, les grimpeurs avaient appris à prévoir et à surmonter cette difficulté.

Pour la cascade de glace, c'était une autre histoire. Sur la voie du col sud, c'était le passage le plus redouté. A environ 6 000 mètres d'altitude, à l'endroit où le glacier émerge de la partie la plus basse de la combe, il plonge brusquement le long d'une forte pente. C'est la terrible cascade de glace du Khumbu, la section qui exige le plus d'aptitudes techniques.

Sur la cascade de glace, le déplacement quotidien du glacier est de 1 mètre à 1,20 mètre. En glissant par à-coups le long de la pente irrégulière, la masse de glace se

1. Une rimaye est une fente profonde qui délimite l'extrémité supérieure d'un glacier. Elle se forme au moment où le corps du glacier glisse vers le bas, créant un vide entre la glace et le roc.

brise en un fouillis d'énormes blocs vacillants appelés séracs, dont certains ont la hauteur d'un immeuble. Comme la voie d'ascension louvoie sous, autour et entre des centaines de ces tours instables, le trajet sur la cascade de glace revient à jouer à la roulette russe. Tôt ou tard, n'importe quel sérac tombera sans prévenir. On peut seulement espérer ne pas se trouver en dessous quand il basculera. Depuis 1963, année où Jake Breitenbach — un compagnon de cordée de Hornbein et Unsoeld — a été écrasé par un sérac, devenant ainsi la première victime de la cascade de glace, dix-huit autres alpinistes ont péri à cet endroit.

L'hiver précédent, tout comme les autres hivers, Hall et les responsables des différentes expéditions prévues pour le printemps s'étaient réunis et ils avaient convenu que l'une des équipes aurait la responsabilité d'établir et d'entretenir une voie à travers la cascade de glace. Pour sa peine, chaque autre équipe lui verserait une somme de 2 200 dollars. Depuis quelques années, ce système coopératif reçoit un agrément très large sinon universel. Mais il n'en a pas toujours été ainsi.

C'est en 1988 qu'une expédition eut pour la première fois l'idée de faire payer un passage aménagé sur la cascade de glace. Une équipe américaine généreusement subventionnée annonça que toute expédition qui voudrait suivre la route qu'elle avait tracée sur la cascade de glace devrait débourser 2 000 dollars. Parmi les autres expéditions, plusieurs personnes, qui n'acceptaient pas que l'Everest ne soit pas seulement une montagne mais aussi un produit, en furent indignées. Et celui qui cria le plus fort, ce fut Rob Hall, qui dirigeait une petite expédition néo-zélandaise plutôt impécunieuse. Il se plaignit que les Américains «violaient l'esprit de la montagne» et pratiquaient une forme d'extorsion de fonds. Mais Jim Frush, l'avocat peu accessible aux sentiments qui dirigeait le groupe américain, demeura inébranlable. A la fin, les dents serrées, Hall accepta d'envoyer un chèque à Frush et put ainsi franchir la cascade de glace. Plus tard, Frush devait déclarer que Hall n'avait jamais honoré sa dette.

Cependant, en l'espace de deux ans, Hall fit volte-face et en vint à trouver logique que la cascade de glace soit une voie à péage. En fait, de 1993 à 1995, il se porta volontaire pour tracer lui-même la route et recevoir le droit de passage. Au printemps 1996, il laissa cette responsabilité à une expédition commerciale concurrente[1] dirigée par Mal Duff, un Ecossais qui avait une grande expérience de l'Everest.

Bien avant que nous soyons parvenus au camp de base, des Sherpas employés par Mal Duff avaient tracé une voie qui zigzaguait entre les séracs. Ils avaient tendu plus de mille six cents mètres de cordes et disposé quelque soixante échelles en aluminium par-dessus les cassures du glacier. Ces échelles appartenaient au village de Gorak Shep, qui en tirait un joli profit en les louant chaque saison.

C'est ainsi qu'en ce samedi 13 avril, à 4 h 45 du matin, je me trouvai au pied de la célèbre cascade de glace en train de fixer mes crampons dans les froides ténèbres qui précèdent l'aube.

Les alpinistes chevronnés qui ont échappé à de nombreux dangers aiment à donner ce conseil à leurs protégés : pour rester en vie, il faut écouter sa voix intérieure. De nombreux récits parlent de ces grimpeurs qui décidèrent de rester dans leur sac de couchage après avoir décelé dans l'air des ondes de mauvais augure, échappant ainsi

---

1. J'utilise l'expression «expédition commerciale» pour désigner toute expédition organisée en vue du profit, mais toutes ne sont pas guidées. Mal Duff, par exemple — dont le tarif était bien inférieur à ceux de Hall et de Fischer —, fournissait l'organisation et l'infrastructure nécessaires pour une ascension de l'Everest (nourriture, tentes, bouteilles d'oxygène, cordes installées, équipe de Sherpas, etc.) mais ne guidait pas. Les grimpeurs étaient supposés avoir assez d'expérience pour atteindre le sommet par eux-mêmes et en revenir sains et saufs.

à la catastrophe qui allait emporter leurs compagnons moins attentifs aux présages.

Je ne mettais pas en doute l'importance des indices subconscients. Pendant que j'attendais Rob, qui devait ouvrir la voie, la glace produisait sous mes pieds une série de forts craquements, comme si de petits arbres se fendaient en deux. Chaque bruit venu des profondeurs mouvantes du glacier me faisait faire la grimace. C'était bien là le problème : ma voix intérieure me criait que j'allais mourir, mais elle le faisait chaque fois que je laçais mes chaussures de montagne. Par conséquent, je fis de mon mieux pour calmer ma trop grande imagination et je suivis Rob d'un air résolu dans cet épouvantable labyrinthe bleu.

Bien que je ne sois jamais allé sur une cascade de séracs aussi effrayante que celle du Khumbu, j'en avais escaladé beaucoup d'autres. Elles ont souvent des passages à la verticale ou même en surplomb qui exigent une grande maîtrise de l'utilisation du piolet et des crampons. Ici, la glace en pente raide ne manquait pas, mais on y avait disposé des échelles ou des cordes, ou les deux, ce qui rendait largement superflues les techniques habituelles d'escalade de la glace.

J'appris bientôt que, sur l'Everest, les cordes — l'élément de base du grimpeur — n'étaient pas utilisées de manière traditionnelle. D'habitude, un grimpeur est relié à un ou deux partenaires par une corde de trente mètres, ce qui rend chacun directement responsable de la vie des autres. S'encorder de cette façon constitue un acte à prendre très au sérieux. Mais, sur la cascade de glace, il était plus opportun que chacun grimpe indépendamment, sans être relié par quoi que ce soit aux autres.

Les Sherpas de Mal Duff avaient établi une ligne de cordes fixes qui s'étirait depuis le pied de la cascade de glace jusqu'à son extrémité supérieure. J'avais, fixée à ma taille, une auto-assurance dont le bout était muni d'un mousqueton. Ainsi, ma sécurité était assurée non par un lien avec un compagnon de cordée mais grâce à mon attache que je faisais glisser sur la corde fixe. Ce dispositif nous permettrait de traverser le plus rapidement possible la partie la plus dangereuse de la cascade de glace et nous ne serions pas obligés de confier notre vie à des compagnons dont nous ne connaissions ni les aptitudes ni l'expérience. Au cours de cette expédition, je n'eus pas une seule fois l'occasion de m'encorder avec un autre grimpeur.

Si la cascade de glace ne suppose que peu de connaissances techniques orthodoxes, elle exige en revanche toute une série d'aptitudes nouvelles. Par exemple, la capacité à monter sur la pointe des pieds, en chaussures de montagne et crampons, sur trois échelles branlantes attachées bout à bout au-dessus d'un gouffre en forme d'étau. De tels passages étaient très nombreux et je n'ai jamais pu m'y habituer.

A un de ces endroits, je me trouvais en équilibre instable sur une échelle dans l'obscurité, avançant avec inquiétude d'un barreau tordu à l'autre, quand la glace qui soutenait l'échelle à chaque bout se mit à trembler comme sous l'effet d'une secousse tellurique. Peu après, dans un grondement explosif, un grand sérac s'effondra quelque part au-dessus, tout proche. Je frissonnais, la gorge serrée, mais l'avalanche de glace passa à quarante mètres à gauche, invisible, sans causer de dégâts. Après une pause de quelques minutes pour recouvrer mes esprits, je repris ma progression brinquebalante vers l'autre bout de l'échelle.

Le flux continuel et souvent violent du glacier ajoutait un facteur d'incertitude à chaque franchissement d'échelle. Quand le glacier bougeait, les crevasses pouvaient se resserrer et plier les échelles comme des cure-dents ; à d'autres moments, une crevasse pouvait, en s'agrandissant, laisser l'échelle osciller au-dessus du vide.

Les points d'ancrage[1] qui assuraient la fixation des échelles et des cordes se descellaient quand le soleil de l'après-midi faisait fondre la neige et la glace autour d'eux. Malgré une vérification quotidienne, le danger était réel qu'une corde s'arrache sous le poids d'un corps.

Si la cascade de glace était un passage incertain et terrifiant, elle avait par ailleurs un aspect surprenant. Lorsque l'aube chassa l'obscurité du ciel, un paysage d'une beauté fantastique apparut dans ce chaos de glace. La température était de − 14 °C. Mes crampons mordaient de façon rassurante sur la surface du glacier. En suivant la corde, je serpentais à travers un labyrinthe de stalagmites d'un bleu cristallin. Des contreforts de rocs soudés par la glace que le glacier pressait sur ses deux côtés s'élevaient comme les épaules de quelque dieu malveillant. Absorbé par la contemplation des environs et par ma progression attentive, je me laissais aller au pur plaisir de l'ascension et, pendant une heure ou deux, j'oubliai ma peur.

Aux trois quarts du chemin vers le camp I, Hall fit remarquer lors d'une halte que la cascade de glace était en meilleures conditions qu'elle ne l'avait jamais été : «C'est une vraie autoroute, cette année.» Mais juste un peu plus haut, à 5 791 mètres, les cordes nous menèrent au pied d'un gigantesque sérac en équilibre instable. Aussi grand qu'un immeuble de douze étages, il était incliné à 30 degrés au-dessus de nos têtes. La voie suivait une gouttière naturelle qui montait en écharpe sur la façade surplombante. Il faudrait escalader, passer par-dessus cette tour de glace pour échapper à sa masse menaçante.

Je compris que la sécurité dépendait de la vitesse. En

1. Des piquets de 90 centimètres en aluminium servaient à l'ancrage des cordes et des échelles sur les pentes enneigées. Quand le terrain était gelé, on utilisait des broches à glace : des tubes creux filetés de 25 centimètres de long, que l'on vissait dans la glace.

haletant, je montai vers la relative sécurité que représentait le sommet du sérac avec toute la hâte dont je pouvais faire preuve. Mais comme je n'étais pas encore acclimaté, mon allure restait lente. Tous les quatre ou cinq pas, je devais m'arrêter, accroché à la corde, et j'aspirais désespérément l'air rare et mordant qui me brûlait les poumons.

J'atteignis le haut du sérac sans qu'il s'écroule et je m'affalai à bout de souffle sur son sommet plat, le cœur cognant comme un marteau de forge. Un peu plus tard, vers 8 h 30, je parvins en haut de la cascade de glace elle-même, juste après le dernier sérac. Mais la sécurité du camp I ne m'apporta pas beaucoup de sérénité. Je ne pouvais m'empêcher de penser à l'immense et inquiétant sérac incliné qui se trouvait plus bas. Si je voulais atteindre le sommet de l'Everest, il me faudrait passer encore au moins sept fois sous sa masse vacillante. Il me paraissait évident que ceux qui, pour désigner cette voie, emploient l'expression narquoise de «sentier à yaks» n'ont jamais traversé la cascade de glace.

Avant que nous quittions les tentes, Rob nous avait expliqué que nous ferions demi-tour à 10 heures, même si certains d'entre nous n'avaient pas encore atteint le camp I, de façon à être rentrés au camp de base avant que le soleil de midi ait rendu la cascade de glace encore plus instable. A l'heure dite, seuls Rob, Frank Fischbeck, John Taske, Doug Hansen et moi-même étions parvenus au camp I. Yasuko Namba, Stuart Hutchison, Beck Weathers et Lou Kasischke, escortés par les guides Mike Groom et Andy Harris, se trouvaient soixante mètres plus bas à la verticale. Rob leur donna par radio l'ordre de redescendre.

Pour la première fois, nous avions pu nous observer les uns les autres au cours d'une escalade et mieux apprécier les points forts et les faiblesses de ceux dont nous dépendrions au cours des semaines à venir. Doug et John — à cinquante-six ans, ce dernier était le plus âgé du groupe — m'avaient paru solides. Frank, l'éditeur aux bonnes manières et à la voix douce, était le plus impressionnant. Mettant en pratique le savoir-faire qu'il avait acquis au cours de ses trois expéditions précédentes sur l'Everest, il était parti lentement mais en conservant la même allure régulière ; en haut de la cascade de glace, il avait tranquillement dépassé presque tout le monde et ne semblait même pas éprouver de difficultés à respirer.

A l'inverse, Stuart — le plus jeune et apparemment le plus fort du groupe — était parti en tête à la sortie du camp mais bientôt il s'était fatigué et, vers le haut de la cascade de glace, il était bon dernier et n'en pouvait plus. Lou, handicapé par une blessure à la jambe qu'il s'était faite le premier matin de notre montée vers le camp de base, allait lentement mais avec compétence. Beck et surtout Yasuko donnaient l'impression de ne pas être à la hauteur.

A plusieurs reprises, tous deux avaient failli tomber d'une échelle et disparaître dans une crevasse, et Yasuko semblait ne pas savoir se servir de ses crampons [1]. Andy, en tant que plus jeune guide, devait accompagner les clients les plus lents. Il passa toute la matinée à expliquer à Yasuko les techniques de base de l'escalade sur glace, révélant de vrais dons d'enseignant et une extrême patience.

Mais, quelles qu'aient été les diverses insuffisances dont fit preuve notre groupe, Rob déclara en haut de la cascade de glace qu'il était tout à fait satisfait des performances de chacun. Il nous dit avec la fierté d'un père : «Pour votre première sortie au-dessus du camp de base,

1. Bien que Yasuko ait fait usage de crampons lors de ses escalades de l'Aconcagua, du mont McKinley, de l'Elbrous et du Vinson, aucune de ces ascensions ne comporte de véritable passage sur glace. Le terrain consiste essentiellement en une pente relativement douce de neige et/ou de terrain mixte.

vous vous êtes très bien débrouillés. Je pense que nous avons un bon groupe cette année.»

Il nous fallut un peu plus d'une heure pour retourner au camp de base. Au moment où je retirais mes crampons pour franchir les dernières centaines de mètres qui nous séparaient des tentes, j'eus l'impression que le soleil se mettait à forer un trou sur le haut de mon crâne. Quelques minutes plus tard, alors que je bavardais avec Helen et Chhongba dans la tente du mess, je fus saisi par un violent mal de tête. Je n'avais jamais rien connu de pareil. C'était une douleur pénétrante entre les tempes, une douleur si forte qu'elle s'accompagnait de vagues de frissons et de nausées et qu'elle m'interdisait d'énoncer une phrase complète. Je quittai la conversation en titubant et me réfugiai dans mon sac de couchage, le bonnet tiré sur les yeux.

Je n'avais aucune idée de ce qui avait pu provoquer une migraine d'une telle intensité. Ce n'était sans doute pas l'altitude, puisque je ne l'avais ressentie qu'à mon retour au camp de base. Plus probablement, elle était causée par les rayons ultraviolets qui avaient brûlé ma rétine et cuit mon cerveau. Mais, quelle qu'en soit la cause, c'était un mal intense et sans rémission. Pendant les cinq heures qui suivirent, je restai étendu dans ma tente en essayant d'éviter toute stimulation sensorielle. Si j'ouvrais les yeux ou même si je me contentais de les bouger sous mes paupières closes, cela me causait une douleur cinglante. Au coucher du soleil, incapable d'en supporter plus, je me rendis comme je pus à la tente médicale pour demander conseil à Caroline, le médecin de l'expédition.

Elle me prescrivit un puissant analgésique et me demanda de l'avaler avec un peu d'eau mais, après quelques gorgées, je régurgitai les pilules, le liquide et mon repas de midi. «Hum, fit pensivement Caroline en observant les éclaboussures qui tachaient mes chaussures, il va falloir essayer autre chose...» Elle me demanda de laisser fondre sous ma langue un petit comprimé qui m'empêcherait de vomir, puis d'avaler deux cachets de codéine. Une heure plus tard, la douleur se mit à diminuer. Pleurant presque de gratitude, je sombrai dans l'inconscience.

J'étais en train de paresser dans mon sac de couchage, regardant les ombres que le soleil du matin produisait sur la toile de ma tente, quand Helen cria : «Jon! Téléphone! C'est Linda!» J'enfilai une paire de sandales, courus à la tente de communication, quarante mètres plus loin, et agrippai le combiné en essayant de reprendre mon souffle. Le téléphone-fax satellite n'était pas tellement plus grand qu'un ordinateur portable. Les communications coûtaient environ 5 dollars la minute et elles étaient parfois interrompues. Mais le fait que ma femme puisse composer à Seattle un numéro à treize chiffres et me parler sur le mont Everest me sidérait. Bien que cet appel fût pour moi très réconfortant, je ne pouvais manquer de percevoir à l'autre bout du monde la résignation qu'exprimait la voix de Linda. «Je vais bien, disait-elle, mais je voudrais que tu sois là.»

Dix-huit jours plus tôt, elle avait éclaté en sanglots lorsqu'elle m'avait conduit à l'avion qui partait pour le Népal. «En revenant de l'aéroport, me confia-t-elle, je ne pouvais cesser de pleurer. Te dire au revoir a été l'une des choses les plus tristes de ma vie. Je suppose que je comprenais d'une certaine façon que tu pourrais ne pas revenir et cela me paraissait un tel gâchis... C'était tellement stupide et inutile.»

Cela faisait quinze ans et demi que nous étions mariés. Moins d'une semaine après en avoir parlé, nous étions allés voir un juge de paix et la chose s'était faite. J'avais vingt-six ans à l'époque. Peu de temps auparavant, j'avais décidé de mettre un terme à l'escalade et de mener une vie sérieuse.

Quand j'avais rencontré Linda, elle avait déjà grimpé elle aussi — et elle était très douée — mais, à la suite d'une fracture du bras et d'une blessure au dos, elle avait pris conscience des risques qu'elle courait et avait abandonné. Linda ne m'aurait jamais demandé de ne plus pratiquer l'alpinisme, mais l'annonce que j'en avais faite avait renforcé sa décision de m'épouser. Cependant, j'avais sous-estimé l'emprise de l'escalade sur mon âme et le sens qu'elle donnait à ma vie. Je n'avais pas prévu le vide que créerait son absence. Moins d'un an plus tard, je reprenais ma corde et retournais sur les rochers. En 1984, quand je me rendis en Suisse pour escalader la dangereuse face nord de l'Eiger, Linda et moi fûmes à deux doigts de nous séparer.

Notre relation resta précaire pendant les deux ou trois ans qui suivirent mon échec sur l'Eiger, mais elle survécut à cette période difficile. Linda finit par admettre ma passion de l'escalade. Elle se rendit compte que c'était pour moi quelque chose de crucial — bien que préoccupant. Elle comprit que, dans l'alpinisme, s'exprimait un aspect profond et immuable de ma personnalité que je ne pouvais pas plus modifier que la couleur de mes yeux. C'est dans le contexte de ce raccommodement délicat qu'*Outside* me confirma qu'on m'envoyait sur l'Everest.

Tout d'abord, je prétendis que j'irais là-bas plus en journaliste qu'en grimpeur, que j'avais accepté cette offre parce que la commercialisation de l'Everest était un sujet intéressant et que cette mission serait bien payée. J'expliquai à Linda et à tous ceux qui mettaient en doute mon aptitude à affronter l'Himalaya que je ne comptais pas aller bien haut. « Selon toute probabilité, j'irai à peine plus loin que le camp de base. Juste pour faire l'essai de la haute altitude. »

Sornettes. Etant donné la longueur du voyage et le

temps que j'avais consacré à m'y préparer, j'aurais pu gagner bien plus d'argent en acceptant d'autres travaux de rédaction. J'avais donné mon accord parce que le mythe de l'Everest me tenaillait. En vérité, je n'avais jamais rien désiré dans ma vie autant que cette ascension. A partir du moment où j'avais choisi d'aller au Népal, mon intention était de grimper aussi haut que me le permettraient mes jambes et mes poumons.

Lorsque Linda me conduisit à l'aéroport, il y avait longtemps qu'elle avait vu clair en moi. Elle devinait la puissance de mon désir et cela lui faisait peur. D'une voix où se mêlaient l'angoisse et la colère, elle me dit : «Si tu te tues, ce ne sera pas seulement toi qui auras payé le prix. Il faudra que je le paie aussi, pendant toute ma vie. Cela ne compte pas pour toi?»

Je répondis : «Je ne vais pas mourir. Ne dramatise pas.»

7

Camp I. 13 avril 1996. 5 944 mètres

Il y a des hommes sur qui l'inaccessible exerce une attirance particulière. Généralement, ce ne sont pas des spécialistes : leur ambition et leur imagination sont assez puissantes pour écarter les doutes que pourraient éprouver des hommes plus prudents. La détermination et la foi sont leurs armes les plus puissantes. De tels hommes sont considérés au mieux comme des excentriques, au pire comme des fous...

L'Everest a eu son lot de personnages de cette sorte. Leur pratique de l'alpinisme était nulle ou très faible — aucun d'entre eux ne possédait l'expérience qui lui aurait permis d'entreprendre raisonnablement une telle ascension. Ils avaient tous trois choses en commun : la foi en eux-mêmes, une grande détermination et de l'endurance.

Walt Unsworth
L'Everest

J'ai grandi avec une ambition et une détermination sans lesquelles j'aurais été bien plus heureux. Je réfléchissais beaucoup et j'avais acquis la vision lointaine d'un rêveur, car c'étaient toujours les lointaines hauteurs qui me fascinaient et m'attiraient en pensée. Je n'étais pas certain de ce qu'il était possible d'accomplir au moyen de la seule téna-

cité, et je savais peu de chose sur le reste, mais l'objectif était
ambitieux et chaque rebuffade ne faisait que renforcer ma
détermination de réaliser au moins l'un de mes grands rêves.

Earl Denman
Seul sur l'Everest

En ce printemps 1996, les pentes de l'Everest ne manquaient pas de rêveurs. Les références de nombreux grimpeurs étaient aussi minces que les miennes, voire plus minces encore. Quand vint pour chacun d'entre nous le moment d'évaluer ses capacités et de les mesurer à l'aune du formidable défi que constitue la plus haute montagne du monde, on aurait pu croire que la moitié du camp de base avait perdu le sens du réel. Mais peut-être ne fallait-il pas s'en étonner. L'Everest a toujours attiré les écervelés, les romantiques désespérés, les êtres assoiffés de publicité et d'autres encore, guère plus réalistes.

En mars 1947, un ingénieur canadien désargenté, du nom de Earl Denman, arriva à Darjeeling et annonça qu'il avait l'intention d'escalader l'Everest bien qu'il eût peu d'expérience de la montagne et ne disposât pas d'un visa pour le Tibet. Il réussit néanmoins à convaincre deux Sherpas — Ang Dawa et Tenzing Norgay — de l'accompagner.

Tenzing — le même qui devait plus tard accompagner Hillary dans sa première ascension de l'Everest — avait quitté le Népal en 1933, à l'âge de dix-sept ans, avec l'espoir d'être engagé par une expédition qui, ce printemps-là, devait partir sous la direction d'un éminent alpiniste anglais, Eric Shipton. L'impatient jeune Sherpa ne fut pas choisi cette année-là, mais il resta en Inde et fut engagé par Shipton lors de son expédition de 1935. Lorsqu'il accepta d'accompagner Denman en 1947, Tenzing était déjà allé deux fois sur la grande montagne. Il admit plus tard qu'il avait su dès le départ que le projet de Denman était une folie mais qu'il était lui-même incapable de résister à l'attrait de l'Everest :

Tout était absurde dans ce projet. Premièrement, selon toute probabilité, nous ne pourrions même pas entrer au Tibet. Deuxièmement, si nous y entrions, nous nous ferions prendre et, en tant que guides, nous aurions — comme Denman lui-même — de sérieux ennuis. Troisièmement, à supposer que nous parvenions jusqu'à la montagne, une cordée comme la nôtre n'avait aucune chance de l'escalader; cela me paraissait évident. Quatrièmement, une simple tentative serait très périlleuse. Cinquièmement, Denman n'avait pas assez d'argent; il ne pouvait ni nous payer convenablement ni dédommager nos sauveteurs si quelque chose arrivait. Et ainsi de suite. Mais il me fut impossible de refuser. Dans mon cœur, j'avais besoin d'y aller et, pour moi, l'attrait de l'Everest était plus puissant que toute autre considération. Ang Dawa et moi en discutâmes entre nous pendant quelques minutes, puis nous nous décidâmes. Je dis à Denman : «Bon, on va essayer.»

Tandis que la petite expédition traversait le Tibet en direction de l'Everest, les deux Sherpas en vinrent progressivement à respecter et même à aimer le Canadien. Ils voyaient bien son manque d'expérience mais ils admiraient son courage et sa force physique. Il faut porter au crédit de Denman qu'il sut reconnaître ses insuffisances quand, sur les flancs de la montagne, il dut regarder la réalité en face. Assailli par une tempête à 6 700 mètres, il admit sa défaite et fit demi-tour avec ses deux compagnons. Ils rentrèrent sains et saufs à Darjeeling, cinq semaines après en être partis.

Maurice Wilson, un Anglais idéaliste et mélancolique, avait eu moins de chance, treize ans auparavant. Mû par un désir malavisé de venir en aide à l'humanité, il avait décidé que l'ascension de l'Everest serait le moyen idéal de faire partager sa conviction que les maux dont souffre l'homme peuvent être guéris par le jeûne associé à la foi en la puissance de Dieu. Il voulait se rendre au Tibet dans un petit avion, se poser en catastrophe sur les pentes de l'Everest et, à partir de là, monter jusqu'au sommet. Qu'il n'eût aucune connaissance ni en aviation ni en alpinisme ne lui parut pas un obstacle.

Wilson acheta un avion aux ailes en toile, le baptisa *Ever Wrest* — « Tenir bon » — et apprit les rudiments du pilotage. Ensuite, il passa cinq semaines à vagabonder dans les modestes collines des environs du mont Snowdon[1] et du Lake District pour y acquérir les connaissances qui lui paraissaient indispensables en matière d'escalade. Puis, en mai 1933, il décolla dans son minuscule appareil et mit le cap sur l'Everest en passant par Le Caire, Téhéran et l'Inde.

A ce stade, Wilson avait déjà fait l'objet de nombreux articles dans la presse. Il arriva à Purtabpore, en Inde, mais, n'ayant pas obtenu du gouvernement népalais la permission de survoler le Népal, il vendit son avion pour 500 livres et se rendit à Darjeeling. Là, on l'avisa que le Tibet ne lui accordait pas l'autorisation de pénétrer sur son territoire. Il n'en fut pas décontenancé pour autant. En mars 1934, il engagea trois Sherpas, se déguisa en moine bouddhiste et traversa clandestinement la forêt du Sikkim puis les étendues désolées du plateau tibétain. Le 14 avril, au terme d'une marche de près de cinq cents kilomètres, il était au pied de l'Everest.

Tout d'abord, il avança d'un bon pas sur la glace par-

---

1. Le mont Snowdon est une montagne du pays de Galles qui culmine à 1 085 mètres. *(N.d.T.)*

semée de pierres du glacier occidental de Rongbuk. En raison de son ignorance de la traversée des glaciers, il se perdit plusieurs fois, ce qui le laissa déçu et épuisé. Mais il refusa d'abandonner. Vers la mi-mai, il atteignit le haut du glacier, à 6 400 mètres. Là, il pilla un dépôt de nourriture et d'équipements mis en réserve par Eric Shipton lors de son expédition infructueuse de 1933. Ensuite, il entreprit d'escalader la pente qui conduit au col nord. Lorsqu'il parvint à 6 919 mètres, il se trouva devant une falaise de glace. C'était trop difficile pour lui et il fut obligé de revenir à la réserve de Shipton. Mais il se refusait toujours à abandonner. Le 28 mai, il nota dans son journal : «C'est le dernier effort. Je sens que je vais réussir.» Et une fois de plus il partit à l'assaut de la montagne.

L'année suivante, quand Shipton retourna sur l'Everest, ses équipiers trouvèrent le corps de Wilson. Il gisait gelé dans la neige au pied du col nord. Charles Warren — l'un de ceux qui avaient découvert le cadavre — a écrit : «Après en avoir discuté, nous décidâmes de l'enterrer dans une crevasse. Nous ôtâmes nos bonnets. Nous étions, me semble-t-il, tous bouleversés. Je croyais que la vue d'un mort ne me faisait plus rien, mais d'une façon ou d'une autre — et sans doute parce qu'il faisait après tout la même chose que nous — sa fin tragique paraissait nous avoir approchés d'un peu trop près.»

La prolifération sur les pentes de l'Everest des émules de Wilson et de Denman — tous rêveurs peu qualifiés, comme certains de mes compagnons — est un phénomène qui a été l'objet de nombreuses critiques. Mais la question de savoir qui est à sa place sur l'Everest et qui n'y est pas est plus compliquée qu'il n'y paraît. Le fait qu'un grimpeur ait versé une grosse somme dans le cadre d'une expédition guidée ne signifie pas qu'il n'est pas qualifié. En réalité, au moins deux des expéditions commerciales de ce printemps 1996 comprenaient des alpinistes ayant une grande expérience de l'Himalaya et répondant aux critères de qualification les plus rigoureux.

Le 13 avril, au camp I, pendant que j'attendais que mes compagnons me rejoignent au-dessus de la cascade de glace, deux grimpeurs appartenant à l'expédition de Fischer — Mountain Madness — passèrent devant moi à une vitesse impressionnante. L'un d'eux était Klev Schoening, un entrepreneur en bâtiment de trente-huit ans qui avait fait partie de l'équipe américaine de ski. Bien que doué d'une force exceptionnelle, il n'avait pas une grande expérience de la haute altitude. En revanche, son oncle Pete Schoening, qui l'accompagnait, était un himalayiste célèbre.

Vêtu de Gore-Tex usé et délavé, Pete était, à près de soixante-neuf ans, un homme de haute taille, légèrement voûté, qui revenait sur les hauteurs de l'Himalaya après une longue absence. En 1958, il avait dirigé l'expédition qui effectua la première ascension du Hidden Peak, une montagne de 8 068 mètres située dans la chaîne de Karakoram au Pakistan. C'était la première fois que des Américains réalisaient une ascension aussi haute. Mais il était encore plus célèbre pour le rôle héroïque qu'il joua dans l'expédition qui tenta sans succès l'ascension du K2 en 1953 (l'année même où Hillary et Tenzing atteignirent le sommet de l'Everest).

Les huit hommes de cette expédition furent immobilisés par un terrible blizzard pendant qu'ils se trouvaient à haute altitude sur le K2, sur le point d'atteindre le sommet. Une thrombophlébite provoquée par l'altitude se déclara chez l'un des membres de l'équipe nommé Art Gilkey. Il était en danger de mort. Comprenant qu'il fallait faire vite si on voulait conserver un espoir de le sauver, Schoening et ses camarades entreprirent de le descendre le long d'une pente abrupte de l'arête des Abruzzes alors que la tempête faisait rage. A

7 620 mètres, l'un des grimpeurs, George Bell, dévissa en entraînant quatre de ses compagnons. Schoening eut le réflexe d'enrouler la corde autour de son piolet et d'assurer à l'épaule. Tout en retenant Gilkey d'une main, il parvint à ne pas être emporté et à arrêter la chute des cinq alpinistes. Cet incroyable exploit, resté dans les annales de l'alpinisme, est à l'origine de la technique de l'assurage.

Et voilà que maintenant c'étaient Fischer et ses deux guides — Neal Beidleman et Anatoli Boukreev — qui emmenaient Pete Schoening sur l'Everest. Quand je demandai à Beidleman — un puissant grimpeur du Colorado — ce que cela lui faisait de guider un client comme Pete Schoening, il rectifia rapidement, avec un sourire d'autodérision : « Quelqu'un comme moi ne guide pas Pete Schoening. Je considère comme un grand honneur d'être dans la même expédition que lui. » Si Schoening avait passé contrat avec Fischer, ce n'était pas parce qu'il avait besoin d'un guide mais pour éviter le gros tracas d'obtenir un permis, de se procurer de l'oxygène, des tentes, des provisions, d'engager des Sherpas et autres détails de ce genre.

Quelques minutes après Pete et Klev Schoening passa leur camarade Charlotte Fox. Agée de trente-huit ans, énergique et d'une beauté sculpturale, elle travaillait dans la police de montagne à Aspen, dans le Colorado. Elle avait déjà escaladé deux pics de plus de 8 000 mètres, le Gasherbrum II au Pakistan (8 035 mètres) et, tout près de l'Everest, le Cho Oyu (8 153 mètres).

Un peu plus tard, je rencontrai un membre de l'expédition commerciale de Mal Duff. Il s'agissait d'un Finlandais de vingt-huit ans nommé Veikka Gustafsson, dont les précédentes ascensions himalayennes comprenaient l'Everest, le Dhaulagiri, le Makalu et le Lhotse.

Il faut rappeler qu'aucun des clients de Hall n'avait escaladé une montagne de 8 000 mètres. Si quelqu'un comme Pete Schoening était l'équivalent d'un joueur-vedette de première division, mes compagnons d'expédition et moi-même étions un ramassis hétéroclite de joueurs de troisième division qui auraient obtenu grâce à un pot-de-vin de participer au championnat du monde... Bien sûr, au-dessus de la cascade de glace, Hall nous avait qualifiés de «bonne équipe» et il est possible en effet que nous puissions être considérés comme tels par comparaison avec ses clients des années passées. Néanmoins, il me paraissait clair que personne dans notre groupe n'aurait eu la moindre chance de gravir l'Everest sans l'aide considérable de Hall, de ses guides et de ses Sherpas.

D'un autre côté, nous étions bien plus compétents que beaucoup de participants présents sur le site. On pouvait notamment avoir des doutes sur la valeur de certains grimpeurs d'une expédition commerciale conduite par un Anglais peu qualifié pour l'Himalaya. Mais les moins qualifiés de tous n'étaient pas les clients des ascensions guidées, mais les membres des expéditions traditionnelles, non commerciales.

Alors que je retournais au camp de base en descendant la partie inférieure de la cascade de glace, je dépassai deux grimpeurs. Leurs vêtements et leur équipement avaient un aspect étrange. On voyait tout de suite qu'ils étaient peu familiarisés avec les outils et les techniques de la progression sur glacier. Celui qui était derrière accrochait régulièrement ses crampons et trébuchait. En attendant qu'ils aient franchi une crevasse béante sur deux échelles branlantes mises bout à bout, je fus choqué de les voir s'engager ensemble sur cette installation instable. C'était inutilement dangereux. J'appris, grâce à une tentative maladroite de conversation, qu'ils appartenaient à une expédition taïwanaise.

La réputation des Taïwanais les avait précédés sur l'Everest. Au printemps 1995, la même équipe s'était rendue en Alaska pour escalader le mont McKinley en guise de préparation à une ascension de l'Everest l'année suivante. Neuf grimpeurs parvinrent au sommet, mais au cours de la descente sept d'entre eux furent pris dans une tempête et se perdirent. Ils passèrent la nuit sans abri à 5 900 mètres d'altitude. Ce qui entraîna une intervention coûteuse et dangereuse des services de secours du parc national.

A la demande des rangers, deux des meilleurs alpinistes des Etats-Unis, Alex Lowe et Conrad Anker, interrompirent leur propre ascension pour se diriger rapidement vers les Taïwanais, qu'ils trouvèrent en très mauvais état. Avec beaucoup de difficulté et en mettant leur propre vie en danger, ils les descendirent jusqu'à l'altitude de 5 200 mètres, où un hélicoptère put les évacuer. Cinq membres de cette expédition furent ainsi transportés. L'un d'entre eux était mort et deux autres atteints de graves gelures. «Il n'y a eu qu'un mort, dit Anker, mais si Alex et moi n'étions pas arrivés à temps, deux autres auraient perdu la vie. Un peu auparavant, nous avions remarqué ce groupe, qui semblait totalement incompétent. Nous n'avons pas été surpris qu'ils aient des ennuis.»

Le responsable de cette expédition, le jovial Gau Ming-Ho — un photographe indépendant —, qui se faisait appeler «Makalu» d'après le sommet himalayen du même nom, était épuisé et souffrait de gelures. Il lui fallut l'aide des guides de l'Alaska pour rentrer. «Quand il revint, raconte Anker, Makalu criait à tous ceux qui passaient : "Victoire! Victoire! Nous sommes allés au sommet!" Comme si rien ne s'était passé. Oui, ce Makalu m'a paru un peu bizarre.» Quand les survivants du mont McKinley firent leur apparition sur la face sud de l'Everest en 1996, Makalu Gau était toujours à leur tête.

La présence des Taïwanais causait beaucoup de souci aux autres expéditions. Tout le monde craignait qu'ils ne se mettent dans une situation qui obligerait à leur porter secours, ce qui comporterait des dangers et empêcherait certains d'atteindre le sommet. Mais les Taïwanais n'étaient pas les seuls qui paraissaient manquer de compétence. Au camp de base, près de nos tentes, un grimpeur norvégien de vingt-cinq ans nommé Petter Neby proclamait son intention d'effectuer en solitaire l'ascension de la face sud-ouest[1] — l'une des voies les plus dangereuses et les plus difficiles — malgré une expérience de l'Himalaya qui se limitait à deux escalades de l'Island Peak, une bosse culminant à 6 180 mètres sur une arête secondaire du Lhotse et ne supposant aucune autre aptitude technique que la capacité d'effectuer une bonne marche.

Il y avait aussi les Sud-Africains. Sponsorisée par un important journal, le *Sunday Times* de Johannesburg, cette équipe avait suscité un grand élan de fierté nationale et reçu avant son départ les encouragements personnels de Nelson Mandela. C'était la première expédition sud-africaine à obtenir une autorisation d'accès à l'Everest. Son but était d'amener le premier Noir au sommet de la plus haute montagne du monde. Elle était dirigée par Ian Woodall, âgé de trente-neuf ans, personnage bavard et chafouin qui aimait à raconter les exploits militaires qu'il prétendait avoir accomplis derrière les lignes ennemies pendant la guerre entre l'Afrique du Sud et l'Angola au cours des années 1980.

Pour constituer son équipe, Woodall avait engagé trois des meilleurs grimpeurs sud-africains : Andy de Klerk, Andy Hackland et Edmund February. Ce dernier, un Noir âgé de quarante ans, était un scientifique à l'allure réservée. En tant qu'alpiniste, il avait une réputation internationale. «Mes parents ont choisi mon prénom en pensant à Edmund Hillary, m'expliqua-t-il. Depuis ma

---

1. Bien que l'expédition de Neby ait été déclarée comme une tentative en solo, il employait dix-huit Sherpas pour transporter ses affaires, installer les cordes, établir son campement et le guider dans la montagne.

jeunesse, je rêve de faire l'ascension de l'Everest. Mais j'ai surtout vu dans cette expédition un acte symbolique : celui d'une nation toute jeune qui essaie de trouver son unité, d'aller vers la démocratie et de panser les blessures du passé. J'ai grandi sous le joug de l'apartheid et j'en garde un souvenir amer. Mais maintenant, nous formons une nation. Je crois sincèrement que mon pays va dans la bonne direction. Ce serait une grande chose si nous pouvions montrer que nous, les Sud-Africains, noirs et blancs réunis, nous sommes capables d'atteindre le sommet de l'Everest ensemble.»

La nation tout entière soutenait l'expédition. Selon de Klerk : «Woodall a présenté ce projet à un moment très opportun. Avec la fin de l'apartheid, les Sud-Africains avaient finalement obtenu le droit de voyager et nos équipes sportives pouvaient participer à des compétitions dans le monde entier. L'Afrique du Sud venait de remporter la coupe du monde de rugby. Cela souleva une grande vague de fierté nationale. C'est pourquoi, lorsque Woodall proposa d'organiser une expédition sud-africaine sur l'Everest, tout le monde fut d'accord et il put rassembler une grosse somme d'argent — l'équivalent de plusieurs centaines de milliers de dollars — sans que personne ne s'avise de poser de questions.»

En plus de lui-même, des trois grimpeurs et d'un photographe britannique nommé Bruce Herrod, Woodall tenait à ce qu'une femme participe à l'ascension. Aussi, avant de quitter l'Afrique du Sud, invita-t-il six candidates à effectuer l'ascension, physiquement éprouvante mais techniquement facile, du Kilimandjaro (5 895 mètres). A la fin de cet essai, qui dura deux semaines, Woodall annonça que deux finalistes restaient sur les rangs : Cathy O'Dowd, vingt-six ans, professeur de journalisme, n'ayant qu'une expérience limitée de l'alpinisme et dont le père était le directeur de l'Anglo American, la plus grande entreprise d'Afrique du Sud ; et une jeune Noire, Deshun

Deysel, vingt-cinq ans, née dans un township, professeur d'éducation physique, sans expérience de l'alpinisme. Woodall décida que les deux jeunes femmes accompagneraient l'équipe jusqu'au camp de base et qu'en fonction de leurs performances sur place il choisirait celle des deux qui continuerait l'ascension.

Le 1ᵉʳ avril, au cours de la deuxième journée de marche vers le camp de base, j'eus la surprise de rencontrer sur la piste, en dessous de Namche-Bazar, February, Hackland et de Klerk qui redescendaient vers Katmandou. De Klerk étant un de mes amis, il m'apprit que les trois grimpeurs ainsi que Charlotte Noble, le médecin de l'expédition, s'étaient résolus à abandonner avant même d'être parvenus au pied de la montagne : «Woodall s'est révélé un parfait crétin, un maniaque de la surveillance. Et en plus, on ne pouvait pas lui faire confiance. On ne savait jamais s'il disait la vérité ou non. Nous n'avons pas voulu confier notre vie à un type comme ça, alors nous sommes partis.»

Woodall avait prétendu devant de Klerk et les autres qu'il connaissait bien l'Himalaya et avait déjà effectué des ascensions de plus de 8 000 mètres. En fait, son expérience se réduisait à une ascension à 6 492 mètres sur l'Annapurna en 1990 en tant que client de Mal Duff.

De surcroît, avant le départ pour l'Everest, Woodall s'était vanté sur le site Internet de l'expédition d'avoir effectué une brillante carrière dans l'armée britannique, passant du rang de simple soldat à celui de commandant d'une unité d'élite qui s'était beaucoup entraînée dans l'Himalaya. Il raconta également qu'il avait été instructeur à Sandhurst[1]. Il apparut bien vite que tout cela était faux. Il n'avait pas non plus combattu en Angola. Selon un porte-parole de l'armée britannique, Woodall avait travaillé au service de la comptabilité.

_____

1. Ecole militaire de Grande-Bretagne. *(N.d.T.)*

Il avait également menti au sujet de l'autorisation délivrée par le ministère népalais du Tourisme. Il avait prétendu que Cathy O'Dowd et Deshun Deysel figuraient sur cette autorisation. Après avoir quitté l'expédition, de Klerk découvrit que si O'Dowd apparaissait bien sur le permis, tout comme le père de Woodall, âgé de soixante-neuf ans, et un Français nommé Thierry Renard (qui formait une équipe indépendante avec ses deux Sherpas), Deshun Deysel — la seule Noire depuis l'abandon de February — en était absente. Ce qui fit penser à de Klerk que Woodall n'avait jamais eu l'intention de la retenir pour l'ascension.

Avant de quitter l'Afrique du Sud, Woodall avait prévenu de Klerk — qui, marié à une Américaine, possède la double nationalité — qu'il ne serait admis dans l'expédition que s'il utilisait son passeport sud-africain pour entrer au Népal. «Il a fait un foin terrible, se souvient de Klerk, parce que c'était la première expédition sud-africaine, etc. Mais il est apparu que Woodall n'avait, quant à lui, pas de passeport sud-africain. Il n'était même pas sud-africain. Ce type est un Anglais et il est entré au Népal avec un passeport britannique.»

Les multiples tromperies de Woodall provoquèrent un scandale international qui figura en première page de tous les journaux du Commonwealth. Quand il reçut l'écho de ces articles critiques, Woodall, en véritable mégalomane, répondit par le mépris et isola autant qu'il put son groupe des autres expéditions. En outre, il chassa le journaliste du *Sunday Times*, Ken Vernon, ainsi que le photographe Richard Shorey, malgré un accord qui stipulait qu'en échange du soutien financier du journal les deux reporters seraient admis à accompagner l'expédition, et qu'à défaut il y aurait rupture de contrat.

Au même moment, le rédacteur en chef du *Sunday Times*, Ken Owen, était en route pour le camp de base, en compagnie de sa femme et guidé par l'amie de Woodall, une jeune Française nommée Alexandrine Gaudin. Parvenu à Pheriche, Owen apprit que Woodall avait renvoyé le journaliste et le photographe. Sidéré, il lui envoya une note en lui expliquant que le journal n'avait pas l'intention de renoncer au reportage de Vernon et Shorey et que les deux hommes avaient reçu l'ordre de rejoindre l'expédition.

Quand Woodall reçut ce message, il entra dans une rage folle et se précipita à Pheriche pour parler à Owen.

D'après ce dernier, quand il demanda de but en blanc à Woodall si le nom de Deysel figurait sur le permis, il répondit : «Cela ne vous regarde pas.» Et lorsque le rédacteur en chef émit l'hypothèse que l'on s'était servi de la jeune femme afin de donner à l'équipe une apparence trompeusement sud-africaine, Woodall se mit à crier : «Je vais te trancher ta putain de tête et te l'enfoncer dans le cul!»

Peu après, Ken Vernon arriva au camp de base sud-africain. Miss O'Dowd l'y accueillit, le visage fermé, et lui signifia qu'il n'était «pas le bienvenu». Plus tard, Vernon devait rapporter l'incident dans le *Sunday Times :*

Je lui dis qu'elle n'avait pas le droit de m'interdire l'accès à un camp que mon journal avait financé. Elle répondit qu'elle agissait conformément aux instructions de M. Woodall. Elle déclara que Shorey avait déjà été expulsé du camp et que je devais prendre le même chemin puisqu'on ne me donnerait ni nourriture ni abri. J'avais mal aux jambes après la marche que je venais d'effectuer et, avant de décider si je devais rester malgré tout ou partir, je demandai une tasse de thé. «Pas question!» répondit-elle, puis elle alla trouver le chef des Sherpas, Ang Dorje, et lui dit à voix haute : «Voici Ken Vernon, dont je vous ai parlé. Il ne doit recevoir aucune aide de notre part.» Ang Dorje est un homme énergique avec un cœur d'or et nous avions déjà vidé ensemble plusieurs verres de *chang*, la boisson forte locale. Me tournant vers lui, je dis : «Pas même une tasse de thé?» Dans la meilleure tradition de l'hospitalité sherpa, il regarda miss O'Dowd, dit : «Foutaises» puis, me prenant par le bras, il m'entraîna vers le mess où il m'offrit une tasse de thé et une assiette de biscuits.

A la suite de ce qu'il décrivit comme «un entretien à vous glacer le sang» avec Woodall à Pheriche, Owen acquit la conviction que l'ambiance était détestable et que les deux journalistes risquaient leur vie. En conséquence, il ordonna aux deux hommes de rentrer en Afrique du Sud et le journal publia un communiqué annonçant qu'il retirait son parrainage à l'expédition.

Mais comme Woodall avait déjà reçu l'argent du journal, il s'agissait d'un acte purement symbolique. De fait, Woodall refusa de renoncer à diriger l'expédition ou d'accepter quelque compromis que ce soit, même après avoir reçu une lettre du président Mandela lui demandant un geste de conciliation au nom de l'intérêt national. Il s'obstina à exiger que l'expédition se déroule selon le plan prévu, en en conservant la responsabilité.

Quand February fut de retour au Cap, il fit part de sa déception d'une voix chargée d'émotion : «J'étais peut-être naïf, mais j'ai grandi sous l'apartheid et faire l'ascension de l'Everest avec Andrew et les autres aurait été un symbole indiquant bien que les temps anciens étaient révolus. Mais Woodall ne s'intéressait nullement à la naissance de la nouvelle Afrique du Sud. Il a utilisé les rêves de toute une nation pour les mettre égoïstement au service de ses propres objectifs. Quitter l'expédition a été la décision la plus difficile de ma vie.»

Après le départ de February, Hackland et de Klerk, il ne restait plus personne dans le groupe — mis à part le Français Thierry Renard, qui ne s'était joint à l'expédition que pour obtenir l'autorisation d'accès à l'Everest et qui grimpait par ses propres moyens en utilisant ses propres Sherpas — qui ait une réelle expérience de la montagne. D'après de Klerk, certains «ne savaient même pas mettre leurs crampons».

Le Norvégien solitaire, les Taïwanais et surtout les Sud-Africains étaient un sujet de conversation fréquent au mess de Hall. Un soir d'avril, Rob dit, en fronçant les sourcils : «Avec tant d'incompétents sur la montagne, il me paraît très improbable que la saison se termine sans qu'un événement fâcheux se produise là-haut.»

8

Camp I. 16 avril 1996. 5 944 mètres

Je doute que quelqu'un puisse prétendre aimer vivre à haute altitude. Je veux dire « aimer » dans le sens habituel du mot. Il y a une sombre satisfaction dans l'effort pour monter plus haut, même lentement. Mais on ne peut éviter de passer l'essentiel de son temps au milieu de l'extrême saleté d'un campement. Il est impossible de fumer ; manger donne envie de vomir ; la nécessité de réduire sa charge au minimum limite la lecture aux étiquettes des boîtes de conserve ; l'huile des sardines, le lait concentré et la mélasse se renversent partout ; à l'exception de très brefs instants — où l'on n'est généralement pas d'humeur à goûter les joies esthétiques —, il n'y a rien d'autre à contempler que la morne confusion qui règne sous la tente et le visage desquamé et barbu de son compagnon d'escalade. Fort heureusement, le bruit du vent couvre la respiration de son nez encombré. Mais le pire, c'est le sentiment d'abandon complet et d'incapacité à faire face à un danger soudain. Généralement, j'essayais de me consoler en pensant que, l'année précédente, j'aurais été heureux à la seule idée de participer à cette aventure. A ce moment-là, cette perspective semblait relever d'un rêve impossible ; mais l'altitude a le même effet sur l'esprit que sur le corps : l'intellect devient terne et apathique. A présent, mon seul souhait était de terminer ce qui était commencé et de redescendre vers un climat plus raisonnable.

Eric Shipton
Sur cette montagne

Le mardi 16 avril, un peu avant l'aube, après deux jours de repos au camp de base, nous pénétrâmes dans la cascade de glace pour notre deuxième excursion d'acclimatation. Tout en montant nerveusement dans ce chaos glacé qui faisait entendre son gémissement habituel, je remarquai que ma respiration était moins laborieuse que lors de notre première traversée du glacier. Mon corps commençait à s'adapter à l'altitude. Mais ma peur d'être écrasé par un sérac était aussi vive, sinon plus.

J'avais espéré que l'immense tour située à 5 800 mètres — qu'un plaisantin de l'équipe de Fischer avait surnommée «le piège à souris» — aurait déjà basculé, mais elle était toujours là, en équilibre précaire, un peu plus inclinée. A nouveau, mon rythme cardio-vasculaire franchit la ligne rouge pendant que j'escaladais en toute hâte cette masse menaçante et, une fois encore, arrivé au sommet du sérac, je tombai à genoux, haletant et tremblant, les veines encore pleines d'adrénaline.

A la différence de la première sortie, où nous étions demeurés moins d'une heure au camp I avant de retourner au camp de base, nous devions passer les nuits des mardi et mercredi au camp I puis continuer vers le camp II, où nous resterions trois nuits avant de redescendre.

A 9 heures, quand nous atteignîmes le camp I, Ang

Dorje[1], notre sirdar d'altitude[2], était en train de creuser la neige gelée pour y aménager les emplacements de nos tentes. Agé de vingt-neuf ans, c'est un homme mince aux traits délicats; il est timide et d'humeur changeante mais sa force physique est stupéfiante. En attendant l'arrivée de mes camarades, je pris une pelle et me mis à creuser avec lui. En quelques minutes, cet exercice m'épuisa et je dus m'asseoir pour récupérer, ce qui provoqua le rire du Sherpa : «Tu ne te sens pas bien, Jon? Pourtant, ce n'est que le camp I... 6 000 mètres... il y a encore beaucoup d'air.»

Ang Dorje est originaire de Pangboche, une petite agglomération de maisons en pierres située à flanc de montagne à 3 900 mètres et entourée de champs de pommes de terre cultivés en terrasses. Son père est un Sherpa réputé qui lui a appris très tôt les rudiments de l'escalade afin que le jeune garçon puisse tirer profit de ses aptitudes. Ang Dorje était encore adolescent quand son père fut atteint de cécité à cause de la cataracte. Il dut quitter l'école pour faire vivre sa famille.

En 1984, alors qu'il travaillait comme aide-cuisinier pour un groupe de randonneurs occidentaux, il attira l'attention d'un couple de Canadiens, Marion Boyd et Graem Nelson. «Mes enfants me manquaient, dit Boyd, et quand je fis la connaissance d'Ang Dorje, il me rappela mon fils aîné. Il était intelligent et son esprit curieux était avide d'apprendre. Il était presque trop conscien-

1. A ne pas confondre avec le Sherpa de l'expédition sud-africaine qui porte le même nom. Ang Dorje est un nom sherpa très courant — comme Pemba, Lhakpa, Ang Tshering, Ngawang, Dawa, Nima et Pasang. Le fait que chacun de ces noms corresponde à deux Sherpas ou plus fut une cause de confusions sur l'Everest en 1996.
2. Le sirdar est le chef d'un groupe de Sherpas. Dans l'équipe de Hall, il y avait un sirdar du camp de base, Ang Tshering, qui dirigeait tous les Sherpas de l'expédition. Le sirdar d'altitude, Ang Dorje, était sous ses ordres mais commandait les Sherpas d'altitude lors des ascensions au-dessus du camp de base.

cieux. Il transportait une énorme charge et saignait du nez chaque jour à haute altitude. Il m'intriguait.» Après avoir sollicité l'accord de sa mère, Boyd et Nelson entreprirent d'aider financièrement le jeune Sherpa pour qu'il puisse retourner à l'école. «Je n'oublierai jamais son examen d'entrée à l'école primaire régionale de Khumjung [que sir Edmund Hillary avait fait construire]. C'était un adolescent de très petite stature. Nous étions entassés dans une pièce exiguë en compagnie du directeur et de quatre professeurs. Ang Dorje se tenait au milieu, les genoux tremblants, essayant de se remémorer ses connaissances. Nous étions en sueur... mais il fut accepté, à condition d'entrer dans la classe des petits.» Ang Dorje devint un bon élève et atteignit l'équivalent d'une classe de cinquième. Ensuite, il retourna travailler pour les alpinistes et les randonneurs. Boyd et Nelson revinrent plusieurs fois dans le Khumbu pour observer ses progrès. «Comme il bénéficiait pour la première fois d'un régime alimentaire équilibré, il a grandi et pris des forces, se souvient Boyd. Quand il a appris à nager dans une piscine de Katmandou, il nous en a parlé avec enthousiasme. Vers vingt-cinq ans, il a appris à faire de la bicyclette et s'est intéressé un moment aux chansons de Madonna. Mais nous avons su qu'il était devenu adulte le jour où il nous a offert notre premier cadeau, un tapis tibétain très bien choisi. Il ne voulait pas se contenter de recevoir, il voulait aussi donner.»

Sa réputation de force et de débrouillardise lui valut d'être promu sirdar et, en 1992, il fut engagé par Hall sur l'Everest. Lors du lancement de l'expédition de 1996, Ang Dorje avait déjà effectué trois ascensions du pic. Hall parlait de lui, avec respect et avec une affection évidente, comme de son «homme de confiance» et il nous indiqua à plusieurs reprises qu'Ang Dorje jouerait un rôle crucial dans le succès de l'expédition.

Quand les derniers de mes camarades arrivèrent au

camp I, le soleil brillait, mais, à midi, une traînée de cirrus était arrivée du sud. A 15 heures, des nuages épais se mirent à tournoyer au-dessus du glacier et bientôt, dans une clameur furieuse, les tentes furent bombardées de neige. La tempête dura toute la nuit. Le matin, quand je rampai hors de l'abri que je partageais avec Doug, plus de 30 centimètres de neige fraîche recouvraient le glacier comme une couverture. Des dizaines d'avalanches partaient des parois placées au-dessus de nous, mais notre camp était hors d'atteinte.

Le jeudi 18 avril, aux premières lueurs du jour, le ciel s'était éclairci. Nous rassemblâmes nos affaires et nous mîmes en route pour le camp II situé à six kilomètres et demi, soit, en altitude, cinq cents mètres plus haut. Notre route suivait la pente douce de la combe ouest, un passage en forme de fer à cheval creusé dans le flanc de l'Everest par le glacier du Khumbu. Le rempart de 7 861 mètres du Nuptse forme le mur droit de la combe, la massive face sud-ouest de l'Everest le mur gauche et au-dessus surgit la large pointe gelée de la face du Lhotse.

Quand nous avions quitté le camp I, il faisait très froid. Mes mains étaient devenues des pinces rigides et douloureuses. Mais lorsque les premiers rayons du soleil vinrent frapper le glacier, les murs couverts de glace de la combe concentrèrent la chaleur des rayons comme un énorme four solaire. Soudain, je me mis à étouffer de chaleur. Craignant d'avoir une migraine aussi forte que celle que j'avais eue au camp de base, j'ôtai mon sous-vêtement et tassai une poignée de neige dans ma casquette de base-ball. Pendant les trois heures qui suivirent, je montai péniblement mais régulièrement, ne m'arrêtant que pour boire et pour remplacer la neige de ma casquette. A 6 400 mètres, je remarquai sur le bord de la piste un objet enveloppé dans une bâche en plastique bleu. Mon cerveau ralenti par l'altitude mit une minute ou deux à comprendre qu'il s'agissait d'un corps humain.

Je le contemplai, en état de choc. Ce soir-là, quand j'en parlai à Rob, il me dit qu'il pensait, sans en être sûr, que c'était un Sherpa qui était mort deux ou trois ans auparavant.

Le camp II, situé à 6 492 mètres d'altitude, était constitué de quelque cent vingt tentes éparpillées parmi les rochers le long de la moraine latérale du glacier. A cet endroit, l'altitude fait sentir ses effets de manière pernicieuse. J'avais l'impression d'être affligé d'une forte gueule de bois. Trop mal en point pour manger ou même pour lire, je passai l'essentiel des deux journées suivantes allongé dans ma tente, la tête dans les mains, en essayant de bouger le moins possible. Le samedi, me sentant un peu mieux, je montai à trois cents mètres du camp pour prendre un peu d'exercice et m'acclimater plus rapidement. Là, à l'extrémité de la combe, à environ quarante mètres de la trace, je trouvai un autre corps dans la neige, ou plus exactement la partie inférieure d'un corps. Les vêtements et les chaussures indiquaient que la victime était un Européen et que le cadavre se trouvait sur la montagne depuis au moins dix ou quinze ans.

Le premier corps m'avait laissé fortement ébranlé pendant plusieurs heures. Le choc d'en rencontrer un deuxième disparut presque aussitôt. Les grimpeurs qui passaient avaient à peine accordé un coup d'œil à ces deux cadavres. C'était comme si, par un accord tacite, chacun faisait semblant de considérer que ces dépouilles n'avaient aucune réalité. On avait l'impression que personne n'osait envisager ce qui était en jeu sur cette montagne.

Le lundi 22 avril, un jour après notre retour au camp de base, Andy Harris et moi nous rendîmes au campement des Sud-Africains afin d'essayer de savoir pourquoi ils étaient devenus des parias. Installés à quinze minutes de nos tentes en descendant le glacier, ils s'étaient établis sur un monticule de débris glaciaires. Deux grands mâts en aluminium portaient les drapeaux sud-africain et népalais ainsi que des bannières de Kodak, d'Apple et d'autres sponsors. Andy passa la tête à l'intérieur de leur tente de mess, arbora son sourire le plus conquérant et s'enquit : «Hello, il y a quelqu'un?»

Ian Woodall, Cathy O'Dowd et Bruce Herrod se trouvaient sur la cascade de glace pour se rendre au camp II, mais Alexandrine Gaudin et son frère Philippe étaient là. Il y avait également une pétillante jeune femme qui se présenta comme Deshun Deysel et nous invita aussitôt à prendre le thé. Ces trois personnes paraissaient ne pas se soucier de ce que l'on disait du comportement répréhensible de Woodall ni des rumeurs prédisant la désintégration imminente de l'expédition.

«J'ai fait une escalade sur glace pour la première fois l'autre jour, annonça Deysel avec enthousiasme en désignant un sérac tout proche où les grimpeurs de plusieurs expéditions venaient s'entraîner. C'était formidable. J'espère aller sur la cascade de glace dans quelques jours.» J'avais l'intention de lui demander ce qu'elle pensait de la tromperie de Ian et ce qu'elle avait ressenti en apprenant qu'elle ne figurait pas sur le permis. Mais elle était si chaleureuse et si ingénue que je n'eus pas le cœur de la chagriner. Après vingt minutes de bavardage, Andy invita toute l'équipe, y compris Ian, à venir «prendre un petit verre» en fin d'après-midi.

A notre campement, je trouvai Rob, le Dr Caroline Mackenzie et Ingrid Hunt — le médecin de l'expédition de Fischer — engagés dans une communication avec quelqu'un qui se trouvait plus haut sur la montagne. Un peu plus tôt dans la journée, en redescendant du camp II vers le camp de base, Fischer avait trouvé l'un de ses Sherpas assis sur le glacier à 6 400 mètres. C'était un grimpeur chevronné de trente-huit ans, originaire de la vallée de Rolwaling. Doté d'un bon naturel, Ngawang avait transporté des charges et accompli d'autres tâches pendant trois jours au-dessus du camp de base. Mais ses camarades se plaignaient qu'il s'était souvent reposé et n'avait pas accompli sa part de travail.

Quand Fischer l'interrogea, il admit que, depuis deux jours, il s'était senti faible, comme sonné et essoufflé. Aussi Fischer lui ordonna-t-il de redescendre immédiatement au camp de base. Mais il y a dans la culture sherpa une sorte de machisme qui pousse les hommes à ne pas admettre leurs défaillances physiques. On considère que les Sherpas ne doivent pas souffrir de l'altitude, tout particulièrement ceux qui viennent de la vallée de Rolwaling, région connue pour la robustesse de ses grimpeurs. Ceux qui tombent malades et ne le dissimulent pas sont souvent rayés des listes pour les expéditions suivantes. C'est ainsi que Ngawang en vint à ne pas obéir aux instructions de Scott et, au lieu de redescendre, il monta au camp II pour y passer la nuit. Lorsqu'il y arriva, en fin d'après-midi, il délirait, titubait comme s'il était ivre et crachait une écume rose avec des traces de sang. Ces symptômes révélaient un cas aigu d'œdème pulmonaire de haute altitude. Cette maladie mal connue et potentiellement mortelle vient de ce que les poumons se remplissent de liquide[1] quand on grimpe trop vite et trop haut. Le seul remède est de redescendre rapidement. Si le malade reste longtemps à haute altitude, l'issue la plus probable est la mort.

A la différence de Hall, qui insistait pour que nous restions groupés sous la surveillance d'un guide lors des ascensions au-dessus du camp de base, Fischer trouvait qu'il valait mieux laisser la bride sur le cou à ses clients pendant la période d'acclimatation. En conséquence,

---

1. C'est, pense-t-on, la pauvreté de l'air en oxygène qui est à l'origine du problème. Associée à une forte tension dans les artères pulmonaires, elle entraînerait un écoulement du liquide artériel dans les poumons.

quand il apparut que Ngawang était dans un état sérieux au camp II, aucun guide n'était sur place. Il n'y avait que quatre clients : Dale Kruse, Pete Schoening, Klev Schoening et Tim Madsen. C'est donc à Klev Schoening et à Madsen (ce dernier n'avait jamais dépassé l'altitude de 4 200 mètres auparavant) que revint la responsabilité d'assurer le sauvetage de Ngawang.

Au moment où j'entrais dans la tente du mess, le Dr Mackenzie indiquait par radio à quelqu'un du camp II : «Donnez à Ngawang de l'acétazolamide, de la dexaméthasone et dix milligrammes de nifédipine sublinguale... Oui, je sais qu'il y a des risques. Donnez-la-lui quand même... Je vous le dis, le danger qu'il meure de son œdème avant qu'on puisse le redescendre est bien plus grand que celui d'une baisse de tension due à la nifédipine. Faites-moi confiance! Donnez-lui ces remèdes, c'est urgent!»

Cependant, aucun de ces médicaments ne parut avoir d'effet. Pas plus que le fait de lui donner de l'oxygène ou de le placer dans un caisson d'altitude (il s'agit d'une chambre en plastique gonflable de la taille d'un cercueil dans laquelle la pression atmosphérique est augmentée pour reproduire celle de la basse altitude). Comme la lumière du jour baissait, Schoening et Madsen entreprirent la difficile descente de Ngawang en se servant du caisson comme d'un traîneau de fortune. Dans le même temps, Neal Beidleman et une équipe de Sherpas montaient aussi vite que possible depuis le camp de base pour aller à leur rencontre.

Beidleman les trouva au coucher du soleil près du sommet de la cascade de glace et prit les opérations en main, ce qui permit à Schoening et à Madsen de retourner au camp II pour y continuer leur acclimatation. Beidleman se souvient que les poumons du Sherpa étaient totalement encombrés : «Sa respiration faisait le même bruit que quand on aspire le fond d'un milk-shake avec une paille. Au milieu de la cascade de glace, Ngawang a ôté son masque à oxygène pour nettoyer la morve qui obstruait la valve d'inspiration. Quand il en a retiré sa main, ma lampe frontale a éclairé son gant : il était tout rouge du sang qu'il avait rejeté en toussant dans le masque. Ensuite, ma lampe a éclairé son visage ; il était également plein de sang. Le regard de Ngawang a croisé le mien. J'ai vu à quel point il avait peur. J'ai inventé rapidement un mensonge en lui disant de ne pas s'inquiéter : ce sang venait d'une coupure à la lèvre. Cela l'a un peu calmé et nous avons continué à descendre.»

Pour éviter à Ngawang tout effort qui aurait aggravé son œdème, Beidleman prit à plusieurs reprises le Sherpa sur son dos. Il était minuit passé quand ils arrivèrent au camp de base. Le matin suivant, un mardi, Fischer commença à envisager une évacuation par hélicoptère vers Katmandou. Mais cela coûtait entre 5 000 et 10 000 dollars et Fischer, ainsi que le Dr Hunt, pensait que l'état du Sherpa s'améliorerait maintenant qu'il se trouvait à mille mètres au-dessous du camp II. Il suffit en effet de descendre de neuf cents mètres pour se remettre du mal d'altitude. C'est pourquoi, au lieu de l'évacuer par air, Ngawang fut accompagné à pied dans la vallée. Toutefois, juste au-dessous du camp de base, il s'évanouit et il fallut le ramener au campement de Mountain Madness. Là, son état continua d'empirer. Quand Hunt tenta de le replacer dans le caisson, il refusa, arguant qu'il ne souffrait pas du mal d'altitude. On envoya un message radio à Jim Litch — un éminent spécialiste de la médecine d'altitude, qui dirigeait cette année-là la clinique himalayenne de Pheriche — pour lui demander de venir d'urgence au camp de base.

Pendant ce temps, Fischer était parti pour le camp II afin d'en ramener Tim Madsen, qui s'était beaucoup fatigué en transportant Ngawang et commençait à souffrir d'une forme bénigne d'œdème de haute altitude. En l'absence de Fischer, Hunt consulta les autres médecins du camp de base mais il lui fallut prendre certaines décisions importantes toute seule. Comme le fit remarquer l'un de ses confrères, «Ingrid était dépassée par les événements».

Agée d'environ vingt-cinq ans, n'ayant jamais pratiqué l'alpinisme, elle venait d'obtenir son diplôme de généraliste. Elle avait certes travaillé comme volontaire médicale dans l'est du Népal, mais elle ne possédait aucune expérience de la médecine de haute altitude. Elle avait rencontré Fischer par hasard quelques mois auparavant à Katmandou, au moment où il faisait sa demande de permis d'ascension de l'Everest. Il l'avait invitée à se joindre à l'expédition avec le double rôle de médecin et de responsable du camp de base.

Bien qu'elle eût exprimé des réserves dans une lettre envoyée à Fischer au mois de janvier, elle avait fini par accepter ce travail bénévole et arriva au Népal à la fin du mois de mars avec le désir de contribuer au succès de l'expédition.

Toutefois, diriger le camp de base et assurer simultanément le suivi médical de quelque vingt-cinq personnes se révéla une tâche beaucoup plus lourde qu'elle ne l'avait cru. Hall, quant à lui, rétribuait deux personnes très qualifiées pour effectuer ce que Hunt faisait toute seule bénévolement. En plus de la charge de son travail, elle avait des difficultés d'acclimatation. Pendant la plus grande partie de son séjour au camp de base, elle souffrit de violents maux de tête et de problèmes respiratoires.

A son retour au camp de base, Ngawang ne fut pas mis sous oxygène bien que son état continuât de se détériorer. Cela était dû en partie à son refus obstiné d'admettre qu'il était malade. A 19 heures, le Dr Litch arriva. Il demanda expressément à Hunt de placer immédiatement Ngawang sous oxygène — au débit maximal — et de faire venir un hélicoptère.

128

A ce moment, Ngawang perdait et reprenait alternativement connaissance et éprouvait de grandes difficultés à respirer. Un hélicoptère d'évacuation fut demandé pour le lendemain matin, mercredi 24 avril, mais les nuages et les rafales de neige rendirent le décollage impossible. Aussi Ngawang fut-il placé dans une hotte et transporté à dos de Sherpas jusqu'à Pheriche, sous la surveillance de Hunt.

Cet après-midi-là, les sourcils froncés de Hall trahissaient sa préoccupation. «Ngawang est mal en point, dit-il. Il a l'un des pires œdèmes pulmonaires que j'aie jamais vus. On aurait dû le transporter par hélicoptère hier, pendant que c'était encore possible. Si c'était un des clients de Scott et non un Sherpa qui était malade, on ne le traiterait pas avec autant de légèreté. Le temps qu'on le redescende à Pheriche, il sera peut-être trop tard pour le sauver.»

Quand Ngawang arriva à la clinique le mercredi en fin d'après-midi après un voyage de douze heures, son état continua d'empirer bien qu'il fût descendu à 4 200 mètres (altitude inférieure à celle de son village). Cela obligea Hunt à le placer contre son gré dans un caisson pressurisé. Incapable de comprendre le profit qu'il pourrait en tirer et terrifié à l'idée d'être enfermé dans une poche gonflable, il demanda le secours d'un lama et, avant de consentir à entrer dans le sac, il exigea de conserver avec lui deux livres de prière.

Pour que le sac de Gamow fonctionne correctement, il fallait insuffler en permanence de l'air frais avec une pompe à pied. Pendant la nuit de mercredi, Hunt, épuisée par les soins qu'elle avait donnés à Ngawang pendant quarante-huit heures sans discontinuer, confia la responsabilité d'actionner la pompe à des amis du malade. A un moment donné, l'un des Sherpas remarqua de l'écume sur la bouche de Ngawang et constata qu'il avait cessé de respirer.

Aussitôt informée, Hunt ouvrit le sac, commença un massage cardiaque et fit appeler le Dr Larry Silver, l'un des médecins de la clinique. Ce dernier inséra un tube dans la trachée de Ngawang et y fit entrer de l'air avec une pompe manuelle. Le patient se remit à respirer. Mais pendant quatre ou cinq minutes son cerveau n'avait pas été irrigué.

Deux jours plus tard, le vendredi 26 avril, le temps s'améliora suffisamment pour qu'un hélicoptère puisse transporter Ngawang à l'hôpital de Katmandou. Là, les médecins constatèrent que son cerveau avait subi de graves dommages. Pendant les semaines qui suivirent, il resta sur son lit d'hôpital, les yeux fixés au plafond. Son poids descendit au-dessous de quarante kilos. Vers la mi-juin, il mourut, laissant à Rolwaling une femme et quatre filles.

Curieusement, la plupart des grimpeurs qui étaient sur l'Everest connaissaient moins bien la situation désespérée de Ngawang que des dizaines de milliers de personnes qui se trouvaient loin de la montagne. Cette étrange réparti-tion de l'information était due à Internet, et pour nous, au camp de base, cela n'avait rien d'extraordinaire. Un camarade pouvait très bien appeler chez lui grâce au télé-phone satellite et apprendre ce que les Sud-Africains fai-saient au camp II. Son épouse, en Nouvelle-Zélande ou dans le Michigan, avait simplement «surfé sur le web».

Au moins cinq sites Internet transmettaient les dépêches[1] de leurs correspondants présents au camp de

1. En dépit de tout le tintamarre que l'on peut entendre au sujet des «liens interactifs directs entre les pentes de l'Everest et le web», des impératifs tech-niques empêchent une connection directe du camp à Internet. En réalité, les correspondants envoyaient leurs reportages oralement ou par fax au moyen du téléphone satellite et leurs textes étaient saisis sur ordinateur pour être ensuite diffusés sur le web par des journalistes de New York, Boston ou Seattle. L'e-mail arrivait à Katmandou; il était tiré sur imprimante, puis

base. Les Sud-Africains disposaient d'un site web, ainsi que l'expédition de Mal Duff. *Nova*, l'émission de télévision de PBS, avait un site très élaboré qui donnait beaucoup d'informations. Il faisait le point quotidiennement grâce à Liesl Clark et à Audrey Salkeld, qui étaient membres de l'expédition IMAX, dirigée par le cinéaste-alpiniste David Breashears, lequel tournait un film d'un budget de 5,5 millions de dollars sur l'ascension de l'Everest. Quant à l'expédition de Scott Fischer, elle n'avait pas moins de deux correspondantes qui adressaient leurs reportages à deux sites concurrents.

Jane Bromet, qui envoyait chaque jour des informations par téléphone pour Outside Online [1], était l'une de ces correspondantes, mais elle n'était pas autorisée à aller plus loin que le camp de base. L'autre correspondante était Sandy Hill Pittman, qui faisait chaque jour un compte rendu pour NBC Interactive Media. Elle était également cliente et, à ce titre, voulait monter jusqu'au sommet. Personne sur la montagne n'était aussi haut en couleur qu'elle et ne provoquait autant de ragots.

Pittman, millionnaire, femme du monde et alpiniste, en était à sa troisième tentative sur l'Everest. Cette année-là, elle était plus décidée que jamais à réussir et à achever ainsi son ascension — très médiatisée — des Sept Sommets.

---

les feuilles étaient convoyées par yak jusqu'au camp de base. De la même façon, toutes les photos qui circulaient sur le web avaient d'abord voyagé à dos de yak avant de prendre l'avion pour New York. Les entretiens étaient réalisés par téléphone satellite et saisis par une opératrice à New York.

1. Plusieurs journaux et revues ont indiqué à tort que j'étais un correspondant d'Outside Online. Cette confusion provient de ce que Jane Bromet m'interviewa au camp de base et envoya une transcription de l'entretien au site web d'Outside Online. Mais je n'étais en rien affilié à ce site. J'avais été envoyé sur l'Everest par le magazine *Outside*, qui est une entité indépendante (établie à Santa Fe, au Nouveau-Mexique) travaillant en partenariat avec Outside Online (situé près de Seattle) dans le but de publier le magazine sur Internet. Mais *Outside* et Outside Online sont tellement indépendants que je ne savais même pas, avant d'être au camp de base, qu'Outside Online avait envoyé un correspondant sur l'Everest.

En 1993, Pittman participa à une expédition guidée qui passait par le col sud et l'arête sud-est. Elle causa un certain émoi en arrivant au camp de base avec son fils Bo, âgé de neuf ans, accompagné d'une nurse. Cependant, Pittman rencontra un certain nombre de difficultés et fit demi-tour à 7 300 mètres.

Elle revint l'année suivante. Elle avait obtenu de ses sponsors plus d'un quart de million de dollars pour s'assurer les services de quatre des meilleurs alpinistes d'Amérique du Nord : Breashears (qui devait filmer l'expédition pour NBC), Steve Swenson, Barry Blanchard et Alex Lowe. Ce dernier, que l'on peut considérer comme le meilleur alpiniste du monde, avait été engagé avec des émoluments substantiels pour être le guide personnel de Sandy. Les quatre hommes avaient préparé la voie en installant des cordes sur la face du Kangshung — une paroi difficile et dangereuse du versant tibétain de la montagne. Grandement aidée par Lowe, Pittman parvint à se hisser jusqu'à 6 700 mètres mais, cette fois encore, elle dut faire demi-tour : une trop grande instabilité du manteau de neige obligea l'expédition à renoncer.

Avant de la rencontrer à Gorak Shep en montant vers le camp de base, je n'avais jamais vu Pittman, mais j'entendais parler d'elle depuis des années. En 1992, *Men's Journal* m'engagea pour écrire un article sur une traversée des Etats-Unis. Il s'agissait d'aller de New York à San Francisco sur une tonitruante Harley-Davidson en compagnie de Jann Wenner — le célèbre et riche propriétaire de *Rolling Stone, Men's Journal* et *Us* — et de plusieurs de ses amis fortunés parmi lesquels figuraient Rocky Hill, le frère de Sandy, et son mari, Bob Pittman, cofondateur de MTV.

Mes riches compagnons se montrèrent plutôt amicaux. Mais j'avais peu de choses en commun avec eux et personne n'oubliait que j'avais été engagé pour aider Jann. Pendant le dîner, Bob et Jann comparaient les avions qu'ils avaient possédés (Jann me recommanda de choisir un Gulfstream IV la prochaine fois que je voudrais acheter un jet privé) et discutaient de leurs domaines. Ils parlèrent aussi de Sandy qui, à la même époque, faisait l'ascension du mont McKinley. Quand il apprit que j'étais moi aussi alpiniste, Bob me fit une suggestion : «Toi et Sandy, vous devriez réaliser une escalade ensemble.» Quatre ans plus tard, c'était ce que nous faisions.

Avec son 1,80 mètre, Sandy Pittman avait cinq centimètres de plus que moi. Ses cheveux à la garçonne étaient coiffés avec art, même à 5 000 mètres. Exubérante et directe, elle avait passé sa jeunesse dans le nord de la Californie, où son père l'avait initiée à la randonnée et au ski quand elle était encore une petite fille. Raffolant de la liberté et des plaisirs de la montagne, elle poursuivit ses escapades dans la nature pendant ses années de lycée et même au-delà, même si ses sorties devinrent moins fréquentes quand elle alla s'installer à New York après l'échec de son premier mariage.

A Manhattan, elle occupa successivement plusieurs emplois : acheteur chez Bonwit Teller, rédactrice à *Mademoiselle* et ensuite dans un magazine nommé *Bride's*. Puis, en 1979, elle épousa Bob Pittman. Comme elle cherchait constamment à attirer sur elle l'attention du public, sa photo et son nom parurent souvent dans les colonnes de la presse new-yorkaise. Afin de se transporter plus facilement de leur riche manoir du Connecticut à leur appartement de Central Park ouest rempli d'œuvres d'art et tenu par un personnel en livrée, son mari et elle firent l'acquisition d'un hélicoptère qu'ils apprirent à piloter. En 1990, on put voir Sandy et Bob Pittman sur la couverture du magazine *New York*, présentés comme le «couple de la minute».

Peu après, Sandy entama sa campagne, coûteuse et très médiatique, pour devenir la première Américaine à avoir escaladé les Sept Sommets. Malheureusement, le dernier

133

— l'Everest — résista à ses tentatives et, en mars 1994, le titre revint à une sage-femme de l'Alaska âgée de quarante-sept ans, Dolly Lefever. Elle n'en persévéra pas moins dans sa volonté obstinée de vaincre l'Everest.

Ainsi que le fit remarquer Beck Weathers un soir au camp de base, «quand Sandy entreprend d'escalader une montagne, elle ne le fait pas tout à fait comme vous et moi». En 1993, Beck avait participé à une ascension guidée du mont Vinson dans l'Antarctique. Pittman était au même moment dans un autre groupe guidé. Il se souvenait avec amusement de «son énorme sac marin rempli de nourriture raffinée» : «Quatre personnes avaient dû unir leurs efforts pour le soulever. Elle avait également apporté un téléviseur portable et un magnétoscope pour pouvoir regarder des films dans sa tente. Il faut rendre cette justice à Sandy : il y a peu de gens qui font de l'escalade avec autant de classe.» Beck ajouta qu'elle avait généreusement partagé ses trésors avec les autres et qu'elle était «agréable et intéressante à fréquenter».

Pour sa tentative sur l'Everest en 1996, Pittman avait une fois encore emporté un équipement que l'on voit rarement dans les campements de grimpeurs. La veille de son départ, elle indiquait dans son premier reportage sur le web pour NBC Interactive Media :

Mes effets personnels sont prêts… J'ai autant d'ordinateurs et d'équipements électroniques que de matériel d'escalade…
Deux micro-ordinateurs portables, un caméscope, trois caméras de 35 mm, un appareil photo numérique, deux magnétophones, un lecteur de disques compacts, une imprimante et une quantité suffisante (j'espère) de panneaux solaires et de batteries pour faire fonctionner le

tout… Je n'aimerais pas partir sans emporter un mélange de café de chez Dean et DeLuca, ainsi que ma machine à espresso. Et comme nous serons sur l'Everest au moment de Pâques, j'ai aussi emporté quatre œufs en chocolat. Chercher des œufs de Pâques à 5 000 mètres, nous verrons ce que cela donne !

Ce jour-là, l'éditorialiste Billy Norwich donna une soirée en l'honneur de Pittman à Manhattan. Parmi les invités figuraient Bianca Jagger et Calvin Klein. Sandy, qui aime beaucoup les déguisements, fit son apparition revêtue d'une parka de haute altitude passée sur sa robe du soir. Elle portait également des chaussures d'escalade, des crampons, un piolet et une sangle porte-mousquetons.

Lorsqu'elle arriva sur l'Himalaya, il apparut que Pittman continuait à suivre aussi étroitement que possible le mode de vie de la haute société. Pendant la montée vers le camp de base, un jeune Sherpa nommé Pemba s'occupait chaque matin de rouler son sac de couchage et de ranger ses affaires dans son sac à dos. Quand, au début du mois d'avril, elle arriva au pied de l'Everest avec le reste du groupe de Fischer, ses bagages contenaient des piles de coupures de presse consacrées à sa personne qui étaient destinées à être distribuées aux autres habitants du camp de base. Au bout de quelques jours, des courriers sherpas commencèrent à arriver régulièrement pour lui apporter des paquets du transporteur DHL. Ils contenaient notamment les derniers numéros de *Vogue, Vanity Fair, People* et *Allure*. Les Sherpas étaient fascinés par les publicités de lingerie féminine et s'amusaient beaucoup des échantillons de parfum.

L'équipe de Scott Fischer formait un groupe sympathique et uni. La plupart des camarades de Pittman acceptaient ses particularités et paraissaient l'adopter sans difficulté. Selon Jane Bromet : «Sandy pouvait être épuisante parce qu'elle avait besoin d'être le point de mire de tous et qu'elle ne cessait de parler d'elle-même. Mais elle n'était pas négative, elle ne torpillait pas le moral du groupe. Presque chaque jour, elle se montrait pleine d'enthousiasme et d'énergie.»

Néanmoins, plusieurs alpinistes qui n'appartenaient pas à son groupe la considéraient comme une dilettante qui ne cherchait qu'à se rendre intéressante.

Après sa tentative infructueuse sur l'Everest en 1994, une publicité télévisée pour le principal sponsor de l'expédition la présentait comme «une alpiniste de renommée mondiale», ce qui provoqua une vive réaction de la part de certains grimpeurs. Mais Pittman n'avait jamais eu ouvertement une telle prétention. Dans un article pour *Men's Journal*, elle précisa qu'elle tenait à ce que Breashears, Lowe, Swenson et Blanchard sachent bien qu'elle ne confondait pas ses qualités d'amateur passionné avec leurs capacités de professionnels mondialement connus.

Ses compagnons de 1994 ne firent sur elle aucune déclaration désobligeante, du moins en public. En fait, après cette expédition, Breashears devint un de ses amis proches et Swenson la défendit à plusieurs reprises contre ceux qui la critiquaient. Lors d'une rencontre à Seattle, peu après leur retour de l'Everest, Swenson m'avait expliqué ceci : «Il est possible que Pittman ne soit pas une grande alpiniste mais, sur la face du Kangshung, elle a su reconnaître ses limites. Il est bien exact que c'est Alex, Barry, David et moi qui avons tracé la voie et installé les cordes, mais elle a contribué à sa manière à l'effort commun en ayant une attitude positive, en fournissant l'argent et en s'occupant des médias.»

Pourtant, Pittman ne manquait pas de détracteurs. Beaucoup de gens étaient offusqués par l'étalage qu'elle faisait de sa fortune et par sa recherche éhontée de la publicité. C'est ainsi que Joanne Kaufman écrivit dans le *Wall Street Journal* :

> Mme Pittman est plus connue dans certains milieux pour son ascension de l'échelle sociale que pour ses qualités d'alpiniste. Son mari et elle sont des habitués de toutes les soirées comme il faut et de toutes les rubriques de ragots de la presse de droite. Un ancien associé de M. Pittman qui tient à garder l'anonymat nous a déclaré : « Sandy Pittman s'accroche à bien des basques. Elle est avide de publicité. Si elle avait dû escalader les montagnes incognito, je ne crois pas qu'elle l'aurait fait. »

A tort ou à raison, Pittman incarnait pour ses détracteurs tout ce qu'il pouvait y avoir de répréhensible dans la médiatisation des Sept Sommets et dans la déstabilisation de l'alpinisme mondial qui en découlait. Mais, protégée par son argent, par une équipe d'assistants salariés et par une imperturbable autosatisfaction, Pittman se tenait hors d'atteinte du ressentiment et du mépris qu'elle inspirait. Comme l'Emma de Jane Austen, elle n'en avait même pas conscience.

9

Camp II. 28 avril 1996. 6 492 mètres

Pour vivre, nous nous racontons des histoires... Nous avons besoin d'un sermon à propos d'un suicide, d'une leçon de morale ou d'une explication sociale après le meurtre de cinq personnes. Nous interprétons ce que nous voyons et nous sélectionnons les hypothèses les plus utiles. Surtout si nous sommes écrivains, nous ne cessons d'imposer une trame narrative à des images disparates et nous avons appris à nous servir des «idées» pour geler le flux fantasmagorique qui constitue notre expérience réelle.

Joan Didion
L'Album blanc

Quand l'alarme de ma montre se mit à sonner à 4 heures du matin, j'étais déjà réveillé. Je n'avais pratiquement pas dormi de la nuit, passée à essayer à grand-peine de respirer. Et maintenant, il était temps d'entamer le terrible rituel qui consistait à quitter la chaleur de mon duvet — ce doux cocon de plumes d'oie — pour affronter le froid cinglant de la haute altitude. Deux jours plus tôt, le vendredi 26 avril, nous étions montés d'une seule traite du camp de base au camp II, première étape de notre troisième et dernière sortie d'acclimatation avant la montée vers la cime. Ce matin-là, selon le plan de Rob, nous devions aller du camp II au camp III et passer la nuit à 7 300 mètres.

Rob nous avait demandé d'être prêts à 4 h 45 exactement. Ces quarante-cinq minutes me laissaient à peine le temps de m'habiller, de prendre un peu de thé avec une barre de chocolat et de mettre mes crampons. En éclairant avec ma lampe frontale le petit thermomètre que j'avais fixé à la parka roulée en boule qui me servait d'oreiller, je vis que la température à l'intérieur de l'étroite tente était descendue à –21 °C. «Doug! criai-je à la masse enfouie dans le sac de couchage qui se trouvait à mes côtés, il est temps d'émerger, tu es réveillé?»

«Réveillé? répondit-il d'une voix lasse, qu'est-ce qui te fait penser que j'ai fermé l'œil? Je me sens complètement nase. Je crois que j'ai quelque chose à la gorge. Je deviens trop vieux pour ces trucs-là.»

Pendant la nuit, nos exhalaisons fétides s'étaient condensées sur la surface intérieure de la tente en une pellicule de givre. En me levant pour chercher mes vêtements à tâtons dans l'obscurité, je ne pouvais éviter de me frotter contre la toile de nylon et chaque contact faisait entrer dans la tente un blizzard qui recouvrait tout de cristaux de glace. Tremblant de tous mes membres, je m'enveloppai dans trois épaisseurs de sous-vêtements en polypropylène et dans une combinaison de nylon imperméable, puis j'enfilai mes chaussures. Serrer les lacets me faisait faire une grimace de douleur. Au cours des deux dernières semaines, l'état de mes doigts craquelés et sanguinolents n'avait fait qu'empirer sous l'effet de l'air froid.

Je quittai le camp à la lueur de ma lampe frontale, juste derrière Rob et Frank, louvoyant entre les tours de glace et les amas rocheux pour atteindre le corps principal du glacier. Pendant deux heures, nous gravîmes une pente aussi douce qu'une piste de ski pour débutants, puis nous parvînmes à la rimaye qui marquait l'entrée dans la partie supérieure du glacier. Juste au-dessus de nous s'élevait la face du Lhotse, une immense mer de glace inclinée qui brillait comme du chrome sale dans la lumière oblique de l'aube. Une corde de 9 millimètres, descendant le long de cette paroi gelée comme si elle avait été accrochée au ciel, semblait me faire signe comme la tige de haricot de Jack. J'en saisis l'extrémité, fixai mon jumar[1] à cette ligne un peu effilochée et commençai à grimper.

Depuis mon départ du camp, le froid m'avait fait souffrir. Je m'étais peu couvert en prévision de la chaleur solaire qui était survenue tous les autres matins lorsque les rayons du soleil avaient atteint la combe ouest. Mais, ce matin, un vent mordant descendait du haut de la montagne, ce qui faisait chuter la température à environ −40 °C. Je disposais d'un vêtement supplémentaire dans mon sac à dos mais, pour l'enfiler, il aurait fallu que j'ôte mes gants et ma parka tout en restant accroché à la corde. Dans la crainte de laisser tomber quelque chose, je décidai d'attendre d'avoir atteint une zone moins abrupte où je n'aurais plus besoin de m'accrocher à la corde. Je continuai donc mon ascension et plus je montais, plus j'avais froid.

Le vent soulevait d'énormes tourbillons de neige poudreuse qui dévalaient la montagne comme des vagues déferlantes. Mes vêtements étaient plâtrés de paillettes de glace. Une carapace gelée se formait sur mes lunettes et m'empêchait de voir. Je commençais à ne plus sentir mes

---

1. Un jumar, appelé également «poignée autobloquante», est un instrument de la taille d'un portefeuille qui agrippe la corde grâce à une came métallique. Cette came permet au jumar de glisser aisément vers le haut mais se bloque quand on tire dessus. Le grimpeur peut ainsi monter plus facilement le long de la corde.

pieds. Mes doigts semblaient en bois. Il paraissait de plus en plus imprudent de continuer à monter dans ces conditions. Je me trouvais en tête, à 7 000 mètres, précédant Mike Groom de quinze minutes. Je décidai de l'attendre et d'en parler avec lui. Mais juste avant qu'il me rejoigne, la voix de Rob se fit entendre dans la radio qu'il portait dans sa veste. Groom s'arrêta pour lui répondre. «Rob veut que tout le monde redescende, me cria-t-il contre le vent, on se tire d'ici!»

Quand nous rentrâmes au camp II, il était midi. J'étais fatigué mais en bon état. John Taske, le médecin australien, avait quelques gelures superficielles au bout des doigts. Doug, de son côté, avait souffert assez sérieusement. Quand il retira ses chaussures, il découvrit un début de gelure sur plusieurs orteils. En 1995, sur l'Everest, ses pieds avaient gelé au point qu'il avait perdu un peu de chair sur son gros orteil et depuis il souffrait d'une mauvaise circulation à cet endroit-là. Cela le rendait plus sensible au froid. Avec ces gelures supplémentaires, il serait particulièrement vulnérable aux dures conditions de la haute altitude.

Mais l'état de son appareil respiratoire était pire encore. Moins de deux semaines avant de s'envoler pour le Népal, il avait subi une intervention chirurgicale bénigne qui avait fragilisé sa trachée. Ce matin, en respirant à pleins poumons l'air chargé de neige, il avait dû se geler le larynx. «Je suis foutu, murmura-t-il d'une voix à peine audible, je ne peux même plus parler, la course est terminée pour moi.»

«N'abandonne pas comme ça, lui dit Rob, attends de voir comment tu te sentiras dans deux jours. Tu es un type solide. Je pense que tu as encore de bonnes chances pour le sommet une fois que tu seras remis sur pied.» Doug n'était pas convaincu. Il se retira dans notre tente et s'enfouit dans son sac de couchage. C'était dur de le voir découragé à ce point. Nous étions devenus de bons

141

amis et il partageait généreusement l'expérience acquise au cours de sa tentative infructueuse de 1995. Je portais au cou une pierre Xi — une amulette bouddhiste consacrée par le lama du monastère de Pangboche — que Doug m'avait donnée au début de l'expédition. Tout cela faisait que je voulais qu'il atteigne le sommet avec autant de détermination que je souhaitais l'atteindre moi-même.

Une atmosphère de déception, de légère dépression, s'installa dans le camp pendant tout le reste de la journée. La montagne n'avait pas livré ce qu'elle avait de pire et pourtant nous avions dû nous précipiter à l'abri. Notre équipe n'était d'ailleurs pas la seule à se sentir rabaissée et envahie par le doute. Au camp II, plusieurs expéditions semblaient avoir mauvais moral.

Cette humeur sombre se manifesta surtout dans les chamailleries qui éclatèrent entre Hall et les responsables des expéditions taïwanaise et sud-africaine à propos de la pose d'un kilomètre et demi de cordes destinées à faciliter l'ascension de la face du Lhotse. Fin avril, une ligne de cordes avait déjà été installée entre le haut de la combe et le camp III, à mi-hauteur de la face du Lhotse. Pour parachever ce travail, Hall, Fischer, Ian Woodall, Makalu Gau et Todd Burleson (responsable de l'expédition guidée Alpine Ascents) étaient convenus que, le 26 avril, deux membres de chaque équipe participeraient à l'installation des cordes sur le restant de la face, c'est-à-dire entre les camps III et IV. Mais les choses ne s'étaient pas déroulées comme prévu.

Lorsque Ang Dorje et Lhakpa Chhiri, de l'équipe de Hall, le guide Anatoli Boukreev, de l'équipe de Fischer, et un Sherpa de l'équipe de Burleson partirent du camp II au matin du 26 avril, les Sherpas des équipes sud-africaine et taïwanaise restèrent dans leur sac de couchage et refusèrent de coopérer. L'après-midi, quand Hall, revenu au camp II, en fut informé, il voulut savoir pourquoi l'accord avait été rompu. Kami Dorje Sherpa, le sirdar de l'équipe taïwanaise, s'excusa et promit de faire amende honorable. Mais quand il put joindre Woodall par radio, l'incorrigible responsable de l'expédition sud-africaine lui répondit par un flot d'injures et d'obscénités.

«Restons polis, repartit Hall, je pensais qu'il y avait un accord entre nous.» Woodall affirma que si ses Sherpas étaient restés dans leur tente, c'est que personne n'était venu les réveiller et solliciter leur aide. Hall répliqua qu'Ang Dorje avait essayé à plusieurs reprises de les faire lever mais qu'ils l'avaient ignoré.

Alors Woodall s'écria : «Ou bien tu es un sale menteur, ou c'est ton Sherpa qui l'est!» Puis il menaça d'envoyer deux Sherpas régler le problème avec Ang Dorje, à coups de poings.

Deux jours après cette peu agréable conversation, la mauvaise entente entre l'équipe sud-africaine et la nôtre demeurait forte. Les rumeurs inquiétantes concernant la détérioration de l'état de Ngawang Topche ne faisaient que renforcer l'humeur maussade du camp II. Comme il était de plus en plus malade malgré la basse altitude où il se trouvait, les médecins faisaient l'hypothèse qu'il ne souffrait pas seulement d'un œdème mais que s'y associait une complication tuberculeuse ou une autre pathologie pulmonaire préexistante. De leur côté, les Sherpas faisaient un diagnostic différent : ils étaient convaincus que l'une des alpinistes du groupe de Fischer avait irrité l'Everest — Sagarmatha, la déesse du Ciel —, et que la divinité s'était vengée sur Ngawang.

La personne en question avait noué une relation sentimentale avec un grimpeur d'une expédition qui faisait l'ascension du Lhotse. Comme l'intimité est impossible à l'intérieur du camp de base, les rendez-vous amoureux qui eurent lieu à l'intérieur de la tente de cette femme furent remarqués par les autres membres de son équipe et notamment par les Sherpas. Pendant les rencontres, ils se tenaient aux alentours et désignaient la tente en rica-

143

nant. «X et Y font de la sauce, ils font de la sauce», gloussaient-ils et ils mimaient l'acte sexuel en enfonçant un doigt dans leur poing.

En dépit de leurs éclats de rire (pour ne rien dire de leurs habitudes notoirement libertines), les Sherpas désapprouvaient les relations sexuelles entre personnes non mariées sur les flancs divins de Sagarmatha. Chaque fois que le temps se dégradait, il se trouvait un Sherpa pour montrer les nuages en déclarant d'un ton sérieux : «Quelqu'un a fait de la sauce. Mauvais sort. Maintenant la tempête arrive.»

Sandy Pittman avait relevé cette superstition dans le journal de son expédition de 1994 qu'elle diffusa sur Internet en 1996 :

29 avril 1994
Camp de base de l'Everest (5 426 m),
face du Kangshung, Tibet

... Un courrier est arrivé cet après-midi. Il apporte des lettres du pays pour tout le monde et un magazine coquin envoyé en manière de plaisanterie par un camarade alpiniste... La moitié des Sherpas l'ont emporté dans une tente pour un examen plus approfondi, tandis que les autres se tourmentaient à cause du désastre que cette lecture allait sûrement provoquer. Ils disaient que la déesse Chomolungma ne tolère pas le «jiggy-jiggy» sur sa montagne sacrée...

Le bouddhisme, tel qu'il est pratiqué dans les hautes vallées du Khumbu, a un parfum nettement animiste : les Sherpas vénèrent un mélange confus de divinités et d'esprits qui sont supposés habiter les défilés, les rivières et les sommets de la région. Et ils considèrent qu'il est d'une importance cruciale de rendre un juste hommage à chacun d'eux afin de pouvoir traverser sans encombre cette contrée pleine d'embûches.

Dans l'intention de se concilier Sagarmatha, les Sherpas avaient, cette année comme les précédentes, soigneusement élevé au camp de base plus d'une douzaine de petites constructions en pierre — des chortens —, une pour chaque expédition. Formant un cube parfait de 1,5 mètre de haut, l'autel de notre campement était coiffé de trois pierres triangulaires soigneusement choisies au-dessus desquelles s'élevait un mât en bois de 3 mètres couronné par un élégant rameau de genévrier. Cinq longues cordes portant une série de drapeaux de prière[1] multicolores s'étendaient radialement au-dessus de nos tentes afin de les protéger de tout malheur. Chaque matin avant l'aube, notre sirdar du camp de base — un quadragénaire très respecté du nom d'Ang Tshering — faisait brûler des bâtonnets d'encens et psalmodiait des prières devant l'autel. Avant de se mettre en route pour la cascade de glace, les Occidentaux comme les Sherpas traversaient les doux effluves en contournant le monument par la droite afin de recevoir la bénédiction d'Ang Tshering.

A condition de respecter attentivement ce rituel, le bouddhisme pratiqué par les Sherpas se présentait comme une religion rafraîchissante, souple et sans dogmatisme. Ainsi, dans le but de conserver la bienveillance de Sagarmatha, aucune équipe ne devait faire sa première entrée sur la cascade de glace sans procéder à une céré-

---

1. Sur ces drapeaux de prière sont inscrites des invocations bouddhistes — généralement: *Om mani padme hum* —, qui sont envoyées vers Dieu à chaque battement de la flamme. Souvent, ils portent aussi l'image d'un cheval ailé car, dans la cosmologie sherpa, les chevaux sont des animaux sacrés auxquels on attribue la capacité de transmettre les prières au ciel avec une rapidité particulière. Le terme sherpa pour désigner les drapeaux de prière est *lung ta* — littéralement: «cheval de vent».

monie religieuse élaborée, le *puja*. Mais, comme le lama frêle et sec qui devait présider pour nous à cette cérémonie n'avait pu au jour prévu faire le voyage depuis son lointain village, Ang Tshering déclara que nous pouvions quand même entrer dans la cascade de glace parce que Sagarmatha comprenait que notre intention était de procéder au puja dès que possible.

Cette attitude tolérante semblait également s'appliquer aux relations sexuelles sur les pentes de l'Everest. Même si, en paroles, les Sherpas se soumettaient à cette prohibition, plus d'un se permettait d'y faire exception pour son propre compte et c'est ainsi qu'en 1996 il arriva même qu'un Sherpa ait une liaison avec une Américaine de l'expédition IMAX. Il paraissait donc étrange que les Sherpas attribuent la maladie de Ngawang aux relations extraconjugales qui se produisaient dans une tente de Mountain Madness. Quand je fis part de cette contradiction à Lopsang Jangbu — le sirdar d'escalade de Fischer —, il fit valoir que le problème ne venait pas de ce qu'une alpiniste de Fischer ait «fait de la sauce» au camp de base mais de ce qu'elle continuait à dormir avec son Roméo dans la partie supérieure de la montagne.

«L'Everest est une déesse, pour moi, pour tout le monde, me dit Lopsang avec solennité dix semaines après l'expédition. Seulement mari et femme peuvent dormir ensemble. Mais quand X et Y dorment ensemble, mauvais sort pour mon équipe... Aussi, j'ai dit à Scott : "S'il te plaît, Scott, tu es le chef, dis à X de ne pas dormir avec son petit ami au camp II. S'il te plaît." Mais il a simplement ri. Le premier jour où X et Y sont allés sous la tente, juste après, Ngawang Topche est tombé malade au camp II. Et maintenant, il est mort.»

Ngawang était l'oncle de Lopsang. Les deux hommes étaient très proches et Lopsang avait aidé à redescendre Ngawang sur la cascade de glace pendant la nuit du 22 avril. Puis, quand Ngawang avait cessé de respirer à

Pheriche et avait été évacué vers Katmandou, Lopsang était vite descendu depuis le camp de base, encouragé par Fischer, pour pouvoir accompagner son oncle pendant son transport en hélicoptère. Son bref voyage à Katmandou et son retour rapide au camp de base l'avaient éprouvé, et son acclimatation laissait à désirer. Ce n'était pas bon pour Fischer, qui comptait autant sur lui que Hall sur Ang Dorje.

Nombre d'alpinistes himalayens accomplis se trouvaient sur le versant népalais de l'Everest en 1996. Hall, Fischer, Breashears, Pete Schoening, Ang Dorje, Mike Groom et Robert Schauer, un Autrichien de l'expédition IMAX. Mais, encore au-dessus de cette compagnie distinguée, brillaient quatre étoiles, quatre grimpeurs qui avaient réalisé d'étonnantes prouesses au-dessus de 7 900 mètres. Il s'agissait d'Ed Viesturs — l'Américain qui jouait dans le film de l'IMAX —, Anatoli Boukreev — un guide du Kazakhstan qui travaillait pour Fischer —, le Sherpa Ang Babu — employé par l'expédition sud-africaine — et Lopsang.

Sociable et d'aspect agréable, presque trop gentil, Lopsang était sûr de lui et très attirant. Fils unique, il avait été élevé dans la région de Rolwaling et il ne buvait ni ne fumait, ce qui est rare chez les Sherpas. Quand il riait, et il riait facilement, il arborait une incisive en or. Bien qu'il fût mince, avec une ossature fine, sa vivacité, son goût de l'effort et ses dons athlétiques extraordinaires avaient fait son renom dans le Khumbu. Fischer me dit un jour que, selon lui, Lopsang pouvait devenir un second Reinhold Messner — le fameux alpiniste tyrolien qui est de loin le plus grand grimpeur himalayen de tous les temps.

C'est en 1993, à l'âge de vingt ans, que Lopsang fit sensation pour la première fois. Il avait été engagé comme porteur par l'expédition indo-népalaise que dirigeait une Indienne, Bachendri Pal. Le groupe était essentiellement féminin. En tant que benjamin de l'expédition, Lopsang avait d'abord été relégué à une fonction d'appoint, mais sa force était si impressionnante qu'à la dernière minute on l'avait retenu pour aller au sommet et, le 16 mai, il l'avait atteint sans oxygène.

Cinq mois plus tard, il gravissait le Cho Oyu avec une expédition japonaise. Au printemps 1994, travaillant pour l'expédition Sagarmatha Environmental de Fischer, il atteignait une deuxième fois le sommet de l'Everest, toujours sans oxygène.

Au mois de septembre de la même année, il faisait une tentative sur l'arête ouest de l'Everest avec une équipe norvégienne quand il fut emporté par une avalanche. Après une chute de soixante mètres, il parvint à se retenir avec son piolet, sauvant ainsi sa propre vie et celle de ses deux compagnons de cordée. L'un de ses oncles, Mingma Norbu Sherpa, qui n'était pas encordé, fut tué. Bien que cette perte ait affecté Lopsang, son goût pour l'escalade n'en fut pas diminué.

En mai 1995, engagé par Hall, il parvint pour la troisième fois au sommet de l'Everest, à nouveau sans oxygène, et, trois mois plus tard, il escalada le Broad Peak (7 498 mètres) au Pakistan avec l'équipe de Fischer.

Lorsqu'il arriva sur l'Everest en 1996 avec Fischer, il ne grimpait que depuis trois ans mais, dans le cours de cette période, il avait participé à dix expéditions himalayennes et acquis une réputation d'alpiniste de première force.

En escaladant ensemble l'Everest en 1994, Fischer et Lopsang en étaient venus à concevoir l'un pour l'autre une immense admiration. Ces deux hommes, d'une énergie débordante et d'un charme irrésistible, avaient le don de plaire aux femmes. Voyant en Fischer un mentor et un modèle, Lopsang imita même sa coiffure et se tira les cheveux en arrière en queue de cheval. « Scott est très fort, et moi aussi je suis très fort, m'expliqua-t-il avec son immodestie habituelle. Nous formons une bonne équipe.

Scott ne me paie pas aussi bien que Hall ou les Japonais, mais je n'ai pas besoin d'argent, je regarde l'avenir et Scott est mon avenir. Il m'a dit : "Lopsang, mon puissant Sherpa, je te rendrai célèbre !" Je pense que Scott a de grands projets pour moi avec Mountain Madness. »

10

Face du Lhotse. 29 avril 1996.
7 132 mètres

Le public américain n'a pas de sympathie naturelle pour l'escalade, à la différence des habitants des pays alpins ou des Anglais, qui ont inventé ce sport. Dans ces pays, il y a quelque chose qui ressemble à de la compréhension et, bien que l'homme de la rue puisse considérer que les alpinistes mettent imprudemment leur vie en danger, il admet que c'est un risque qu'il faut assumer. Une telle compréhension n'existe pas en Amérique.

Walt Unsworth
Everest

Le lendemain du jour où notre première tentative d'atteindre le camp III échoua à cause d'un vent et d'un froid insupportables, nous repartîmes tous (à l'exception de Doug, que sa gorge contraignait à rester au camp II) pour un nouvel essai. Je me mis à grimper sur l'immense plan incliné de la face du Lhotse à l'aide d'une corde en nylon décolorée qui semblait continuer à l'infini, et plus je grimpais, plus je me traînais. Je faisais glisser mon jumar le long de la corde avec ma main gantée, m'appuyais sur l'instrument le temps de deux respirations laborieuses et cuisantes, puis déplaçais mon pied gauche et enfonçais les crampons dans la glace, j'inspirais par deux fois désespérément, plantais mon pied droit en avant de l'autre, inhalais et exhalais du plus profond de ma poitrine, inhalais et exhalais encore, et faisais glisser mon jumar un peu plus haut sur la corde. Quand je parvins à trois cents mètres au-dessus du camp, cela faisait trois heures que je me donnais à fond et je savais devoir continuer pendant au moins une heure avant de pouvoir prendre du repos. C'est de cette façon désespérée, centimètre par centimètre, que je progressais vers un groupe de tentes censées se trouver plus haut.

Ceux qui ne pratiquent pas l'escalade — c'est-à-dire la grande majorité de l'humanité — ont tendance à considérer ce sport comme une recherche téméraire et excessive de sensations toujours plus fortes. Mais l'idée que les grimpeurs ne sont que des drogués à l'adrénaline est tout à fait fausse, au moins dans le cas de l'Everest. Ce que j'étais en train de faire n'avait rien de commun avec le saut à l'élastique, le parachutisme ou la course sur une moto lancée à 200 km/heure.

Après le confort du camp de base, l'expédition devenait presque une entreprise calviniste... La part de souffrance par rapport au plaisir ressenti était bien plus grande que sur n'importe quelle autre montagne où j'avais pu aller. J'en vins ainsi à comprendre que l'escalade de l'Everest consistait avant tout à supporter la souffrance. Il m'apparut alors que, à nous soumettre ainsi, semaine après semaine, à des efforts pénibles, à l'ennui et à la douleur, nous devions être, pour la plupart — par-delà toute autre chose —, à la recherche d'une sorte d'état de grâce.

Bien entendu, pour certains, d'autres motifs moins vertueux pouvaient aussi intervenir : une petite célébrité, un avancement de carrière, une satisfaction d'amour-propre, la fanfaronnade, l'appât du gain. Mais ces objectifs sans noblesse entraient moins en ligne de compte que ne pourraient le penser beaucoup de critiques. En fait, ce que j'ai pu observer au fil des semaines m'a obligé à revoir mes préjugés concernant mes camarades d'expédition.

Ce fut notamment le cas pour Beck Weathers, qui, à ce moment-là, était une petite tache rouge sur la glace, cent cinquante mètres plus bas, presque à la fin d'une longue file de grimpeurs. Ma première impression n'avait pas été favorable. Ce médecin de Dallas, avec ses grandes tapes dans le dos et son expérience au-dessous de la moyenne, m'apparut au premier abord comme un homme de droite, riche et vantard, uniquement désireux de s'acheter une ascension sur l'Everest pour compléter sa panoplie. Et pourtant, plus j'apprenais à le connaître, plus il gagnait mon respect. Malgré ses chaussures neuves qui lui torturaient les pieds, Beck continuait à avancer, jour après jour, ne mentionnant qu'à peine ce qui devait être une horrible douleur. Il était dur à la peine, déterminé, stoïque. Et ce que je pris d'abord pour de l'arrogance m'apparut de plus en plus comme de l'exubérance. Cet homme ne semblait en vouloir à aucun être humain sur terre (à la seule exception de Hillary Clinton). Son optimisme chaleureux et sans limites était tellement communicatif que j'en vins malgré moi à éprouver beaucoup de sympathie pour lui.

Il était le fils d'un officier de carrière de l'US Air Force et il avait passé son enfance à déménager d'une base militaire à l'autre avant d'arriver à Wichita Falls, où il était entré au lycée. Il avait obtenu son diplôme de médecin, s'était marié, avait eu deux enfants et s'était installé à Dallas, où il s'était constitué une situation lucrative grâce à une nombreuse clientèle. Puis, en 1986, vers l'âge de quarante ans, pendant des vacances dans le Colorado, il avait entendu les sirènes· des hauteurs et s'était inscrit à un cours d'escalade dans le parc national des Rocheuses.

Il est fréquent que les médecins soient des fonceurs et

Beck n'était pas le premier praticien à sauter sur une nouvelle marotte. Mais l'escalade n'avait rien à voir avec le golf, le tennis ou d'autres passe-temps pour lesquels ses amis se passionnaient. Les exigences de la montagne — l'effort physique et émotionnel, les dangers réels — en faisaient quelque chose de plus qu'une simple distraction. L'escalade ressemblait à la vie, mais en plus fort; et rien n'avait jamais autant plu à Beck. Sa femme, Peach, constatant à quel point l'escalade l'absorbait et menaçait de le séparer de sa famille, était très soucieuse et ne fut pas particulièrement enchantée quand Beck, peu de temps après s'être engagé dans ce sport, annonça qu'il avait décidé d'escalader les Sept Sommets.

Aussi égoïste et démesurée qu'ait pu être l'obsession de Beck, elle n'était pas frivole. Je me fis la même remarque à propos de Lou Kasischke, l'avocat de Bloomfield Hills, de Yasuko Namba, la calme Japonaise qui mangeait tous les matins des vermicelles au petit déjeuner, et de John Taske, l'anesthésiste de Brisbane âgé de cinquante-six ans qui s'était mis à grimper après avoir pris sa retraite de l'armée.

«Quand j'ai quitté l'armée, je me suis senti perdu», disait-il tristement avec un lourd accent australien. Il était resté longtemps sous les drapeaux, pour finir avec le grade de colonel du Special Air Service, l'équivalent des Bérets Verts. Après avoir servi au Vietnam au plus fort de la guerre, il s'était trouvé mal préparé à la platitude de la vie civile. «J'ai découvert que je ne pouvais pas vraiment parler aux civils. Je me suis séparé de ma femme et tout ce que je pouvais apercevoir devant moi, c'était un long tunnel qui se terminait par les infirmités, la vieillesse et la mort. C'est alors que j'ai commencé à grimper et cela m'a apporté presque tout ce qui me manquait : le but à atteindre, la camaraderie, le sens de la mission.»

A mesure que ma sympathie pour Taske, Weathers et quelques autres augmentait, je me sentais de plus en plus mal à l'aise dans mon rôle de journaliste. Je n'éprouvais aucun scrupule quand il s'agissait d'écrire en toute franchise sur Hall, Fischer ou Sandy Pittman. Depuis des années, ils avaient avidement cherché à capter l'attention des médias. Mais il en allait différemment pour les autres, les clients. Lorsqu'ils s'étaient engagés dans l'expédition de Hall, aucun d'entre eux ne savait qu'il y aurait un journaliste qui griffonnerait en permanence, enregistrerait leurs propos, noterait leurs actes de façon à faire ensuite connaître leurs points faibles à un public sans indulgence.

Au retour de l'expédition, Weathers fut interviewé à l'émission de télévision *Turning Point*. Dans une partie de l'entretien qui ne fut pas retenue lors de la diffusion, on demanda à Beck : «Qu'est-ce que ça vous faisait d'avoir un reporter parmi vous?» Il répondit : «Cela a constitué une source supplémentaire de stress. J'étais toujours un peu inquiet à l'idée que... vous comprenez, ce type va rentrer et écrire une histoire qui sera lue par deux millions de personnes... Il est déjà bien assez difficile de monter là-haut et de se ridiculiser face à soi-même et aux camarades d'escalade. Que quelqu'un puisse vous présenter dans les pages d'un magazine comme un bouffon et un clown ne manque pas d'agir sur le psychisme, sur la façon de se comporter, sur les efforts déployés. Et je craignais que ça n'incite les gens à aller plus loin qu'ils ne le voulaient, même les guides. Ils pouvaient vouloir emmener leurs clients au sommet de la montagne parce qu'on allait écrire sur eux et qu'ils seraient jugés.»

Un peu plus tard, on lui posa la question : «Avez-vous eu l'impression que la présence d'un reporter a pu constituer une pression supplémentaire sur Rob Hall?» Voici sa réponse : «Je ne peux pas imaginer le contraire. Pour Rob, il s'agissait de son gagne-pain et si l'un de ses clients s'était blessé cela aurait été la pire chose qui puisse arriver à un guide... Deux ans auparavant, il avait eu une saison magnifique en emmenant tout le monde jusqu'au sommet, ce qui est extraordinaire, et je pense qu'il considérait que notre groupe était assez fort pour faire la même chose... Il y avait donc une pression pour qu'à la fin, dans le magazine, le reportage soit favorable. »

La matinée était déjà presque terminée quand je parvins finalement à me hisser jusqu'au camp III : un trio de petites tentes jaunes à mi-pente de la vertigineuse face du Lhotse, serrées les unes contre les autres sur une plateforme qui avait été taillée dans la glace par nos Sherpas. Lorsque j'arrivai, Lhakpa Chhiri et Arita étaient toujours à l'œuvre pour aménager l'emplacement d'une quatrième tente. Aussi, après avoir déposé mon sac, me mis-je à les aider. A cette altitude de 7 300 mètres, après six ou huit coups de piolet, je devais m'arrêter pendant plus d'une minute pour reprendre ma respiration. Inutile de dire que ma contribution à l'effort commun fut négligeable. Il nous fallut environ une heure pour terminer le travail.

Notre minuscule campement, situé trois cents mètres au-dessus des tentes des autres expéditions, constituait un perchoir doté d'une vue spectaculaire. Pendant des semaines, nous nous étions démenés dans ce qui ressemblait à un défilé. Maintenant, pour la première fois, la vue portait principalement sur le ciel. Des troupeaux de cumulus couraient sous le soleil, imprimant sur le paysage un tableau mouvant d'ombre et d'aveuglante lumière. En attendant l'arrivée de mes camarades, je m'assis, les pieds au-dessus du précipice, contemplant les nuages et regardant au-dessous de moi des sommets qui, un mois auparavant, s'élevaient au-dessus de ma tête. Finalement, il semblait bien que j'étais en train de m'approcher du toit du monde.

Cependant, la cime se trouvait encore mille six cents mètres au-dessus de moi, enveloppée dans un nimbus. Bien que la partie supérieure de la montagne fût battue par des vents très violents, l'air était presque immobile au camp III et, à mesure que l'après-midi avançait, je me sentis progressivement envahi par une sorte de stupeur due à l'insolation — j'espérais du moins que c'était la chaleur qui me rendait stupide et non pas un commencement d'œdème cérébral.

L'œdème cérébral en haute altitude est moins fréquent que l'œdème pulmonaire mais son issue est plus souvent fatale. Cette maladie difficile à déceler survient lorsque les vaisseaux sanguins cérébraux se mettent à suinter à cause du manque d'oxygène, ce qui entraîne une enflure du cerveau. Cette maladie peut se déclarer sans signes avant-coureurs. La pression intracrânienne augmentant, les facultés mentales et motrices se détériorent à une vitesse alarmante — généralement en quelques heures ou même moins — et sans même que le malade s'en rende compte. Ensuite survient le coma, puis, à défaut d'une évacuation rapide vers une altitude inférieure, la mort.

Cet après-midi-là, je pensais à l'œdème cérébral parce que, deux jours auparavant, un client de Fischer nommé Dale Kruse — un dentiste du Colorado âgé de quarante-quatre ans — en avait été atteint à l'endroit même où je me trouvais, au camp III. Ami de longue date de Fischer, Kruse était un grimpeur solide et très expérimenté. Le 26 avril, il était monté du camp II au camp III, avait préparé du thé pour ses camarades et pour lui-même et s'était étendu pour faire un somme. «Je me suis endormi, se souvient Kruse, et j'ai dormi pendant presque vingt-quatre heures, jusqu'à deux heures de l'après-midi le jour suivant. Quand finalement quelqu'un m'a réveillé, mes camarades se sont aperçus tout de suite que mon esprit ne fonctionnait pas, mais moi, je ne m'en rendais pas compte. Scott m'a dit : "On va te faire descendre tout de suite."»

Kruse eut toutes les peines du monde à s'habiller. Il mit son baudrier à l'envers, passa la sangle par l'ouverture de son coupe-vent et ne réussit pas à la boucler. Heureusement, Fischer et Neal Beidleman le remarquèrent. «S'il avait essayé de descendre en rappel comme cela, dit Beidleman, il aurait aussitôt été éjecté de son baudrier et serait tombé tout en bas de la face du Lhotse.»

«C'est comme si j'avais été complètement ivre, se souvient Kruse. Je ne pouvais marcher sans trébucher et j'avais perdu toute capacité de penser ou de parler. C'était une impression étrange. J'avais quelques mots à l'esprit, mais je ne voyais pas comment les faire parvenir jusqu'aux lèvres. Il a fallu que Scott et Neal m'habillent et s'assurent que mon baudrier était correctement ajusté, puis Scott m'a fait descendre le long des cordes fixes. Lorsque je suis arrivé au camp de base, il me fallut trois ou quatre jours avant de pouvoir marcher de ma tente au mess sans tituber à chaque instant.»

Le soir, quand le soleil glissa derrière le Pumori, la température baissa de plus de 27 °C au camp III et, à mesure que l'air se refroidissait, ma tête s'éclaircissait ; ma crainte d'avoir un œdème se révéla infondée, du moins pour le moment. Le lendemain matin, après une nuit sans sommeil à 7 300 mètres, nous redescendîmes au camp II et, un jour plus tard, le 1er mai, nous revînmes au camp de base pour reprendre des forces avant de nous lancer à l'assaut du sommet.

Notre acclimatation était maintenant effective. J'étais agréablement surpris de constater que la stratégie de Hall avait réussi. Après trois semaines sur la montagne, je trouvais l'air du camp de base riche, consistant, voluptueusement saturé en oxygène par comparaison avec l'atmosphère ténue des camps supérieurs.

Cependant, tout n'allait pas bien sur le plan physique. J'avais perdu presque dix kilos de masse musculaire, principalement sur les épaules, le dos et les jambes. J'avais aussi consommé toute ma graisse sous-cutanée, ce qui me rendait beaucoup plus sensible au froid. C'était ma poitrine qui m'inquiétait le plus : la toux sèche contractée à Lobuje s'était tellement aggravée que je m'étais arraché un bout de cartilage thoracique lors d'une quinte particulièrement violente au camp III. Cette toux ne m'avait pas lâché et à chaque accès, c'était comme si on me défonçait la cage thoracique à coups de pied.

Au camp de base, la plupart des autres grimpeurs étaient également en mauvaise forme — cela tenait aux conditions de vie sur l'Everest. Dans cinq jours, les groupes de Hall et de Fischer quitteraient le camp de base pour aller au sommet. Je résolus de me reposer, enfoui dans mon sac de couchage, et d'avaler le plus de calories possible dans l'espoir d'enrayer le déclin de mes forces.

Dès le début, Hall avait décidé que le 10 mai serait pour nous le jour du sommet. «Sur les quatre fois où je suis allé au sommet, nous expliqua-t-il, deux étaient un 10 mai. Comme disent les Sherpas, c'est pour moi un jour faste.» Mais il avait aussi une raison plus terre à terre de choisir cette date : à cause de l'arrivée de la mousson, il était prévisible que ce serait aux alentours du 10 mai que le temps serait le plus favorable.

Pendant tout le mois d'avril, des vents soufflant avec la force d'un ouragan avaient frappé la pyramide du sommet. Même les jours où le camp de base était parfaitement calme et inondé de soleil, la neige emportée par le vent formait une immense bannière qui flottait en haut de l'Everest. Mais nous espérions qu'au début de mai, lorsque la mousson venue du golfe du Bengale s'approcherait, le courant aérien se déplacerait pour passer plus au nord, vers l'intérieur du Tibet. Si cette année devait ressembler aux précédentes, entre le départ du vent et l'arrivée des tempêtes de la mousson, nous pourrions bénéficier d'une étroite fenêtre de temps calme et clair où il nous serait possible d'atteindre le sommet.

Malheureusement, cette configuration météorologique n'était pas un secret et toutes les expéditions avaient choisi le même créneau de beau temps. Espérant pouvoir empêcher un encombrement dangereux sur l'arête du sommet, Hall organisa au camp de base une réunion avec les responsables des autres expéditions. Il fut décidé que Göran Kropp, un jeune Suédois qui avait effectué à bicyclette le voyage de Stockholm au Népal, ferait sa tentative seul, le 3 mai. Puis ce serait le tour d'une équipe du Monténégro. Puis, le 8 ou le 9 mai, l'expédition IMAX.

Hall, fut-il décidé, partagerait la date du 10 mai avec Fischer. Après avoir failli être tué par la chute d'une roche en bas de la face sud-ouest, un grimpeur en solo, le Norvégien Petter Neby, était déjà reparti : un matin, il avait tranquillement quitté le camp de base et était retourné en Scandinavie. Un groupe guidé par les Américains Todd Burleson et Pete Athans ainsi que l'expédition de Mal Duff et une autre expédition commerciale anglaise promirent de laisser le champ libre le 10 mai. Les Taïwanais firent de même. Toutefois, Ian Woodall déclara que les Sud-Africains iraient au sommet quand ça leur plairait, probablement le 10 mai, et que si quelqu'un n'était pas content, il n'avait qu'à «foutre le camp».

Hall, qui d'ordinaire ne s'énervait pas facilement, dit avec fureur : «Je ne veux pas être en haut en même temps que ces types!»

11

Camp de base. 6 mai 1996.
5 365 mètres

Dans quelle mesure l'attrait de la montagne tient-il à la simplification des relations interpersonnelles, à la réduction de l'amitié à des relations simplifiées (comme pendant la guerre), à la substitution d'un «Autre» (la montagne, le défi) à la relation elle-même? Derrière la mystique de l'aventure, de la virilité, du vagabondage en toute liberté — qui sont des antidotes au confort et aux commodités de notre mode de vie —, on peut trouver une sorte de refus adolescent du sérieux de l'âge adulte, de la fragilité des autres, de la responsabilité interpersonnelle, des faiblesses de tous ordres et du cours même de la vie, lent et peu spectaculaire...

Les alpinistes de haut niveau [...] peuvent être profondément émus, voire larmoyants, mais seulement pour leurs camarades disparus lorsqu'ils étaient des hommes de valeur. On peut relever une certaine froideur — il est frappant d'observer à quel point le ton en est semblable — dans les écrits de Buhl, de John Harlin, de Bonatti, de Bonington et de Haston : la froideur de la compétence. C'est peut-être cela l'objet de l'escalade : parvenir au point où, selon les termes de Haston : «Si quelque chose se passe mal, ce sera un combat vital. Les mieux entraînés survivront; pour les autres, la nature réclamera son dû.»

David Roberts
Moments de doute

Le Balcon, 8 413 mètres, 10 mai, 7 h 20 Deux Sherpas du groupe de Fischer s'appuient sur leur piolet pour reprendre souffle tandis qu'Andy Harris monte derrière eux. D'autres grimpeurs se reposent un peu plus bas.

L'arête du sommet depuis le sommet sud, 10 mai, 13 heures Quand Fischer prit cette photo, il se trouvait en haut des cordes fixes et regardait la foule monter vers le sommet. On peut voir trois grimpeurs juste au-dessus du ressaut Hillary ; un quatrième est au milieu du ressaut.

Le ressaut Hillary Cette brèche abrupte sur l'arête du sommet est séparée du sommet par une dénivellation d'une soixantaine de mètres. Techniquement, c'est l'un des passages les plus exigeants de la voie normale de l'Everest.

Embouteillage au ressaut Hillary, 10 mai, vers 14 h 10 Scott Fischer prit cette photo depuis la base du ressaut. Doug Hansen est à gauche au premier plan. Il se tient de profil et attend son tour pour emprunter les cordes fixes.

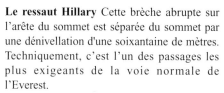

En regardant en bas depuis l'arête du sommet, 10 mai, vers 16 h 10 Fischer regardait vers le bas depuis le haut du ressaut Hillary. On voit de gauche à droite Lene Gammelgaard, Tim Madsen et Charlotte Fox qui descendent devant lui. Les petites silhouettes que l'on aperçoit en haut et à droite sont celles de Neal Beidleman et de Sandy Pittman.

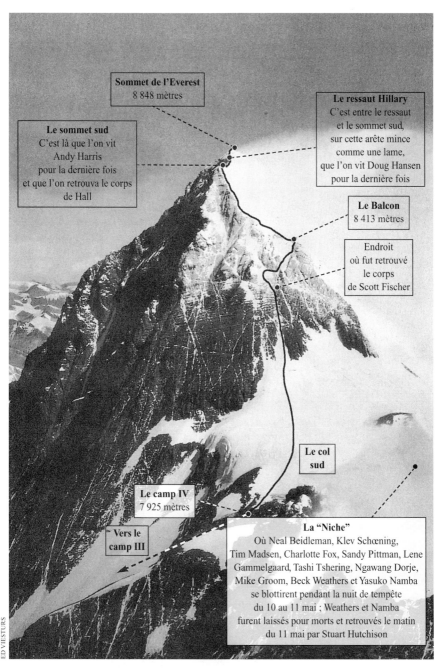

Sommet de l'Everest
8 848 mètres

Le ressaut Hillary
C'est entre le ressaut
et le sommet sud,
sur cette arête mince
comme une lame,
que l'on vit Doug Hansen
pour la dernière fois

Le sommet sud
C'est là que l'on vit
Andy Harris
pour la dernière fois
et que l'on retrouva le corps
de Hall

Le Balcon
8 413 mètres

Endroit
où fut retrouvé
le corps
de Scott Fischer

**Le col
sud**

Le camp IV
7 925 mètres

**Vers le
camp III**

La "Niche"
Où Neal Beidleman, Klev Schœning,
Tim Madsen, Charlotte Fox, Sandy Pittman, Lene
Gammelgaard, Tashi Tshering, Ngawang Dorje,
Mike Groom, Beck Weathers et Yasuko Namba
se blottirent pendant la nuit de tempête
du 10 au 11 mai ; Weathers et Namba
furent laissés pour morts et retrouvés le matin
du 11 mai par Stuart Hutchison

ED VIESTURS

La partie supérieure du mont Everest vue depuis le sommet du Lhotse On peut apercevoir sur la crête de l'arête sud-est le panache qui est le signe distinctif de l'Everest. La voie normale passe par cette arête.

Rob Hall, trente-cinq ans, néo-zélandais. Chef de l'expédition Adventure Consultants.

Scott Fischer, quarante ans, américain. Chef de l'expédition Mountain Madness.

Yasuko Namba, japonaise, membre du groupe de Hall. A quarante-sept ans, elle fut la femme la plus âgée à atteindre le sommet de l'Everest.

A GAUCHE Andy Harris, trente et un ans, néo-zélandais. Guide dans le groupe de Hall.

A DROITE Doug Hansen, quarante-six ans, américain, membre du groupe de Hall. Exerçant le métier de postier, il prit un second travail pour réaliser son rêve d'escalader l'Everest.

Des vents violents balaient le sommet de l'Everest le 12 mai. Descendant du camp IV après la tempête, Krakauer s'arrête à 7 620 mètres et se retourne vers le haut de la montagne où ses amis Hall, Harris, Hansen et Fischer ont perdu la vie. Namba est morte au col sud, à vingt minutes des tentes.

Le 6 mai à 4 h 30 du matin, nous quittâmes le camp de base pour commencer notre progression vers le sommet. Le haut de l'Everest, à trois kilomètres au-dessus de nous, semblait tellement éloigné que j'essayai de limiter mes ambitions au camp II, la destination du jour. Quand les premiers rayons de soleil frappèrent le glacier, je me trouvais à 6 000 mètres, dans le creux de la combe ouest, remerciant le ciel d'être parvenu au-dessus de la cascade de glace et de n'avoir à la retraverser qu'une dernière fois, lors de la descente du retour.

J'avais été écrasé de chaleur chaque fois que j'avais traversé la combe et, cette fois, il en allait de même. Grimpant avec Andy Harris en tête du groupe, je tassais continuellement de la neige dans ma casquette et j'avançais aussi vite que me le permettaient mes jambes et mes poumons, avec l'espoir d'atteindre l'ombre des tentes avant d'être victime d'une insolation. Tandis que la matinée avançait et que le soleil tapait plus fort, je me mis à ressentir des martèlements dans la tête. Ma langue enfla tellement qu'il m'était difficile de respirer par la bouche et je remarquai que mes idées devenaient de moins en moins claires.

Andy et moi arrivâmes au camp II à 10 h 30. Après avoir ingurgité deux litres de Gatorade, je retrouvai mon équilibre physiologique. «C'est bon d'être enfin en route pour le sommet, n'est-ce pas?» me demanda Andy. Il avait été en mauvaise condition physique pendant la plus grande partie de l'expédition à cause de ses maux de ventre et il retrouvait enfin ses forces. C'était un instructeur doué d'une étonnante patience. Le plus souvent, il avait dû veiller sur les grimpeurs les plus lents, en queue de file. Aussi fut-il ravi quand, ce matin-là, Hall lui lâcha la bride et le laissa partir en tête. Comme il était le plus jeune guide de l'équipe de Hall, il voulait faire ses preuves auprès de ses collègues plus expérimentés. «Je pense qu'on va l'avoir, cette grosse bête », me dit-il en regardant le sommet avec un grand sourire.

Plus tard dans la journée, Göran Kropp, le grimpeur en solo suédois, passa avec un air très contrarié par le camp II en redescendant vers le camp de base. Il avait quitté Stockholm le 16 octobre 1995 sur une bicyclette spécialement aménagée pour porter cent quarante kilos d'équipement. Son intention était de faire le trajet depuis la Suède jusqu'au sommet de l'Everest par ses propres moyens, sans Sherpas et sans oxygène. C'était un objectif extrêmement ambitieux mais Kropp était taillé pour réussir : il avait participé à six expéditions himalayennes et fait l'ascension en solitaire du Broad Peak, du Cho Oyu et du K2.

Au cours des presque treize mille kilomètres de son trajet à bicyclette, il avait été détroussé par des écoliers roumains et agressé par la foule au Pakistan. En Iran, un motocycliste mécontent lui avait brisé une batte de baseball sur la tête. Heureusement, il portait un casque. Il était parvenu intact au pied de l'Everest au début du mois d'avril, suivi par une équipe de tournage, et il avait aussitôt commencé à faire ses ascensions d'acclimatation. Puis, le mercredi 1er mai, il avait quitté le camp de base pour le sommet.

Le jeudi après-midi, il avait atteint son campement supérieur sur le col sud, à 7 925 mètres, et le lendemain matin, juste après minuit, il s'était mis en route pour le sommet. Au camp de base, tout le monde était resté à proximité de la radio, attendant anxieusement des nouvelles de sa progression. Dans notre tente de mess, Helen Wilton avait suspendu une affichette sur laquelle on lisait : « Allez, Göran ! »

Pour la première fois depuis des mois, il n'y avait pas de vent au sommet, mais sur la partie supérieure de la montagne la neige était profonde, ce qui rendait l'ascension lente et épuisante. Cependant, Kropp montait vaillamment à travers la neige et, à 14 heures, le jeudi après-midi, il avait atteint l'altitude de 8 748 mètres, juste en dessous du sommet sud. Mais là, bien que le sommet fût à une heure de marche, il avait décidé de faire demi-tour, considérant qu'il serait trop fatigué pour redescendre en toute sécurité s'il continuait l'ascension.

Le 6 mai, alors que Kropp passait par le camp II lors de sa descente, Hall nous dit : «Faire demi-tour si près du sommet, cela révèle une capacité de jugement exceptionnelle chez le jeune Göran. J'en suis impressionné, bien plus que s'il avait continué et atteint le sommet.» Au cours des semaines précédentes, Hall avait plusieurs fois insisté sur l'importance d'avoir un horaire de retour fixé à l'avance pour le jour de la montée vers le sommet — dans notre cas, ce serait probablement 13 heures, 14 heures au plus tard, et nous nous y tiendrions quelle que soit la proximité du sommet. Hall avait fait remarquer : «Avec suffisamment de détermination, n'importe quel imbécile peut aller en haut. Le problème, c'est d'en redescendre vivant.»

L'air apparemment décontracté de Hall masquait un intense désir de succès. Il entendait par là : emmener le plus grand nombre possible de clients au sommet. Pour y parvenir, il portait une attention méticuleuse à chaque détail : la santé des Sherpas, l'efficacité du système d'alimentation électrique à énergie solaire, le bon état des crampons de ses clients. Il adorait le métier de guide et s'attristait de ce que certains alpinistes célèbres — notamment sir Edmund Hillary — ne mesurent pas à quel point ce travail était difficile et n'accordent pas à cette profession le respect que, selon lui, elle méritait.

Rob décréta que le mardi 7 mai serait un jour de repos. C'est pourquoi nous nous levâmes tard et nous assîmes aux environs du camp II en parlant avec une certaine excitation de notre assaut imminent. Je tripotai mes crampons et d'autres équipements, puis j'essayai de lire, mais je pensais tellement à l'escalade que je lisais et relisais les mêmes phrases sans parvenir à les enregistrer.

A la fin, je posai le livre, pris quelques photos de Doug posant avec le drapeau que les écoliers du Kentucky lui avaient demandé d'emporter au sommet et lui extorquai quelques informations précises sur les difficultés de la pyramide du sommet. Il s'en souvenait bien : « Avant d'arriver en haut, je te garantis que tu vas en baver. » Il était bien décidé quant à lui à participer à l'escalade finale malgré sa gorge qui continuait à le faire souffrir et des forces qui n'étaient pas au plus haut. Comme il me le dit : « Je me suis trop investi dans cette montagne pour m'en aller maintenant sans m'être donné à fond. »

En fin d'après-midi, Fischer traversa notre campement, la mâchoire serrée, en marchant vers ses propres tentes avec une lenteur inhabituelle. D'ordinaire, il s'arrangeait pour conserver une attitude délibérément optimiste. L'une de ses sentences favorites était : « Si vous êtes déprimé, vous ne pourrez pas aller au sommet, or vous êtes là pour ça, alors autant en profiter pleinement. » Pour le moment, Scott n'avait pas l'air d'en profiter le moins du monde. Il paraissait anxieux et extrêmement fatigué.

Comme il avait encouragé ses clients à se déplacer sur la montagne en toute indépendance pendant la période d'acclimatation, il avait été contraint d'effectuer en urgence plusieurs trajets non prévus entre le camp de base et les camps supérieurs pour aider des clients en difficulté. Il avait notamment porté secours à Tim Madsen, Pete Schoening et Dale Kruse. Et maintenant, au moment où il aurait bien eu besoin de cette journée et demie de repos, il lui avait fallu faire un aller-retour entre le camp de base et le camp II pour aider son ami Kruse, qui souffrait à nouveau de son œdème cérébral.

Fischer était arrivé la veille au camp II, vers midi, juste derrière Andy et moi. Depuis le camp de base, il avait grimpé largement devant ses clients. Il avait demandé à son guide Anatoli Boukreev d'aider ceux qui étaient en queue, de rester proche du groupe et de veiller sur tout le monde. Mais Boukreev n'avait pas suivi ses instructions. Au lieu de monter avec le groupe, il avait dormi tard, pris une douche et quitté le camp de base environ cinq heures après les derniers clients. Aussi, lorsque Kruse s'effondra à 6 000 mètres avec de violents maux de tête, Boukreev n'était pas à proximité. Ce qui obligea Fischer et Beidleman à redescendre du camp II en catastrophe pour assurer les secours dès que les grimpeurs qui montaient de la combe ouest les eurent informés de l'état de Kruse.

Peu après que Fischer eut rejoint Kruse et commencé avec lui une descente difficile vers le camp de base, il rencontra Boukreev qui montait seul en haut de la cascade de glace. Fischer reprocha sévèrement à son guide de s'être dérobé à ses responsabilités. « Oui, se souvient Kruse, Scott s'en est joliment pris à lui. Il voulait savoir pourquoi il se trouvait si loin derrière tout le monde, pourquoi il ne grimpait pas avec le groupe. »

D'après Kruse et d'autres clients de Fischer, la tension entre les deux hommes n'avait cessé d'augmenter au cours de l'expédition. Fischer versait à Boukreev 25 000 dollars, rétribution exceptionnellement généreuse pour un guide sur l'Everest (les autres recevaient entre 10 000 et 15 000 dollars et les Sherpas d'escalade expérimentés touchaient entre 1 400 et 2 500 dollars). Or les prestations de Boukreev étaient restées très en deçà de ce que Fischer attendait. Comme l'explique Kruse : « Anatoli était très fort et il avait de grandes connaissances techniques, mais il ne s'occupait pas des autres. Ce n'était pas un joueur d'équipe. J'avais déjà dit à Scott que je ne voulais pas grimper avec Anatoli dans la partie supérieure de la montagne, parce que je doutais qu'on puisse compter sur lui en cas de nécessité. »

Le fond du problème venait de la conception que Boukreev avait de ses responsabilités, conception qui différait substantiellement de celle de Fischer. En tant que Russe, il appartenait à une école d'escalade exigeante, fière et rude qui n'était pas portée à dorloter les faibles. En Europe de l'Est, les guides sont formés à se comporter davantage comme des Sherpas — ils portent des charges, installent des cordes, tracent des voies — que comme des moniteurs. Grand, blond, avec un beau visage slave, Boukreev était l'un des meilleurs grimpeurs du monde. Il possédait vingt ans d'expérience dans l'Himalaya et avait effectué notamment deux ascensions de l'Everest sans oxygène. Au cours de sa belle carrière, il avait exprimé avec force un certain nombre d'opinions hétérodoxes sur la manière d'escalader cette montagne. Il disait ouvertement que les guides faisaient une erreur en maternant leurs clients. « Si un client a besoin d'une aide importante de la part d'un guide, me confia-t-il, c'est que ce client ne devrait pas se trouver là. Cela peut entraîner de graves problèmes une fois en haut. »

Mais le refus ou l'incapacité de Boukreev à jouer le rôle d'un guide conventionnel dans l'esprit de la tradition occidentale exaspérait Fischer. Cela l'obligeait également à endosser avec Beidleman une part trop importante de la prise en charge du groupe. Inévitablement, en cette première semaine de mai, cet effort avait fini par peser lourd sur la santé de Fischer. Lorsqu'il revint au camp de base avec Kruse, le soir du 6 mai, il appela deux personnes au moyen du téléphone satellite : son associée, Karen Dickinson, et son attachée de presse, Jane Bromet[1]. A ces deux femmes, il se plaignit amèrement de

1. Bromet avait quitté le camp de base à la mi-avril pour retourner à Seattle où elle continua à rendre compte sur Internet de l'expédition de Fischer. Ses reportages s'appuyaient en premier lieu sur les conversations téléphoniques régulières qu'elle avait avec le responsable de Mountain Madness.

l'intransigeance de Boukreev. Aucune des deux ne savait qu'il s'agissait là de sa dernière conversation avec Fischer.

Le 8 mai, le groupe de Hall et celui de Fischer quittèrent le camp II et commencèrent l'ascension laborieuse des cordes fixes de la face du Lhotse. A six cents mètres au-dessus de la base de la combe ouest, juste avant le camp III, un rocher de la taille d'un téléviseur se détacha de la falaise et frappa Andy Harris à la poitrine. Déséquilibré, le souffle coupé, Andy resta suspendu à la corde, en état de choc, pendant plusieurs minutes. S'il n'avait pas été accroché par son jumar, il aurait fait une chute mortelle.

Lorsque nous arrivâmes aux tentes, il semblait très ébranlé mais prétendait ne pas être blessé : « Je serai peut-être un peu raide pendant la matinée mais je pense que cette saleté n'a fait que me contusionner. » Juste avant que le rocher l'atteigne, il était penché en avant, la tête vers le bas, puis il l'avait relevée pour regarder en haut ; c'est ainsi que la pierre n'avait fait qu'effleurer son menton avant de frapper le sternum mais il s'en était fallu de peu qu'elle ne lui fracasse le crâne. « Si cette roche m'avait frappé à la tête... » dit Andy avec une grimace tout en rangeant son sac, et il laissa la phrase en suspens.

Le camp III était le seul que nous ne partagions pas avec les Sherpas car la plate-forme était trop exiguë pour accueillir toutes nos tentes. Cela signifiait que nous devions préparer nous-mêmes nos repas, opération qui consistait principalement à faire fondre des quantités prodigieuses de glace pour la transformer en eau potable. Dans un air si sec, nos efforts respiratoires entraînaient une forte déshydratation, au point que nous devions tous boire plus de quatre litres d'eau par jour. Il nous fallait donc produire approximativement une cinquantaine de litres d'eau pour satisfaire les besoins des huit clients et des trois guides.

En tant que premier à avoir atteint les tentes, ce 8 mai, la tâche de découper la glace me revint. Pendant trois heures, tandis que mes compagnons arrivaient et s'installaient dans leur sac de couchage, je restai dehors à tailler dans la pente gelée avec la panne de mon piolet. Je remplissais des sacs-poubelles de morceaux de glace que je distribuais dans les tentes où on les faisait fondre. A 7 300 mètres, c'était un travail fatigant. Régulièrement, l'un de mes camarades criait : «Hé, Jon! Tu es toujours là? On a besoin de glace par ici!» Cette tâche me fit comprendre tout ce que les Sherpas faisaient habituellement pour nous, et combien nous sous-estimions leur aide.

En fin d'après-midi, tandis que le soleil descendait vers l'horizon et que la température commençait à chuter, tout le monde était parvenu au camp, sauf Lou, Frank Fischbeck et Rob, lequel s'était porté volontaire pour faire la «voiture-balai». Vers 16 h 30, le guide Mike Groom reçut un appel de Rob par talkie-walkie : Lou et Frank étaient encore soixante mètres plus bas et ils avançaient avec une lenteur extrême. Est-ce que Mike voulait bien venir les aider? Mike remit rapidement ses crampons et, sans une protestation, disparut en contrebas le long des cordes.

Il ne réapparut que près d'une heure plus tard, suivi par les autres. Lou, si fatigué qu'il avait laissé Rob porter son sac, entra dans le camp pâle et éperdu en marmonnant : «Je suis fini, fini, complètement asphyxié.» Frank arriva quelques minutes plus tard. Il avait l'air peut-être encore plus épuisé, bien qu'il ait refusé que Mike prenne son sac. Cela faisait un choc de voir ces deux-là — qui, récemment encore, grimpaient aisément — dans un tel état. Je fus particulièrement surpris de la condition de Frank. Depuis le début, je pensais que si des membres de notre groupe atteignaient le sommet, Frank serait parmi eux. Il était monté très haut au cours de ses trois tentatives précédentes et il semblait si compétent et si fort!

Lorsque les ténèbres envahirent le camp, nos guides nous tendirent à tous des bouteilles d'oxygène, des détendeurs et des masques. Pendant le reste de l'ascension, nous respirerions du gaz comprimé.

L'utilisation de bouteilles d'oxygène pour faciliter l'ascension a soulevé un vif débat depuis que les Anglais en ont emporté pour la première fois sur l'Everest en 1921. (Sceptiques, les Sherpas ont vite trouvé un terme pour ces récipients encombrants : «l'air anglais».) Le premier détracteur de l'oxygène en bouteille fut George Leigh Mallory. Pour lui, ce n'était «pas sportif et donc pas anglais». Mais il apparut bien vite que lorsqu'on entre dans ce qu'on appelle la «zone de la mort», au-dessus de 7 600 mètres, le corps devient très vulnérable aux œdèmes pulmonaires et cérébraux, à l'hypothermie, aux gelures et à toute une série d'affections mortelles, à moins de recevoir un apport supplémentaire en oxygène. En 1924, quand il revint pour sa troisième expédition, Mallory dut admettre qu'il n'atteindrait jamais le sommet sans oxygène et il se résigna à s'en servir.

Dans le même temps, des expériences conduites en chambre de décompression avaient démontré qu'un être humain qui passerait brutalement du niveau de la mer au sommet de l'Everest — où l'air contient trois fois moins d'oxygène — perdrait conscience en quelques minutes et mourrait peu après. Mais certains alpinistes continuèrent à affirmer qu'un sportif doué de qualités physiologiques exceptionnelles pourrait, après une longue période d'acclimatation, escalader le pic sans oxygène. A partir de là, poussant le raisonnement à l'extrême, ces puristes concluaient que l'utilisation d'oxygène constituait une tricherie.

Dans les années 1970, le fameux alpiniste tyrolien Reinhold Messner fut la figure de proue de l'escalade sans oxygène. Il déclara qu'il ferait l'ascension de l'Everest «loyalement» ou pas du tout. Peu de temps après, en compagnie de son partenaire de longue date, l'Autrichien Peter Habeler, il stupéfia le monde de l'alpinisme en réalisant son projet. Les deux hommes atteignirent le sommet — en passant par le col sud et l'arête sud-est — à 13 heures, le 8 mai 1978, sans utiliser d'oxygène.

Dans certains cercles de grimpeurs, cette prouesse fut saluée comme la première ascension véritable de l'Everest. Mais ce haut fait historique ne fut pas accueilli partout avec les mêmes louanges, notamment chez les Sherpas. Beaucoup d'entre eux refusèrent de croire que les Occidentaux étaient capables d'un tel exploit, qui dépassait ce qu'avaient réalisé les meilleurs Sherpas. Le bruit courut que Messner et Habeler avaient utilisé de l'oxygène grâce à des bouteilles miniatures dissimulées dans leurs vêtements. Tenzing Norgay et d'autres Sherpas signèrent une pétition exigeant une enquête officielle du gouvernement du Népal sur cette ascension.

Mais il fallut se rendre à l'évidence : l'escalade avait bien été faite sans oxygène. Deux ans plus tard, Messner cloua le bec à tous les sceptiques en abordant la montagne par le Tibet et en réalisant une autre ascension sans oxygène, mais cette fois tout seul et sans l'aide de Sherpas ni de quiconque. Il atteignit le sommet le 20 août 1980, à 15 heures, après avoir grimpé dans des chutes de neige, enveloppé par d'épais nuages. «La souffrance était constante, dit-il, jamais de ma vie je ne me suis senti aussi fatigué.» Dans *Les Horizons vaincus*, il décrit la lutte qu'il dut mener pour franchir les derniers mètres avant le sommet :

Quand je me repose, je me sens sans vie, si ce n'est que la gorge me brûle quand je respire... Je peux à peine avancer. Pas de désespoir, pas de bonheur, pas d'angoisse. Je n'ai pas perdu le contrôle de mes sentiments, je n'ai plus de sentiments. Je ne suis plus que volonté. Chaque fois que je franchis quelques mètres, cela se traduit par une fatigue sans fin. Puis je ne pense plus à rien. Je me laisse tomber et je reste immobile. Pendant un temps infini, je reste sans volonté. Puis je fais encore quelques pas.

A son retour, son ascension fut saluée comme le plus grand exploit de tous les temps.

Messner et Habeler ayant démontré que l'on pouvait gravir l'Everest sans oxygène, un groupe d'alpinistes ambitieux décréta qu'il *devait* être escaladé sans oxygène. Donc, si quelqu'un voulait faire partie de l'élite himalayenne, il lui fallait obligatoirement bannir les bouteilles d'oxygène. En 1996, quelque soixante hommes et femmes avaient atteint le sommet dans ces conditions. Cinq d'entre eux n'en revinrent pas vivants.

Aussi grandioses qu'aient été nos ambitions, personne dans le groupe de Hall n'avait jamais envisagé de se passer d'oxygène. Même Mike Groom, qui avait fait une escalade de l'Everest sans oxygène trois ans auparavant, m'expliqua que cette fois il l'utiliserait parce qu'il était là en tant que guide. Il savait par expérience que, sans oxygène, il serait mentalement et physiquement diminué et ne pourrait remplir ses obligations professionnelles. Comme la plupart des guides de l'Everest, il considérait que, bien qu'il soit esthétiquement préférable de grimper sans oxygène lorsqu'on fait l'ascension pour soi-même, ce serait une attitude irresponsable de la part d'un guide.

Le matériel utilisé par Hall était un appareil russe dernier modèle qui consistait en un masque rigide, semblable à celui des pilotes de MiG, relié par un tuyau en caoutchouc et un détendeur à une bouteille en kevlar et acier de couleur orange plus petite et bien plus légère qu'une bouteille de plongée : pleine, elle pesait trois kilos. Bien que nous ayons dormi sans oxygène lors de notre précédent séjour au camp III, maintenant que nous avions commencé notre montée vers le sommet, Rob insista fortement pour que nous respirions de l'oxygène pendant toute la nuit : «A cette altitude et au-dessus, votre cerveau et votre corps se détériorent à chaque minute.» Les cellules cérébrales meurent. Le sang s'épaissit dangereusement jusqu'à prendre la consistance de la vase. Les vaisseaux capillaires de la rétine perdent spontanément du sang. Même au repos, notre cœur bat furieusement. Rob nous donna l'assurance que l'oxygène en bouteille ralentirait cette dégradation et nous aiderait à dormir.

J'essayai de suivre ses conseils, mais ma claustrophobie latente m'en empêcha. Quand j'adaptai le masque sur mon nez et ma bouche, j'eus l'impression qu'il m'étouffait. Après une heure pénible, j'ôtai l'appareil et passai le reste de la nuit le souffle court, à la fois effondré et agité. Toutes les vingt minutes, je regardais ma montre pour savoir s'il était temps de se lever.

A trente mètres au-dessous de notre campement, sur un espace précaire creusé dans le flanc de la montagne, étaient installées les tentes de la plupart des autres groupes. Il y avait là celui de Fischer, les Sud-Africains et les Taïwanais. Le lendemain matin de bonne heure — nous étions le jeudi 9 mai —, alors que je me chaussais pour monter au camp IV, Chen Yu-Nan, un ouvrier sidérurgiste de Taipei âgé de trente-six ans, sortit de sa tente pour accomplir un besoin naturel. Il ne portait que de simples chaussons. En avançant sur la glace, il perdit l'équilibre et tomba le long de la face du Lhotse. Par une chance incroyable, après seulement vingt mètres de chute, il atterrit la tête la première dans une crevasse. Les Sherpas, qui avaient assisté à l'accident, lui firent descendre une corde, le remontèrent rapidement et le ramenèrent à sa tente. Bien que contusionné et encore sous le coup de la frayeur, il ne paraissait pas sérieusement blessé. Sur le moment, personne dans le groupe de Hall

— moi compris — ne se rendit compte de ce qui s'était passé.

Peu après, Makalu Gau, suivi par le reste des Taïwanais, laissa Chen récupérer dans sa tente et se mit en route pour le col sud. Il avait certifié à Rob et à Scott qu'il ne monterait pas vers le sommet le 10 mai, mais il avait apparemment changé d'avis et maintenant il y allait le même jour que nous.

L'après-midi, un Sherpa nommé Jangbu, qui descendait vers le camp II après avoir monté une charge au col sud, s'arrêta au camp III pour s'informer de l'état de Chen. Il le trouva mal en point : il était désorienté et souffrait beaucoup. Considérant qu'il fallait l'évacuer, Jangbu, accompagné par deux autres Sherpas, commença à l'aider à descendre la face du Lhotse. A cent mètres du bas, Chen perdit connaissance. Un instant plus tard une voix retentit dans la radio de David Breashears : c'était Jangbu qui annonçait, pris de panique, que Chen avait cessé de respirer.

Breashears et son camarade Ed Viesturs montèrent en catastrophe pour essayer de le ranimer, mais quand ils arrivèrent, environ quarante minutes plus tard, Chen ne donnait plus signe de vie. Ce soir-là, Breashears appela Gau par radio au col sud. Il lui annonça que Chen était mort.

« OK, répondit Gau, merci pour l'information. » Puis il fit savoir à son groupe que la mort de Chen ne modifierait en rien leurs plans. Ils partiraient vers le sommet à minuit. Breashears était sidéré : « Je venais juste de fermer les yeux de son ami, dit-il avec plus que de l'irritation, j'avais redescendu son corps, et tout ce que Makalu a trouvé à dire, c'est "OK". Je ne sais pas, c'est peut-être un trait culturel. Peut-être considérait-il que le meilleur moyen d'honorer Chen, c'était de continuer vers le sommet ? »

Pendant les six semaines précédentes, plusieurs accidents sérieux étaient survenus : Tenzing était tombé dans une crevasse avant même notre arrivée au camp de base ; Ngawang Topche avait eu un œdème pulmonaire ; Ginge Fullen, un jeune grimpeur anglais de l'expédition de Mal Duff, apparemment en bonne condition, avait eu une attaque cardiaque en haut de la cascade de glace ; Kim Sejberg, un Danois appartenant lui aussi au groupe de Mal Duff, avait été atteint par un sérac sur la cascade de glace et avait eu plusieurs côtes cassées. Mais jusqu'à présent personne n'avait encore succombé.

La mort de Chen jeta une ombre sur la montagne. La rumeur de l'accident se répandit de tente en tente. Mais trente-trois grimpeurs s'apprêtaient à partir vers le sommet dans les heures à venir et les pensées funèbres furent vite refoulées par l'anticipation de ce qui se préparait. Pour la plupart, nous étions trop envahis par la fièvre du sommet pour nous engager dans une réflexion sur la mort de l'un d'entre nous. Nous pensions que nous aurions largement le temps de méditer plus tard. Il fallait d'abord atteindre le sommet. Et en revenir.

12

Camp III. 9 mai 1996. 7315 mètres

Je regardai vers le bas, mais je n'avais pas envie de descendre... Pour parvenir ici, il avait fallu trop d'efforts, trop de nuits sans sommeil, trop de rêves. Nous ne pouvions revenir en arrière et faire un autre essai le week-end suivant. Redescendre maintenant, même si nous l'avions pu, c'était aller vers un avenir marqué par une terrible question : aurions-nous pu faire autrement ?

Thomas F. Hornbein
Everest, l'arête ouest

Ce jeudi matin 9 mai, léthargique et chancelant après ma nuit sans sommeil au camp III, je mis longtemps à m'habiller, à faire fondre la glace et à sortir de ma tente. Pendant que je mettais mon sac sur mon dos et que je fixais mes crampons, les autres membres du groupe de Hall grimpaient déjà vers le camp IV. A ma surprise, je constatai que Lou Kasischke et Frank Fischbeck étaient parmi eux. J'avais cru la veille, en observant leur état lamentable à leur arrivée au camp, qu'ils jetteraient l'éponge. Cela m'impressionna de les voir requinqués et résolus à continuer.

Tandis que je me dépêchais de rejoindre mes camarades, je vis, en regardant vers le bas, une file d'environ cinquante grimpeurs appartenant aux autres expéditions, qui montaient le long des cordes. Les premiers d'entre eux se trouvaient juste en dessous de moi. Ne désirant pas être pris dans ce qui s'annonçait comme un immense embouteillage (qui aurait pour conséquence, entre autres dangers, de m'exposer davantage aux déluges de pierres fréquents sur cette face), j'accélérai mon allure, bien décidé à me placer vers la tête de la file. Mais comme il n'y avait qu'une seule corde sur la face du Lhotse, il n'était guère facile de dépasser les autres.

Chaque fois que je défaisais mon mousqueton pour contourner quelqu'un, je pensais à la roche qui avait atteint Andy. Même un petit projectile suffirait à m'envoyer tout en bas de la paroi s'il me touchait pendant que je n'étais plus relié à la corde. Les sauts de puce pour dépasser les autres ne mettaient pas seulement mes nerfs à vif, ils étaient aussi épuisants. Tel le conducteur d'une petite voiture qui essaie de dépasser d'autres véhicules dans une côte, je devais garder l'accélérateur au plancher, ce qui me faisait haleter si fort que je craignais de vomir dans mon masque.

C'était la première fois de ma vie que je grimpais avec de l'oxygène et il me fallut un moment pour m'y habituer. Bien que cela eût des avantages réels à cette altitude — 7 300 mètres —, on ne les distinguait pas bien sur le moment. Lorsque j'essayai de reprendre mon souffle après avoir dépassé trois grimpeurs, j'eus l'illusion que le masque m'empêchait de respirer ; je l'écartai et découvris alors qu'il était encore plus difficile de respirer sans lui.

Le temps de franchir la falaise de calcaire friable de couleur ocre qu'on nomme la Bande-Jaune, j'étais parvenu en tête de file, ce qui me permettait d'adopter une allure plus tranquille. Tout en montant lentement mais régulièrement, je fis une traversée vers la gauche jusqu'en haut de la face du Lhotse puis j'escaladai un promontoire de schiste noir érodé appelé l'Eperon des Genevois. Finalement, j'avais trouvé le truc pour respirer dans mon équipement à oxygène et je disposais maintenant d'une avance de plus d'une heure sur mes camarades les plus proches. J'étais heureux d'être un peu seul — luxe rare sur l'Everest — dans un décor aussi extraordinaire.

A 7 900 mètres, je fis une pause en haut de l'Eperon pour boire et regarder le paysage. L'air raréfié avait une qualité cristalline et chatoyante qui faisait paraître tout proches les pics lointains. Dans la merveilleuse lumière du soleil à son zénith, la pyramide du sommet de l'Everest brillait derrière le voile intermittent des nuages. En observant par le téléobjectif de mon appareil photo le haut de l'arête sud-est, j'eus la surprise d'apercevoir quatre formes grosses comme des fourmis qui montaient imperceptiblement vers le sommet. J'en déduisis que ce devait être des grimpeurs de l'expédition monténégrine. S'ils réussissaient, ils seraient la première équipe à atteindre le sommet cette année. Cela signifiait que les rumeurs selon lesquelles la neige était trop épaisse pour permettre de monter étaient sans fondement. S'ils parvenaient au sommet, nous aurions peut-être une chance d'y arriver aussi. Mais le panache de neige qui flottait sur l'arête de la cime constituait un mauvais signe; les Monténégrins étaient exposés à des vents furieux.

A 13 heures, j'arrivai à notre base de départ pour le sommet — le col sud. C'est un plateau désolé battu par le vent, formé de rochers et d'une glace indestructible. Il occupe, à 7 925 mètres, une large brèche entre les remparts supérieurs du Lhotse et de l'Everest. De forme à peu près rectangulaire, long comme quatre terrains de football, large comme deux, il surplombe à son extrémité est l'à-pic de 2 000 mètres de la face du Kangshung qui descend vers le Tibet. De l'autre côté, il donne sur les 1 200 mètres de la combe ouest. Placées juste au bord du gouffre, sur le bord occidental du col, les tentes du camp IV occupaient une surface nue entourée de plus de mille bouteilles d'oxygène vides[1]. S'il existe sur terre un lieu encore moins hospitalier que celui-là, j'espère ne jamais le connaître.

Lorsque le courant aérien vient heurter le massif de l'Everest et s'étrangle dans les contours en V du col sud, il atteint une vitesse inimaginable. Il n'est pas rare que le vent soit plus fort sur le col qu'au sommet. Cet ouragan presque continuel qui souffle sur le col sud au début du printemps explique pourquoi il n'y a là que des rochers et de la glace, même quand un épais manteau de neige recouvre les pentes adjacentes. Tout ce qui n'a pas gelé sur place est emporté vers le Tibet.

Quand j'entrai dans le camp IV, six Sherpas se démenaient pour monter les tentes de Hall dans un vent de tempête. Je les aidai à dresser ce qui me servirait d'abri en utilisant quelques bouteilles d'oxygène vides que je coinçai sous les roches les plus lourdes que je pus soulever, puis je me faufilai à l'intérieur pour attendre mes camarades et me réchauffer les mains.

Dans l'après-midi, le temps se dégrada. Le sirdar de Fischer, Lopsang Jangbu, arriva en portant sur son dos

1. Les bouteilles vides se sont accumulées sur le col sud depuis les années 1950, mais grâce au programme de nettoyage lancé par l'expédition Sagarmatha Environmental de Scott Fischer en 1994, il y en a moins aujourd'hui qu'auparavant. Le succès de cette opération doit pour l'essentiel être porté au crédit d'un membre de cette expédition, Brent Bishop, fils du regretté Barry Bishop, l'éminent photographe du *National Geographic* qui atteignit le sommet de l'Everest en 1963. Il mit au point une procédure très efficace grâce à laquelle les Sherpas reçoivent une rétribution pour chaque bouteille qu'ils rapportent du col. Parmi les guides, Rob Hall, Scott Fischer et Todd Burleson adhérèrent avec enthousiasme au projet de Bishop. Entre 1994 et 1996, plus de huit cents bouteilles d'oxygène ont été ainsi enlevées.

une charge de quarante kilos dont les trois quarts étaient constitués par un téléphone satellite et son installation périphérique : à 7 925 mètres d'altitude, Sandy Pittman voulait envoyer ses reportages sur Internet. Le dernier de mes camarades n'arriva qu'à 16 h 30 et, dans le groupe de Fischer, les derniers arrivèrent encore plus tard. A ce moment, la tempête faisait rage. A la nuit tombée, les Monténégrins revinrent au col. Ils avaient dû faire demi-tour en dessous du ressaut Hillary.

Leur défaite et le mauvais temps auguraient mal de notre propre assaut, qui devait être lancé moins de six heures plus tard. Chacun se retira dans son abri de nylon dès son arrivée au col et fit de son mieux pour dormir. Mais, pour la plupart d'entre nous, le bruit de mitraillette que faisait la toile des tentes et l'angoisse que nous ressentions interdisaient tout sommeil.

Stuart Hutchison — le jeune cardiologue canadien — partageait la même tente que moi. Dans une autre, il y avait Rob, Frank, Mike Groom, John Taske et Yasuko Namba. Enfin, Lou, Beck Weathers, Andy Harris et Doug Hansen en occupaient une troisième. Lou et les autres somnolaient déjà lorsqu'une voix inconnue se fit entendre dans la tempête : «Si vous ne me laissez pas entrer, je vais mourir ici!» Lou défit la fermeture éclair de la porte et un homme barbu s'effondra dans ses bras. C'était Bruce Herrod, le responsable en second de l'expédition sud-africaine et le seul de ce groupe qui eût une réelle expérience. «Bruce était vraiment mal en point, se souvient Lou. Il ne pouvait s'empêcher de trembler, il avait l'air dans les vapes, incapable de faire quoi que ce soit tout seul. Il était en état d'hypothermie et pouvait à peine parler. Apparemment, le reste de son groupe se trouvait quelque part sur le col ou en route pour le col, mais il ne savait pas où et n'avait aucune idée de la position de sa propre tente. Nous lui avons donné à boire en essayant de le réchauffer.»

Doug n'allait pas bien non plus. «Il n'avait pas l'air en forme, se souvient Beck. Il se plaignait de n'avoir ni mangé ni dormi depuis deux jours. Mais il était bien décidé à mettre son équipement et à grimper quand le moment serait venu. J'étais préoccupé parce que je le connaissais suffisamment pour comprendre qu'il avait passé toute l'année précédente à se ronger en pensant qu'il avait échoué à moins de cent mètres du sommet. Cela l'avait travaillé chaque jour. Il était clair qu'il n'allait pas accepter un nouvel échec. Il grimperait vers le sommet tant qu'il lui resterait un souffle.»

Cette nuit-là, entassées dans des abris dressés côte à côte, il y avait peut-être plus de cinquante personnes sur le campement, et cependant un étrange sentiment d'isolement flottait dans l'air. Le hurlement du vent empêchait de se parler d'une tente à l'autre. Dans cet endroit perdu, je me sentais séparé — affectivement, spirituellement, physiquement — des autres grimpeurs à un point que je n'avais jamais connu lors de mes expéditions antérieures. Nous n'étions une équipe que de nom, pensais-je avec tristesse. Dans quelques heures, nous quitterions le camp en groupe, mais en réalité nous grimperions isolément en n'étant reliés aux autres ni par une corde ni par un sentiment de loyauté. Chacun montait pour soi. Et il en allait de même pour moi. Ainsi, j'espérais sincèrement que Doug atteindrait le sommet, mais, s'il faisait demi-tour, je continuerais seul, de toutes mes forces.

Dans un autre contexte, il aurait été déprimant de prendre conscience de cela, mais j'étais trop préoccupé par l'état du temps pour m'y attarder. Si le vent ne faiblissait pas, et vite, il serait hors de question d'atteindre la cime. La semaine précédente, les Sherpas de Hall avaient stocké cinquante-cinq bouteilles d'oxygène. Cela paraissait beaucoup, mais en fait cette quantité ne permettait qu'une seule tentative pour trois guides, huit clients et quatre Sherpas. Et le compteur tournait. Même allongés dans nos tentes, nous consommions ce gaz précieux. En cas de nécessité, nous pourrions fermer notre oxygène et rester tranquillement au camp pendant peut-être vingt-quatre heures, mais, ensuite, il faudrait soit monter soit descendre.

Or, *mirabile visu*, à 19 h 30, la tempête cessa tout d'un coup. Herrod se glissa hors de la tente de Lou et partit en titubant à la recherche de ses camarades. La température était très basse, mais il n'y avait presque pas de vent. C'étaient d'excellentes conditions pour une escalade du sommet. Hall était doué d'une étrange intuition ; il avait parfaitement minuté notre tentative. « Jonno ! Stuart ! cria-t-il depuis sa tente toute proche, on y va, les gars, soyez prêts pour la danse à 23 h 30 ! »

Tout en buvant notre thé et en préparant notre équipement, nous ne disions mot. Chacun d'entre nous avait beaucoup souffert pour connaître ce moment-là. Comme Doug, j'avais peu mangé et pas du tout dormi depuis que, deux jours plus tôt, nous avions quitté le camp II. A chaque quinte de toux, je ressentais une douleur si forte dans le thorax qu'il me semblait qu'on m'enfonçait un couteau dans la poitrine. J'en avais les larmes aux yeux. Mais je savais que si je voulais aller au sommet, je n'avais qu'un seul choix : oublier la douleur et grimper.

Vingt-cinq minutes avant minuit, je fixai mon masque à oxygène, allumai ma lampe frontale et me mis à monter dans l'obscurité. Nous étions quinze dans le groupe de Hall en comptant les Sherpas Ang Dorje, Lhakpa Chhiri, Ngawang Norbu et Kami. Hall demanda à deux autres Sherpas, Arita et Chuldum, de rester dans les tentes, prêts à porter secours en cas de problème.

L'équipe de Mountain Madness quitta le col sud une demi-heure après nous. Elle comprenait les guides Fischer, Beidleman et Boukreev, six Sherpas et les clients Charlotte Fox, Tim Madsen, Klev Schoening, Sandy

Pittman, Lene Gammelgaard et Martin Adams[1]. Lopsang aurait voulu que deux Sherpas restent au col en renfort mais, comme il me le dit : «Scott a ouvert son cœur et a dit à mes Sherpas : "Vous pouvez tous aller au sommet[2]."» Finalement, à l'insu de Fischer, Lopsang ordonna à son cousin «Big» Pemba de rester : «Pemba en colère contre moi, mais je lui dis : "Tu dois rester, sinon je ne te donnerai plus de travail", alors il est resté au camp IV.»

Makalu Gau quitta le camp juste derrière le groupe de Fischer, accompagné par deux Sherpas. Ce faisant, il avait le culot de rompre son engagement de ne pas faire sa tentative le même jour que nous. Les Sud-Africains avaient également eu l'intention d'aller au sommet mais leur montée du camp III au col avait été si éprouvante qu'ils ne pouvaient même pas sortir de leur tente.

En tout, trente-trois grimpeurs se mirent en route pour le sommet cette nuit-là. Bien que nous appartenions à trois expéditions différentes, nos destins commençaient déjà à se mêler — et, mètre après mètre, cette tendance s'affirmerait de plus en plus au cours de notre ascension.

La nuit avait une beauté froide et fantomatique qui s'intensifiait à mesure que nous montions. Je n'avais jamais vu autant d'étoiles dans le ciel. Une lune gibbeuse s'élevait sur l'épaule du Makalu en jetant une lumière

---

1. Il manquait Dale Kruse, qui était resté au camp de base à cause de son œdème cérébral, et Pete Schoening. Agé de soixante-huit ans, il n'avait pas dépassé le camp III. Un électrocardiogramme effectué par Hutchison, Taske et Mackenzie avait révélé une anomalie potentiellement dangereuse de son rythme cardiaque.

2. Sur l'Everest, en 1996, les Sherpas d'altitude recherchaient presque tous une occasion d'aller au sommet. Leurs motivations n'étaient pas moins variées que celles des grimpeurs occidentaux, mais elles reposaient toutes, au moins en partie, sur la sécurité de l'emploi. Comme me l'a expliqué Lopsang : «Quand un Sherpa a escaladé l'Everest, il est facile pour lui de trouver du travail. Tout le monde veut engager ce Sherpa.»

pâle sur la pente que je gravissais, au point de rendre inutile ma lampe frontale. Au loin, vers le sud-est, le long de la frontière du Népal et de l'Inde, d'énormes cumulonimbus passaient au-dessus des marais du Terai en illuminant le ciel de déflagrations orange et bleues.

Moins de trois heures après notre départ du camp, Frank estima que cela suffisait. Il sortit du rang, fit demi-tour et redescendit vers les tentes. Sa quatrième tentative s'achevait. Peu de temps après, Doug se mit à l'écart également. «A ce moment-là, se souvient Lou, il se trouvait un peu en avant de moi. Soudain, il se mit sur le côté et resta immobile. Lorsque je passai près de lui, il me dit qu'il avait froid, qu'il ne se sentait pas bien et qu'il redescendait.» Puis Rob, qui fermait la marche, arriva à sa hauteur. Une brève conversation s'ensuivit, que personne n'entendit. Aussi n'y a-t-il aucun moyen de savoir ce qu'ils se sont dit. Mais le résultat fut que Doug se remit dans la file et continua l'ascension.

La veille de notre départ du camp de base, Rob nous avait fait asseoir dans la tente-mess et nous avait fait un petit discours sur l'importance de lui obéir le jour où nous irions au sommet : «Je ne tolérerai aucune discussion là-haut, nous prévint-il en me regardant fixement. Mes paroles seront des ordres sans appel. Si l'une de mes décisions ne vous plaît pas, je serai ravi d'en parler avec vous plus tard, mais pas en cours d'ascension.»

La cause la plus évidente d'un conflit possible, c'était que Rob décide de faire demi-tour avant d'arriver au sommet. Mais un autre point le préoccupait particulièrement. Pendant nos dernières sorties d'acclimatation, il nous avait laissés un peu plus libres de suivre notre allure naturelle. Il m'avait parfois permis de prendre une avance de deux heures ou plus sur le groupe. Mais il insistait pour que, le jour où nous irions au sommet, tout le monde reste groupé dans la première moitié du trajet. «Jusqu'à ce que nous ayons atteint la crête de l'arête sud-est, déclara-t-il en se référant au Balcon (un promontoire situé à 8 412 mètres), je veux que chacun reste à moins de cent mètres des autres. C'est très important. Nous grimperons dans l'obscurité et il faut que les guides puissent vous rejoindre facilement.»

C'est ainsi que ceux qui, dans les heures qui précédaient l'aube du 10 mai, montaient en tête du groupe durent attendre à plusieurs reprises dans un froid à claquer des dents que les plus lents les rejoignent. Une fois, Mike Groom, le sirdar Ang Dorje et moi-même dûmes patienter pendant quarante-cinq minutes sur une vire couverte de neige en tremblant et en battant des mains et des pieds pour éviter les gelures. Mais il était encore plus pénible de perdre son temps que d'avoir froid.

A 3 h 45, Mike me prévint que nous avions trop d'avance et qu'il fallait à nouveau nous arrêter et attendre. Tout en m'appuyant sur un affleurement schisteux pour tenter de me protéger de la bise glaciale qui s'était mise à souffler, je dirigeai mon regard vers le bas en tentant d'identifier ceux qui montaient dans la lumière de la lune. Lorsqu'ils furent plus près, je pus constater que quelques membres du groupe de Fischer avaient rattrapé le nôtre. Le groupe de Hall, celui de Mountain Madness et les Taïwanais se mêlaient maintenant en une longue file morcelée. Puis mon regard fut attiré par un spectacle insolite.

Vingt mètres plus bas, une haute silhouette vêtue de jaune était hissée par un Sherpa beaucoup plus petit au moyen d'une corde d'un mètre. Le Sherpa, sans masque à oxygène, halait son partenaire en soufflant bruyamment comme un cheval tirant une charrue. Ce couple étrange dépassait les autres et avançait à bonne allure, mais la disposition était dangereuse et très inconfortable pour les deux personnes. Il s'agissait d'une technique employée pour porter secours à un grimpeur blessé ou épuisé. Bientôt, je reconnus le sirdar de Fischer, le Sherpa Lopsang Jangbu. Le grimpeur en jaune n'était autre que Sandy Pittman.

Neal Beidleman, qui vit aussi Lopsang tirer Pittman, se souvient : «Je venais de plus bas, Lopsang s'inclinait sur la pente en s'accrochant à la roche comme une araignée. Il tirait Sandy au moyen d'une courte attache. Cela me semblait difficile et très dangereux. Je ne savais pas très bien comment réagir.»

Vers 4 h 15, Mike nous donna le signal pour reprendre notre ascension. Ang Dorje et moi-même nous mîmes à grimper aussi vite que possible afin de nous réchauffer. Quand les premières lueurs du jour éclaircirent l'horizon vers l'est, le sol rocheux fit place à une large veine de neige instable. Ouvrant la voie à tour de rôle dans cette neige où l'on s'enfonçait jusqu'aux mollets, nous atteignîmes la crête de l'arête sud-est à 5 h 30, au moment même où le soleil se levait. Dans l'aube couleur pastel se dressaient trois des cinq plus hautes montagnes du monde. Mon altimètre indiquait 8 413 mètres.

Hall avait bien précisé que je ne devais pas continuer tant que le groupe dans son entier ne se serait pas rassemblé sur ce perchoir en forme de balcon. C'est pourquoi je m'assis sur mon sac pour attendre les autres. Quand Rob et Beck arrivèrent finalement à la suite de toute la troupe, cela faisait plus de quatre-vingt-dix minutes que je patientais. Pendant mon attente, le groupe de Fischer et les Taïwanais m'avaient dépassé. Je me sentais frustré de gaspiller tant de temps et furieux de passer après tout le monde. Mais je comprenais les raisons de Hall et maîtrisais ma colère.

Au cours de mes trente-quatre années d'escalade, je m'étais aperçu que le côté le plus gratifiant de l'alpinisme tenait à ce qu'il fallait avant tout compter sur soi-même, prendre seul les décisions difficiles et en assumer les conséquences en fonction de sa seule responsabilité. Je constatais maintenant que, quand on s'inscrit comme

185

client, il faut renoncer à tout cela. Pour des raisons de sécurité, un guide insistera toujours sur la nécessité de respecter les consignes. Il ne peut pas se permettre de laisser chaque client prendre seul les décisions importantes.

C'est ainsi que tout au long de l'expédition notre passivité avait été encouragée. Les Sherpas traçaient les voies, montaient les tentes, faisaient la cuisine et transportaient les charges. Cela nous permettait d'économiser nos forces et augmentait nos chances d'atteindre le sommet mais, pour ma part, je trouvais cette assistance très peu gratifiante. J'avais parfois l'impression de ne pas vraiment escalader cette montagne ; il me semblait que des subordonnés le faisaient à ma place. Bien que j'aie accepté ce principe afin d'aller sur l'Everest avec Hall, je ne m'y suis jamais habitué. C'est ce qui fait que je me sentis fort heureux quand, à 7 h 10, Rob arriva sur le Balcon et m'autorisa à poursuivre mon ascension.

L'un des premiers que je dépassai quand je me remis en route fut Lopsang. Il était à genoux dans la neige, penché sur un tas de vomi. D'habitude, c'était toujours lui le plus fort, et il n'utilisait pas d'oxygène. Après l'expédition, il me dit avec fierté : «Quelle que soit la montagne, je monte en tête, j'installe les cordes. En 1995, avec Rob Hall, je suis allé en premier du camp de base au sommet, j'ai installé toutes les cordes.» Ce matin du 10 mai, sa position en queue du groupe de Fischer indiquait que quelque chose n'allait pas.

L'après-midi précédent, il s'était épuisé à porter le téléphone satellite de Pittman, en plus de sa charge, du camp III au camp IV. Quand Beidleman avait vu Lopsang prendre ce fardeau écrasant au camp III, il avait dit au Sherpa qu'il n'était pas nécessaire d'emporter le téléphone au col sud, et il lui avait suggéré de le laisser. «Je ne voulais pas porter le téléphone», admit plus tard Lopsang. La raison en était que l'appareil n'avait pas bien

186

fonctionné au camp III et fonctionnerait sans doute encore moins dans l'environnement plus froid et plus exposé aux intempéries du camp IV[1]. «Mais, expliqua Lopsang, Scott me dit : "Si tu ne le portes pas, je le porterai", alors j'ai pris le téléphone, attaché sur mon sac, et je l'ai emporté au camp IV... Ça m'a beaucoup fatigué.»

Ensuite, Lopsang avait remorqué Pittman pendant cinq ou six heures au-dessus du col sud, ce qui augmenta encore sa fatigue et l'empêcha de remplir son véritable rôle : ouvrir la voie. Comme son absence inattendue en tête de file eut une influence sur ce qui se passa ce jour-là, sa décision de tirer Pittman provoqua après coup des interrogations et des critiques. Beidleman me dit : «Je n'ai pas la moindre idée de ce qui a amené Lopsang à tirer Pittman. Il a perdu de vue ce qu'il était supposé faire, ce qu'étaient ses priorités.»

Pour sa part, Pittman ne souhaitait pas être tirée. Lorsqu'elle sortit du camp IV en tête du groupe de Fischer, Lopsang la mit sur le côté, attacha un bout de corde à son baudrier puis, sans lui demander son avis, fixa l'autre extrémité à son propre harnais et se mit à tirer. Elle affirme que Lopsang l'a hissée contre son gré. Ce qui soulève une question : en bonne New-Yorkaise notoirement autoritaire (au camp de base, certains Néo-Zélandais l'avaient surnommée «Sandy Pitbull»), pourquoi n'avait-elle pas détaché la corde qui la reliait à Lopsang, ce qui était aussi simple à faire que d'ouvrir un mousqueton?

Pittman expliqua qu'elle ne l'avait pas fait par respect pour l'autorité du Sherpa : «Je ne voulais pas froisser Lopsang.» Elle indiqua aussi que, bien qu'elle n'eût pas regardé sa montre, dans son souvenir, elle n'avait été tirée que pendant «une heure, une heure et demie[2]», et réfu-

---

1. Au camp IV, il fut de fait impossible de le faire fonctionner.
2. Six mois après notre retour de l'Everest, j'ai eu une conversation téléphonique de soixante-dix minutes avec Pittman. Elle m'a demandé de ne pas faire état dans ce livre du contenu de notre entretien, à l'exception de ce qui permettrait de clarifier certains aspects de cet incident. Je me suis conformé à sa requête.

tait les six heures constatées par plusieurs grimpeurs et confirmées par Lopsang.

Pour sa part, quand on lui a demandé pourquoi il avait tiré Pittman, sur laquelle il avait à de multiples reprises exprimé des opinions défavorables, Lopsang donna des explications divergentes. Il déclara à l'avocat Peter Goldman, de Seattle — qui avait escaladé le Broad Peak avec Scott et Lopsang en 1995 et était l'un des plus proches amis de Fischer —, que dans l'obscurité il avait confondu Pittman avec la cliente danoise Lene Gammelgaard et qu'il avait cessé de la tirer dès qu'il avait reconnu son erreur au lever du soleil. Mais, dans un long entretien enregistré avec moi, Lopsang indiqua de façon plutôt convaincante qu'il savait parfaitement qu'il tirait Pittman et qu'il avait décidé de le faire «parce que Scott veut que tout le monde monte au sommet et je pense que Sandy est la plus faible du groupe et qu'elle va aller lentement».

Lopsang, jeune homme perspicace, était entièrement dévoué à Fischer. Le Sherpa comprenait à quel point il était important pour son ami et employeur que Pittman aille au sommet. De fait, lors d'une des dernières communications au camp de base avec Jane Bromet, Fischer lui dit : « Si j'emmène Sandy au sommet, je suis sûr qu'elle passera à la télévision. Crois-tu qu'elle va m'associer à sa notoriété et au battage qui se fera autour d'elle ? »

Comme l'explique Peter Goldman : «Lopsang était entièrement dévoué à Scott. Pour moi, il est impensable qu'il ait pu tirer quelqu'un à moins d'être sûr que Scott le souhaitait. »

Quelles que fussent ses motivations, la décision de Lopsang ne sembla pas une faute grave sur le moment. Au final, il apparut que ce fut l'une de ces petites choses qui contribuent lentement, régulièrement, à la formation d'une situation périlleuse.

13

Arête sud-est. 10 mai 1996.
8 413 mètres

Qu'il me suffise de dire que [l'Everest] a les arêtes les plus escarpées et les précipices les plus effroyables qu'il m'ait été donné de voir. Ce que l'on dit sur ses pentes douces et neigeuses est un mythe...
Mais, ma chérie, c'est aussi une entreprise passionnante. Je ne peux te dire combien j'en suis possédé et quelle perspective elle me donne. Et puis, il y a la beauté de tout cela!

George Leigh Mallory
Extrait d'une lettre à sa femme,
28 juin 1921

Au-dessus du col sud, quand on entre dans la «zone de la mort», la marche pour la survie devient une course contre la montre. En quittant le camp IV, le 10 mai, chaque client emportait deux bouteilles d'oxygène de trois kilos; il en prendrait une troisième au sommet sud, dans une cache aménagée par les Sherpas. Avec un débit moyen de deux litres par minute, chaque bouteille devait durer de cinq à six heures. Entre 16 et 17 heures, plus personne n'aurait d'oxygène. Selon le degré d'acclimatation et la physiologie de chacun, nous pourrions survivre au-dessus du col sud, mais mal et pas longtemps. Nous deviendrions beaucoup plus vulnérables aux œdèmes, à l'hypothermie, aux gelures et aussi aux erreurs de jugement. Le risque de mourir monterait en flèche.

Hall, qui avait déjà réalisé quatre ascensions de l'Everest, comprenait mieux que personne la nécessité de monter et de redescendre rapidement. Sachant très bien que certains de ses clients ne possédaient même pas les connaissances de base en matière d'escalade, il comptait sur les cordes fixes pour assurer la sécurité de son groupe et celui de Fischer, et leur permettre de franchir les passages les plus difficiles. Aussi s'inquiétait-il de ce qu'aucune expédition n'avait encore été au sommet cette année. Cela signifiait que, sur la plus grande partie du trajet, les cordes n'avaient pas été posées.

Le grimpeur suédois Göran Kropp était bien monté en solo jusqu'à cent mètres du sommet, mais il ne s'était pas soucié de placer des cordes. Les Monténégrins, qui étaient montés encore plus haut, avaient installé quelques cordes mais, dans leur inexpérience, ils avaient utilisé toutes celles dont ils disposaient dans les quatre cents premiers mètres au-dessus du col, sur une pente relativement facile où elles n'étaient pas indispensables. C'est ainsi que, le matin de notre montée vers le sommet, les seules cordes tendues sur les dentelures abruptes de la partie supérieure de l'arête sud-est n'étaient que les restes effilochés de quelques expéditions des années passées. Ces vieilles cordes émergeaient sporadiquement de la glace.

C'est pourquoi, lors d'une réunion au camp de base entre les guides de Hall et ceux de Fischer, il avait été convenu que deux Sherpas de chaque groupe — parmi lesquels figureraient les deux sirdars d'escalade Ang Dorje et Lopsang — partiraient du camp IV quatre-vingt-dix minutes avant les groupes. Cela leur laisserait le temps d'installer des cordes aux endroits les plus exposés du

parcours avant que les clients arrivent. «Rob a dit clairement à quel point il était important de procéder ainsi, se
souvient Beidleman. Il voulait à tout prix éviter un
embouteillage qui nous ferait perdre du temps.»

Mais, pour une raison inconnue, aucun Sherpa ne
quitta le camp IV avant les groupes. Peut-être la violente
tempête qui souffla jusqu'à 19 h 30 les empêcha-t-elle de
se préparer à temps ? Après l'expédition, Lopsang précisa
que Hall et Fischer avaient simplement annulé leur plan.
Ils avaient reçu une fausse information selon laquelle les
Monténégrins avaient installé des cordes jusqu'au sommet sud.

Cependant, si cette information est exacte, ni Beidleman, ni Groom, ni Boukreev — les trois guides qui ont
survécu — ne furent informés du changement de plan. Et
si le plan initial avait été intentionnellement abandonné,
il n'y avait aucune raison pour que Lopsang et Ang Dorje
emportent chacun cent mètres de corde, comme ils le
firent en quittant le camp IV à la tête de leurs groupes
respectifs.

Quoi qu'il en soit, au-dessus de 8 352 mètres, aucune
corde n'avait été posée à l'avance. Lorsque Ang Dorje et
moi arrivâmes au Balcon, à 5 h 30, nous avions plus d'une
heure d'avance sur le reste du groupe de Hall. Nous
aurions pu facilement installer les cordes. Mais Hall
m'avait catégoriquement interdit d'aller plus haut et Lopsang se trouvait encore trop loin, occupé à tirer Pittman.
Si bien que personne ne pouvait accompagner Ang Dorje.

Ce dernier était calme par nature, mais d'humeur
changeante. Alors que nous regardions ensemble le lever
du soleil, il paraissait particulièrement sombre. Mes tentatives d'engager la conversation tournant court, je sup-
posai que sa mauvaise humeur était due à l'abcès den-
taire qui le faisait souffrir depuis deux semaines. Ou bien
il ruminait peut-être la vision troublante qu'il avait eue
quatre jours auparavant : lors du dernier soir au camp de

base, quelques Sherpas et lui-même avaient célébré leur départ vers le sommet en buvant une grande quantité de *chang* — une bière douce et épaisse brassée à partir de riz et de millet. Le lendemain, il paraissait très agité et avait une forte gueule de bois. Avant de monter dans la cascade de glace, il confia à un ami qu'il avait vu des fantômes pendant la nuit. En homme très croyant, il ne prenait pas les mauvais présages à la légère.

Néanmoins, il était fort possible qu'il éprouvât simplement de la colère à l'égard de Lopsang, qu'il considérait comme un hâbleur. En 1995, les deux Sherpas avaient travaillé pour Hall et ne s'étaient pas appréciés.

Cette année-là, le jour du sommet, Hall et son groupe étaient arrivés tard au sommet sud, vers 13 h 30, et ils avaient trouvé une neige profonde et instable sur le parcours final vers la cime. Hall avait envoyé en avant un guide néo-zélandais nommé Guy Cotter, accompagné par Lopsang — plutôt qu'Ang Dorje —, pour déterminer si le passage était possible. Ang Dorje, qui était le sirdar, avait pris cela comme une insulte. Un peu plus tard, alors que Lopsang était parvenu au ressaut Hillary, Hall avait décidé d'annuler la montée vers le sommet et il avait envoyé un signal à Cotter et Lopsang pour qu'ils fassent demi-tour, mais Lopsang avait ignoré cet ordre. Il s'était détaché de Cotter et avait continué seul jusqu'au sommet. Cette insubordination avait irrité Hall, et Ang Dorje avait partagé le mécontentement de son employeur.

En cette année 1996, même s'ils appartenaient à des groupes différents, on avait demandé à Ang Dorje de travailler avec Lopsang le jour du sommet et, à nouveau, ce dernier se mettait à agir de manière égocentrique. Pendant six semaines, Ang Dorje avait fait plus que sa part de travail. Maintenant, il semblait en avoir assez. Il restait assis dans la neige à côté de moi, l'air renfrogné, attendant l'arrivée de Lopsang. Aussi les cordes ne furent-elles pas installées.

En conséquence de cela, je me trouvai pris dans un premier embouteillage à 8 535 mètres, quatre-vingt-dix minutes après avoir dépassé le Balcon, à un endroit où les groupes, qui s'étaient mélangés, rencontrèrent une série d'importants ressauts rocheux qui nécessitaient une corde pour être franchis sans risque. Pendant presque une heure, les clients s'agglutinèrent pleins d'impatience au pied des rochers pendant que Beidleman — en remplacement de Lopsang — installait laborieusement les cordes.

A cet endroit, l'impatience et l'inexpérience de Yasuko Namba faillirent provoquer une catastrophe. Yasuko, qui était cadre à la Federal Express de Tokyo, ne correspondait pas au stéréotype de la Japonaise docile et déférente. Elle m'avait dit en riant que, chez elle, c'était son mari qui faisait le ménage et la cuisine. Son expédition sur l'Everest était devenue une sorte de «cause célèbre» au Japon. Jusque-là, elle s'était révélée une alpiniste lente et peu sûre mais, le sommet étant en vue, elle manifestait une énergie toute nouvelle. «A partir du moment où nous sommes arrivés au col sud, rapporte John Taske qui a partagé sa tente au camp IV, Yasuko n'a plus pensé qu'au sommet. Elle semblait dans une sorte de transe.»

Depuis qu'elle avait quitté le col, elle n'avait cessé de déployer de grands efforts pour se placer en tête. Et maintenant, tandis que Beidleman s'agrippait avec peine au roc, à trente mètres au-dessus des clients, Yasuko, trop pressée, adapta son jumar sur la corde sans attendre que le guide ait fixé l'autre extrémité. Elle était sur le point de peser de tout son poids sur la corde — ce qui aurait provoqué la chute de Beidleman — quand Mike Groom intervint en lui reprochant gentiment son impatience.

Chaque grimpeur qui arrivait augmentait l'encombrement et la file d'attente ne faisait que s'allonger. Vers la fin de la matinée, trois clients de Hall — Stuart Hutchison, John Taske et Lou Kasischke, qui montaient vers

193

l'arrière avec Hall — s'inquiétèrent du retard qu'ils prenaient. Devant eux, les Taïwanais avançaient très lentement. «Ils grimpaient d'une manière spéciale, très groupés, dit Hutchison, l'un derrière l'autre, ce qui veut dire qu'il était presque impossible de les dépasser. Nous avons perdu beaucoup de temps à attendre qu'ils grimpent en haut des cordes.»

Au camp de base, Hall avait envisagé deux heures limites pour le retour — soit 13 heures, soit 14 heures —, mais il ne précisa jamais laquelle de ces deux heures devait être respectée, ce qui est curieux si l'on se souvient de l'importance qu'il accordait à l'heure limite et à son respect quoi qu'il arrive. Nous restions sur l'idée, vaguement exprimée, qu'il prendrait sa décision le jour du sommet en fonction de la météo et d'autres facteurs. Il aurait alors la responsabilité de faire faire demi-tour à tout le monde à l'heure dite.

Le 10 mai, au milieu de la matinée, Hall n'avait toujours pas annoncé à quelle heure exactement il faudrait revenir. Strict par nature, Hutchison supposait que ce serait 13 heures. Vers 11 heures, Hall dit à Hutchison et à Taske que le sommet se trouvait encore à trois heures de marche, puis il partit en avant pour essayer de dépasser les Taïwanais. «Il nous a paru improbable que nous ayons la moindre chance d'arriver au sommet avant 13 heures», dit Hutchison. Il s'ensuivit une brève discussion. Kasischke se montra d'abord réticent à admettre sa défaite, mais Taske et Hutchison parvinrent à le convaincre. A 11 h 30, les trois hommes tournèrent le dos au sommet et se mirent à redescendre. Hall envoya les Sherpas Kami et Lhakpa Chhiri pour les accompagner.

Ce choix avait dû être très difficile pour les trois clients, tout comme pour Frank Fischbeck, qui avait fait demi-tour plusieurs heures auparavant. L'alpinisme incite à ne pas dévier de son but. A ce stade avancé de l'expédition, nous avions tous été soumis à un niveau de souffrance et

194

de danger qui aurait depuis longtemps conduit des individus plus raisonnables à rentrer chez eux. Pour être parvenu jusqu'ici, il fallait une obstination peu commune.

Malheureusement, les individus qui ne tiennent pas compte de leur faiblesse et continuent vers le sommet sont les mêmes que ceux qui négligent les signes d'un danger grave et imminent. Cela constitue le cœur d'un dilemme que chaque alpiniste finit par rencontrer sur l'Everest : pour réussir, il faut être excessivement déterminé ; mais si on l'est trop, on risque d'y laisser sa peau. De plus, au-dessus de 8 000 mètres, la limite entre un effort adéquat et la fièvre du sommet devient dangereusement ténue. C'est ce qui explique que les pentes de l'Everest soient parsemées de cadavres.

Taske, Hutchison, Kasischke et Fischbeck avaient dépensé 70 000 dollars chacun et enduré des semaines d'épreuves pour parvenir à cette unique tentative d'atteindre le sommet. Tous étaient des hommes ambitieux et ils n'avaient pas l'habitude de perdre, encore moins celle d'abandonner. Et pourtant, ce jour-là, confrontés à un choix difficile, ils furent de ceux qui prirent la bonne décision, et ils n'ont pas été nombreux à le faire.

Au-dessus du ressaut rocheux où John, Stuart et Lou avaient fait demi-tour, il n'y avait plus de cordes fixes. A partir de cet endroit, la voie devenait plus raide et suivait une arête gracieuse, constituée de neige entassée par le vent, qui aboutissait au sommet sud. C'est là que j'arrivai à 11 heures pour trouver un second embouteillage, encore pire que le premier. Un peu plus haut, s'élevaient l'entaille verticale du ressaut Hillary, à la distance d'un jet de pierre, semblait-il, et, un peu plus loin, le sommet lui-même. La fatigue et l'émotion m'avaient rendu muet. Je pris quelques photos puis je m'assis auprès des guides Andy Harris, Neal Beidleman et Anatoli Boukreev, en attendant que les Sherpas aient installé les cordes le long de la spectaculaire arête en corniche qui précédait le sommet.

Je remarquai que Boukreev, tout comme Lopsang, n'utilisait pas d'oxygène. Bien que le Russe ait déjà par deux fois atteint le sommet sans oxygène et Lopsang trois fois, j'étais surpris que Fischer les ait autorisés à s'en passer car ce n'était pas dans l'intérêt des clients. J'étais également étonné que Boukreev n'ait pas de sac à dos. Généralement, un guide transporte une corde, un nécessaire de secours, des instruments de sauvetage, en cas de chute dans une crevasse, des vêtements supplémentaires et d'autres choses dont peut avoir besoin un client en difficulté. Sur quelque montagne que ce soit, je n'avais jamais vu un guide négliger cette convention. Boukreev était le premier.

Il apparut ensuite qu'il avait quitté le camp IV avec un sac et une bouteille. Il me confia que, bien qu'il ait eu l'intention de ne pas utiliser d'oxygène, il voulait avoir une bouteille à portée de main dans l'éventualité d'une «baisse de régime». Arrivé au Balcon, il s'était débarrassé de son sac et avait confié son masque, son détendeur et sa bouteille à Beidleman pour qu'il les porte à sa place. Il voulait apparemment s'alléger au maximum.

L'arête était balayée par un vent de vingt nœuds qui projetait un panache de neige sur la face du Kangshung, mais au-dessus de nos têtes le ciel était d'un bleu éblouissant. A 8 748 mètres d'altitude, allongé au soleil dans mes vêtements épais, je regardais le toit du monde dans une sorte de stupeur, ayant perdu toute notion du temps. Aucun d'entre nous ne remarqua qu'Ang Dorje et Ngawang Norbu — un autre Sherpa de Hall — étaient assis auprès de nous et se partageaient un thermos de thé sans avoir l'air pressés de monter plus haut.

Finalement, vers 11 h 40, Beidleman demanda : «Hé, Ang Dorje, tu comptes installer les cordes?» La réponse

196

fut sans équivoque : «Non!» Peut-être parce qu'aucun Sherpa de Fischer n'était là pour partager le travail.

Rendu inquiet par la foule qui s'entassait au sommet sud, Beidleman fit lever Harris et Boukreev et proposa qu'ils installent les cordes tous les trois. En entendant cela, je me proposai aussitôt pour les aider. Beidleman sortit de son sac une corde de cinquante mètres, je pris celle d'Ang Dorje et, avec Boukreev et Harris, nous commençâmes à midi l'installation des cordes sur l'arête du sommet. Nous avions perdu une heure.

Malgré l'oxygène, on ne se sent pas au sommet de l'Everest comme au niveau de la mer. En grimpant au-dessus du sommet sud avec un détendeur réglé à un peu moins de deux litres par minute, il me fallait m'arrêter et prendre trois ou quatre inspirations profondes après chaque pas. Je progressais laborieusement, mais je ne pouvais aller plus vite. Le système que nous utilisions fournissait un mélange d'oxygène et d'air ambiant qui, à 8 800 mètres, nous plaçait dans les conditions où nous aurions été à 7 900 mètres sans oxygène. Mais l'oxygène comportait d'autres avantages qui n'étaient pas aisément quantifiables.

Je montais le long d'une arête en forme de lame vers le sommet en inspirant l'oxygène dans mes poumons délabrés et j'éprouvais une étrange, une insolite sensation de calme. Au-delà du masque en caoutchouc, je percevais le monde avec une étonnante vivacité et pourtant il ne me semblait pas tout à fait réel. C'était comme si un film se déroulait devant moi. J'avais l'impression d'être sous l'effet d'une drogue qui m'isolait complètement des stimuli extérieurs. Je devais me rappeler sans cesse qu'il y avait deux mille mètres de vide de chaque côté, que tout se jouait ici, que le moindre faux pas me coûterait la vie.

Une demi-heure après être parti du sommet sud, j'arrivai au pied du ressaut Hillary. Cet endroit — l'un des plus fameux pour les alpinistes — est une paroi de roc et de glace presque verticale, haute de douze mètres. Elle était impressionnante, mais — à l'instar de tout bon grimpeur — j'aurais terriblement aimé la franchir en tête de cordée. Néanmoins, il était évident que Boukreev, Beidleman et Harris avaient le même désir et c'était une illusion de penser qu'ils pourraient laisser un client prendre la tête sur un passage tellement convoité.

Finalement, ce fut Boukreev — le seul d'entre nous à avoir déjà fait l'ascension de l'Everest — qui réclama cet honneur. Beidleman lui donna la corde et il réalisa un magnifique travail de premier de cordée. Mais cela prenait du temps et, pendant qu'il montait avec difficulté vers le haut du ressaut, je consultais nerveusement ma montre en me demandant si j'aurais assez d'oxygène. Ma première bouteille s'était vidée à 7 heures, sur le Balcon, après avoir duré environ sept heures. J'en avais déduit que ma deuxième bouteille durerait jusqu'à 14 heures, ce qui, avais-je stupidement pensé, me laisserait largement le temps d'atteindre le sommet et de revenir au sommet sud, où se trouvait ma troisième bouteille. Mais maintenant, il était déjà plus de 13 heures et je commençais à m'inquiéter sérieusement.

Arrivé en haut du ressaut, je fis part de mes craintes à Beidleman en lui demandant s'il voulait bien me laisser aller directement au sommet au lieu de l'aider à installer la dernière corde sur l'arête. «Vas-y, eut-il la gentillesse de répondre, je m'occuperai de la corde.»

En progressant lourdement vers le sommet, j'avais la sensation d'être sous l'eau et que la vie se déroulait au ralenti. Et puis je m'aperçus que j'étais arrivé au sommet — une étroite parcelle de glace souillée par des bouteilles d'oxygène vides et des perches en aluminium. On ne pouvait aller plus haut. Des fanions bouddhistes claquaient furieusement dans le vent. Bien plus bas, sur le versant de la montagne que je n'avais encore jamais vu, le plateau tibétain courait jusqu'à l'horizon comme une étendue sans fin de terre sèche d'une couleur brun-gris.

On imagine qu'arriver au sommet déclenche une joie intense. Après tout, en dépit de beaucoup d'obstacles, je venais d'atteindre un objectif convoité depuis l'enfance. En réalité, le sommet ne représentait que la moitié du chemin. Toute tentative d'autocongratulation était étouffée par l'appréhension de la longue et dangereuse descente qui m'attendait.

14
Sommet. 13 h 12. 10 mai 1996.
8 848 mètres

Ce n'est pas seulement dans la montée mais aussi dans la descente que ma volonté est affaiblie. Plus je monte, moins le but me semble important et plus je deviens indifférent à moi-même. Mon attention est diminuée, ma mémoire aussi. Mon esprit est plus fatigué que mon corps. Il est tellement agréable de rester assis à ne rien faire, mais c'est aussi tellement dangereux ! La mort par épuisement est, comme la mort par le froid, une mort agréable.

Reinhold Messner
Les Horizons vaincus

Il y avait dans mon sac à dos un fanion du magazine *Outside*, sur lequel ma femme, Linda, avait brodé un lézard, et je comptais poser auprès de lui pour une série de photographies triomphales. Cependant, conscient du peu d'oxygène qui me restait, je ne m'attardai au sommet que le temps de prendre rapidement quelques clichés d'Andy Harris et Anatoli Boukreev debout devant le repère géographique. Puis j'entrepris aussitôt de redescendre. A une quinzaine de mètres au-dessous du sommet, je croisai Neal Beidleman et un client de Fischer nommé Martin Adams. Après avoir salué Neal, je pris une poignée de pierres sur un bloc de schiste dénudé, mis ces souvenirs dans ma poche et me hâtai de descendre l'arête.

Un peu auparavant, j'avais remarqué que des nuages effilés emplissaient les vallées vers le sud et masquaient les sommets, à l'exception des plus hauts. Adams — un petit Texan pugnace qui s'était enrichi en vendant des titres pendant le boom des années 1980 — est un pilote confirmé qui a passé bien des heures à observer sous lui le dessus des nuages. Il me dit plus tard que, immédiatement après avoir atteint le sommet, il avait reconnu dans ces bouffées de vapeur d'eau à l'apparence innocente de robustes cumulo-nimbus. «Quand, dans un avion, on aperçoit un cumulo-nimbus, m'explique-t-il, la première réaction, c'est de foutre le camp, et c'est ce que j'ai fait.»

A la différence d'Adams, je n'avais pas l'habitude d'observer les cumulo-nimbus à 8 800 mètres et, par conséquent, je ne savais pas qu'une tempête approchait. Je m'inquiétais plutôt de la diminution de mon oxygène.

Quinze minutes après mon départ du sommet, j'atteignis le haut du ressaut Hillary. Là, je rencontrai un groupe de grimpeurs qui montaient en haletant l'unique corde installée et je dus m'arrêter. Tandis que j'attendais, Andy me rejoignit. «Jon, me dit-il, j'ai l'impression de ne pas avoir assez d'air. Peux-tu regarder si la valve n'est pas couverte de glace?»

Effectivement, un petit bloc de salive gelée obstruait la valve d'admission d'air. Je le fis sauter avec la pointe de mon piolet puis je demandai à Andy de me rendre la politesse en fermant mon robinet d'oxygène afin d'économiser ma réserve pendant l'attente. J'ai déjà raconté la suite : il l'ouvrit par erreur à plein débit et, dix minutes plus tard, je n'avais plus d'oxygène. Mes fonctions cognitives, plutôt faibles ces temps-ci, chutèrent complètement. J'avais l'impression d'avoir absorbé un puissant sédatif.

Je me rappelle confusément avoir vu passer Sandy Pittman pendant que j'attendais, suivie un peu plus tard par Charlotte Fox puis par Lopsang Jangbu. Ensuite apparut Yasuko. Mais elle ne parvenait pas à franchir la dernière partie — la plus raide — du ressaut. Impuissant, je la regardai s'efforcer pendant quinze minutes de se hisser sur le bord. Mais elle était trop épuisée pour y parvenir. Finalement, Tim Madsen, qui s'impatientait juste en dessous, plaça ses mains sous ses fesses et la poussa jusqu'en haut.

Peu de temps après arriva Rob Hall. Masquant mon début de panique, je le remerciai de m'avoir permis d'aller au sommet. « Oui, finalement, c'est une bonne expédition », répondit-il. Puis il m'indiqua que Frank Fischbeck, Beck Weathers, Lou Kasischke, Stuart Hutchison et John Taske avaient fait demi-tour. Même dans mon état d'imbécillité hypoxique, je compris que Hall était profondément déçu que cinq de ses huit clients aient renoncé. Et je soupçonnais que ce sentiment était renforcé par le fait que le groupe de Fischer s'élançait au complet vers le sommet. « J'aurais bien aimé que plus de clients aillent au sommet », ajouta Rob avant de continuer son chemin.

Peu après, Adams et Boukreev, qui redescendaient, s'arrêtèrent juste derrière moi pour attendre que la voie soit libre. Une minute plus tard, l'affluence s'accrut encore avec l'arrivée de Makalu Gau, d'Ang Dorje et de plusieurs autres Sherpas suivis par Doug Hansen et Scott Fischer. Ensuite, le passage se libéra, mais j'avais attendu plus d'une heure sans oxygène à 8 800 mètres.

A ce stade, des secteurs entiers de mon cortex semblaient avoir cessé de fonctionner. Titubant, effrayé à l'idée de m'évanouir, je voulais à tout prix atteindre le sommet sud où m'attendait ma troisième bouteille. Raide de terreur, je commençai avec précaution à descendre le long des cordes. Juste en dessous du ressaut, Anatoli et Martin me contournèrent et descendirent rapidement. Je continuai à suivre l'arête avec une attention extrême, mais, à quinze mètres de la cache d'oxygène, la corde s'arrêtait et, dans l'état où j'étais, je me refusais à aller plus loin.

Sur le sommet sud, je pouvais voir Andy Harris émergeant d'une pile de bouteilles orange. «Hé, Harold! lui criai-je, peux-tu m'apporter une bouteille pleine?»

«Il n'y a pas d'oxygène ici, me répondit-il, ces bouteilles sont toutes vides!» C'était une bien mauvaise nouvelle. Mon cerveau réclamait furieusement de l'oxygène. Je ne savais que faire. Juste à ce moment-là, Mike Groom me rejoignit. Il descendait lui aussi du sommet. Comme il avait escaladé l'Everest sans oxygène en 1993, il n'hésita pas à me donner sa bouteille. C'est ainsi que nous arrivâmes ensemble au sommet sud.

Là, une inspection de la cache d'oxygène nous apprit tout de suite qu'il restait au moins six bouteilles pleines. Néanmoins, Andy refusait de le croire. Il continuait à affirmer qu'elles étaient toutes vides et rien de ce que Mike et moi pûmes lui dire ne modifia son avis.

La seule façon de savoir combien d'oxygène contient une bouteille, c'est de la brancher sur un détendeur et de regarder la jauge. Andy avait probablement procédé de cette façon dès son arrivée au sommet sud. Après l'expédition, Neal Beidleman fit remarquer que si le détendeur d'Andy s'était bouché à cause de la glace, sa jauge avait dû indiquer que les bouteilles étaient vides bien qu'elles fussent pleines. Cela expliquait son obstination bizarre. Et si son détendeur était obstrué par le gel et ne laissait pas passer l'oxygène, cela pouvait aussi expliquer son manque apparent de lucidité.

Cette éventualité, qui maintenant semble aller de soi, ne vint ni à l'esprit de Mike ni au mien sur le moment.

Avec le recul, il paraît clair qu'Andy n'agissait plus rationnellement et s'était enfoncé bien au-delà de l'hypoxie normale, mais j'étais moi-même tellement handicapé mentalement que je ne le remarquai même pas.

Mon incapacité à discerner l'évidence était d'une certaine façon favorisée par le protocole des relations guide-client. Andy et moi étions très proches quant aux aptitudes physiques et aux connaissances techniques. Si nous avions grimpé ensemble comme partenaires, je n'aurais pas manqué de m'apercevoir de son état. Mais dans cette expédition, il avait le rôle du guide infaillible. C'était lui qui veillait sur moi et sur les autres clients et on nous avait inculqué l'idée qu'il ne fallait pas remettre en question les décisions de nos guides. La pensée qu'Andy pouvait être en proie à de graves difficultés et qu'il avait besoin d'un secours d'urgence ne traversa pas mon esprit affaibli.

Comme Andy continuait à affirmer qu'il n'y avait pas de bouteilles pleines au sommet sud, Mike me jeta un regard interrogateur. Je haussai les épaules. Puis, me tournant vers Andy, je lui dis : «Aucune importance, Harold, ce n'est rien.» Ensuite, je saisis une bouteille, la fixai à mon détendeur et continuai ma descente. Etant donné ce qui se passa dans les heures qui suivirent, la facilité avec laquelle je me suis désintéressé du sort d'Andy constitue une faute qui, assurément, me hantera jusqu'à la fin de mes jours.

Vers 15 h 30, je quittai le sommet sud devant Mike et Yasuko et tout de suite nous nous enfonçâmes dans une épaisse couche de nuages. Une neige légère se mit à tomber. Dans la lumière déclinante, je pouvais à peine distinguer la montagne du ciel ; il était très facile de franchir le bord de l'arête et de disparaître à tout jamais. Et, à mesure que nous descendions, les conditions empiraient.

Au pied des ressauts rocheux de l'arête sud-est, Mike et moi nous arrêtâmes pour attendre Yasuko qui éprouvait des difficultés avec les cordes. Mike essaya d'appeler

Rob avec sa radio mais celle-ci ne fonctionnait que par intermittence et il ne put joindre personne.

Puisque Mike s'occupait de Yasuko et que Rob et Andy accompagnaient Doug Hansen, le seul client qui soit encore au-dessus de nous, je considérais que tout allait bien. Aussi, quand Yasuko nous rejoignit, demandai-je à Mike l'autorisation de continuer la descente tout seul. «D'accord, répondit-il, mais fais attention à ne pas passer par-dessus la corniche.»

Vers 16 h 45, lorsque j'atteignis le Balcon — ce promontoire situé à 8 400 mètres sur l'arête sud-est —, je fus très surpris d'y trouver Beck Weathers qui attendait tout seul dans la neige en tremblant fortement. J'étais persuadé qu'il avait déjà rejoint le camp IV depuis des heures. «Beck, lui criai-je, qu'est-ce que tu fais là?»

Plusieurs années auparavant, Beck avait subi une kératotomie [1] pour corriger sa vue. Par un effet secondaire de cette opération — dont il s'aperçut dès le début de son séjour sur l'Everest —, sa vue diminuait à cause de la basse pression due à l'altitude. Plus il montait, moins il y voyait.

Beck me confia plus tard que, l'après-midi précédent, tandis qu'il montait du camp III vers le camp IV, sa vision s'était tellement détériorée qu'il pouvait à peine voir à un mètre. «Je me suis placé juste derrière John Taske. Quand il levait un pied, je mettais le mien dans ses pas.»

Beck avait évoqué ses ennuis de vision antérieurement mais, à l'approche du sommet, il omit de signaler l'aggravation de ses troubles à Rob ou à quiconque. Sa mauvaise vue mise à part, il montait bien et se sentait plus fort que jamais : «Je ne voulais pas abandonner prématurément.»

En grimpant au-dessus du col sud dans la nuit, Beck

---

1. Il s'agit d'une opération chirurgicale destinée à corriger une myopie au moyen d'une série de petites incisions pratiquées sur la cornée, du bord extérieur au centre, de façon à l'aplatir.

s'arrangea pour rester dans le groupe en employant la même stratégie que la veille — en mettant ses pas dans ceux de la personne qui le précédait. Mais quand il eut atteint le Balcon et que le soleil se fut levé, il s'aperçut qu'il y voyait encore plus mal. De surcroît, en se frottant les yeux, il avait par inadvertance irrité ses deux cornées avec des cristaux de glace.

«A ce moment-là, m'expliqua-t-il, un œil était complètement aveugle et l'autre voyait à peine. J'avais perdu toute perception des distances et je sentais que je n'y voyais pas assez pour aller plus haut sans être un danger pour moi-même et un fardeau pour les autres. J'ai averti Rob de ce qui se passait. Il m'a répondu immédiatement : "Désolé, il faut que tu redescendes. Je vais envoyer un Sherpa pour t'accompagner." Mais je lui ai expliqué que j'avais de bonnes chances d'y voir mieux dès que le soleil serait plus haut et que mes pupilles se seraient contractées. Je lui ai dit que je voulais attendre un peu et, si j'y voyais mieux, me placer derrière quelqu'un pour continuer. Rob a réfléchi un instant puis a déclaré : "OK, c'est bon. Je te donne une demi-heure. Mais je ne veux pas que tu redescendes seul au camp IV. Si ta vision n'est pas meilleure dans trente minutes, je veux que tu restes ici pour que je sache exactement où tu es pendant que je redescends du sommet. Ensuite, nous finirons la descente ensemble. Je te parle très sérieusement. Ou bien tu redescends tout de suite, ou bien tu me promets d'attendre mon retour ici même..."»

«Alors, j'ai promis, me dit Beck ce jour-là, pendant que la neige tombait et que la lumière s'estompait, et j'ai tenu parole. C'est pourquoi je suis ici.»

Un peu après midi, Stuart Hutchison, John Taske et Lou Kasischke étaient passés lors de leur descente, en compagnie de Lhakpa et Kami. Mais Beck avait préféré ne pas les suivre. «Le temps était encore beau, m'expliqua-t-il, et je ne voyais aucune raison de ne pas tenir la parole donnée à Rob.»

Mais, maintenant, il faisait sombre et les conditions atmosphériques se détérioraient : «Viens avec moi, suppliai-je. Rob ne sera pas là avant au moins deux ou trois heures. Je serai tes yeux et t'aiderai à descendre sans problème.» Beck était presque convaincu, mais je commis l'erreur de lui dire que Mike Groom descendait avec Yasuko et qu'il serait là dans quelques minutes. Dans une journée où de nombreuses erreurs furent commises, ce fut l'une des plus graves.

«Je te remercie, me dit Beck, je pense que je vais attendre Mike. Il a une corde, il pourra mieux m'aider.

— OK, Beck, tu fais ce que tu veux. Nous nous verrons au camp.»

Secrètement, j'étais soulagé de ne pas avoir à m'occuper de lui en abordant les parois problématiques qui étaient plus bas et dont la plupart ne comportaient pas de cordes fixes. La lumière baissait, le temps empirait et je me sentais à bout de forces. Pourtant, je ne me rendais pas compte que le désastre était proche. Après avoir parlé avec Beck, je pris même le temps de rechercher une bouteille d'oxygène vide que j'avais laissée dans la neige lors de la montée, quelques heures auparavant. Soucieux de remporter tous mes détritus, je la plaçai dans mon sac auprès des deux autres (une vide et une partiellement pleine) avant de me hâter vers le col sud, cinq cents mètres plus bas.

Après le Balcon, je descendis sans incident un large goulet de neige, mais ensuite les choses devinrent plus compliquées. Le chemin serpentait entre des affleurements de schistes brisés recouverts d'au moins 15 centimètres de neige fraîche. Franchir ce terrain déroutant et

207

instable exigeait une concentration constante, ce qui était presque impossible dans mon état d'épuisement.

Comme le vent avait effacé les traces de ceux qui étaient descendus avant moi, j'avais du mal à trouver le bon chemin. En 1993, un compagnon de Mike Groom, Lopsang Tshering Bhutia — un himalayiste expérimenté qui était le neveu de Tenzing Norgay —, avait pris un mauvais tournant dans cette zone et fait une chute mortelle. Luttant pour garder le contact avec le réel, je me mis à parler à voix haute : «Tiens bon, tiens bon, tiens bon! hurlai-je sans discontinuer comme si je psalmodiais un mantra. Tu ne peux pas tout abandonner ici, c'est une affaire sérieuse, tiens bon!»

Pour me reposer, je m'assis sur une large vire en pente, mais, quelques minutes plus tard, une explosion assourdissante me fit bondir sur mes pieds. Il était tombé suffisamment de neige pour que je puisse craindre qu'une grosse avalanche ne se déclenche au-dessus. J'eus beau regarder autour de moi, je ne vis rien. Puis il y eut une autre explosion, accompagnée d'un éclair qui illumina le ciel un instant. Je compris alors que j'entendais le tonnerre.

Lors de la montée, le matin, j'avais bien pris soin d'observer continuellement le chemin dans cette partie de la montagne. Je regardais souvent vers l'arrière pour noter les points de repère du paysage qui pourraient m'être utiles dans la descente : «Pense à tourner à gauche après la butte qui ressemble à une proue de navire, ensuite, suis la fine bande de neige jusqu'à l'endroit où elle s'incurve brusquement à droite.» Je m'étais entraîné à cet exercice depuis de nombreuses années — chaque fois que j'entreprenais une escalade — et, sur l'Everest, cette habitude m'a probablement sauvé la vie. A 18 heures, tandis que la tempête de neige faisait rage et que le blizzard dépassait soixante nœuds, j'atteignis la corde installée par les Monténégrins sur la pente neigeuse, à cent quatre-vingts mètres au-dessus du col sud. Rendu plus lucide par la tempête, je compris que j'avais descendu juste à temps la partie la plus délicate du parcours.

Ayant passé la corde autour de mon bras, je descendis en rappel dans le blizzard. Quelques minutes plus tard, je me sentis suffoquer : je n'avais plus d'oxygène. Trois heures auparavant, quand j'avais adapté mon détendeur à ma troisième et dernière bouteille, j'avais remarqué que la jauge indiquait qu'elle n'était qu'à moitié pleine. Mais j'avais pensé que ce serait suffisant pour effectuer la plus grande partie du trajet et je ne m'étais pas donné la peine de l'échanger contre une bouteille pleine.

Je retirai mon masque en le laissant pendre à mon cou et continuai ma progression avec une insouciance étonnante. Toutefois, j'avançais plus lentement et il me fallait me reposer plus souvent.

Les livres sur l'Everest sont pleins de récits sur les hallucinations produites par la fatigue et l'hypoxie. En 1933, l'éminent alpiniste anglais Frank Smythe avait observé «deux objets d'aspect curieux qui flottaient dans le ciel», juste au-dessus de lui, à 8 220 mètres. «L'un d'eux avait de courtes ailes et l'autre une protubérance qui faisait penser à un bec. Ils ne bougeaient pas mais semblaient palpiter lentement.» En 1980, au cours d'une ascension en solitaire, Reinhold Messner avait eu l'illusion qu'un compagnon invisible grimpait à ses côtés. Peu à peu, je me rendis compte que mon esprit se mettait lui aussi à battre la campagne et j'observai ma dérive hors du réel avec un mélange de fascination et d'horreur.

Je me trouvais tellement au-delà de l'épuisement ordinaire que je me sentais étrangement détaché de mon corps, comme si je contemplais ma propre descente de plus haut. J'imaginais que j'étais vêtu d'un cardigan vert pourvu d'ailerons. Et bien que le vent ait fait descendre la température à − 60 °C, j'avais chaud ; sensation étrange et troublante.

A 18 h 30, alors que les dernières lueurs du jour s'estompaient dans le ciel, j'étais parvenu, en altitude, à moins de soixante mètres du camp. Il ne me restait plus qu'un seul obstacle avant d'être en sécurité : une pente arrondie que la glace rendait vitreuse. Il fallait la descendre sans corde. Des paquets de neige emportés par un vent de soixante-dix nœuds me frappaient le visage. Toute portion de chair exposée à l'air était instantanément gelée. A travers le grand rideau blanc, j'apercevais les tentes par intermittence, à deux cents mètres de là. Il n'y avait pas la moindre marge d'erreur. Soucieux de ne pas commettre une faute, je m'assis pour rassembler mon énergie avant d'aller plus loin.

Dès l'instant où je ne fus plus debout, je me sentis envahi par l'inertie. Il était tellement plus facile de continuer à se reposer plutôt que de reprendre la lutte avec cette dangereuse pente glacée. C'est ainsi que je restai simplement assis à cet endroit pendant que la tempête grondait autour de moi. Pendant quarante-cinq minutes, je ne fis rien d'autre que laisser mon esprit divaguer.

J'avais resserré les cordons de ma capuche en ne laissant qu'une mince ouverture au niveau des yeux et j'étais en train de détacher mon masque couvert de glace quand Andy Harris surgit soudain de l'obscurité. Dirigeant ma lampe frontale vers lui, j'eus mentalement un mouvement de recul devant l'état désastreux de son visage. Ses joues étaient recouvertes d'une carapace de glace, l'un de ses yeux était fermé par le gel et il ne parvenait plus à articuler. Il avait vraiment l'air mal en point. «Où sont les tentes?» jeta-t-il dans son impatience à trouver un abri.

Je fis un geste en direction du camp IV et l'avertis de l'étendue de glace qui se trouvait juste en dessous de nous. «C'est plus raide qu'il n'y paraît! lui criai-je dans la tempête. Je devrais peut-être descendre d'abord et aller chercher une corde au camp...» Andy me tourna brusquement le dos à mi-phrase et passa par-dessus le rebord de la paroi glacée. Je restai assis, abasourdi.

Glissant sur les fesses, il aborda la partie la plus raide du plan incliné. «Andy, lui criai-je, tu es fou d'y aller comme ça, tu vas te casser la figure!» Il me répondit quelque chose mais ses paroles furent emportées dans les hurlements du vent. Une seconde plus tard, il perdit l'équilibre, bascula et disparut la tête la première.

En regardant vers le bas de la pente, soixante mètres en dessous, je pus distinguer sa silhouette, effondrée, sans mouvement. J'étais sûr qu'il s'était cassé au moins une jambe, peut-être le cou. Contre toute attente, il se redressa, me fit signe que tout allait bien et se dirigea vers le camp qui, à ce moment-là, était bien en vue, cent cinquante mètres plus loin.

J'apercevais trois ou quatre personnes debout devant les tentes. Leurs lampes frontales scintillaient à travers le rideau de neige. Je vis Harris se diriger vers elles en terrain plat. Quand les nuages se refermèrent, un instant plus tard, m'empêchant d'en voir plus, il était à moins de vingt mètres des tentes, peut-être encore plus près. Ensuite, je ne le vis plus, mais j'étais certain qu'il avait atteint le camp où, sans aucun doute, Chuldum et Arita l'avaient accueilli avec du thé bien chaud. Toujours assis dans la tempête, séparé des tentes par l'obstacle de glace, je ressentis un peu d'envie. Et j'étais irrité que mon guide ne m'ait pas attendu.

Mon sac à dos contenait peu de choses en dehors des trois bouteilles d'oxygène vides et d'une boîte de limonade gelée. Il ne devait pas peser plus de huit ou neuf kilos. Mais j'étais fatigué et je voulais éviter de me casser une jambe sur la pente. Alors, je le jetai par-dessus bord, en espérant que je parviendrais à le retrouver. Puis, je me levai et commençai à descendre la paroi glacée dont la surface était aussi dure et lisse que celle d'une boule de bowling.

Pendant quinze minutes, j'exécutai en cramponnant une descente délicate et pénible, qui m'amena au bas de la pente, où je localisai aussitôt mon sac, et dix minutes plus tard j'arrivai au camp. Je me précipitai dans ma tente, sans même ôter mes crampons, fermai l'ouverture et rampai sur le sol couvert de givre, trop épuisé pour m'asseoir. Pour la première fois, je sentis à quel point j'étais à bout de forces. Jamais, de toute ma vie, je ne m'étais senti fatigué à ce point. Mais j'étais sain et sauf. Andy était sain et sauf. Les autres arriveraient bientôt au camp. Nous avions réussi. Nous avions escaladé l'Everest. Pendant un moment, ça avait été un peu difficile, mais en fin de compte le but était atteint. Magnifique.

Il me faudrait de nombreuses heures pour apprendre que «magnifique» n'était certainement pas le terme adéquat et que dix-neuf hommes et femmes étaient bloqués dans la montagne par la tempête, luttant de toutes leurs forces pour rester en vie.

15

Sommet. 13 h 25. 10 mai 1996. 8 848 mètres

Il y a bien des côtés obscurs dans les dangers que recèlent les aventures et les tempêtes, et ce n'est que de temps en temps que les événements révèlent une intention sinistre et violente — ce je-ne-sais-quoi qui oblige un homme à considérer dans son esprit et dans son cœur que cette imbrication d'accidents ou ces éléments en furie viennent à lui avec une intention mauvaise, une force indomptable, une cruauté débridée qui veulent extirper de lui l'espoir et la peur, les souffrances de l'épuisement et l'espérance du repos ; qui veulent écraser, détruire, annihiler tout ce qu'il a vu, ce qu'il a connu, ce qu'il a aimé, ce qui lui a plu ou ce qu'il a détesté, tout ce qui est sans prix et nécessaire — la lumière du soleil, les souvenirs, l'avenir —, qui veulent balayer l'ensemble de ce monde précieux, le chasser loin de sa vue par le seul fait, simple et désolant, de lui prendre la vie.

Joseph Conrad
Lord Jim

Neal Beidleman atteignit le sommet à 13 h 25 avec son client Martin Adams. Andy Harris et Anatoli Boukreev étaient encore là. J'étais reparti depuis huit minutes. Pensant que le reste de son groupe allait bientôt arriver, Beidleman prit des photos, plaisanta avec Boukreev et s'assit pour attendre. A 13 h 45 apparut son client Klev Schoening. Il sortit une photo de sa femme et de ses enfants et entama une célébration larmoyante de son arrivée sur le toit du monde.

Quand on est au sommet, une bosse sur l'arête masque l'itinéraire et, à 14 heures — l'heure limite —, Fischer et ses clients n'étaient toujours pas là. Beidleman commença à s'inquiéter de ce retard.

Agé de trente-six ans, ingénieur aérospatial de formation, c'était un guide calme, réfléchi et extrêmement consciencieux. Les membres de son groupe et ceux du groupe de Hall l'aimaient beaucoup. Il était l'un des meilleurs alpinistes présents sur la montagne. Deux ans plus tôt, avec Boukreev qu'il considérait comme un ami, il avait escaladé les 8 481 mètres du Makalu dans un temps qui approchait le record, sans oxygène ni aide de Sherpas. Il rencontra Fischer et Hall pour la première fois en 1992 sur les pentes du K2, où sa compétence et son heureux caractère avaient laissé aux deux hommes une impression favorable. Mais comme il n'avait qu'une expérience relativement limitée de la haute altitude (le Makalu était le seul sommet himalayen de quelque importance qu'il ait escaladé), il était placé après Fischer et Boukreev dans la hiérarchie de Mountain Madness. Son salaire reflétait cette situation : il avait accepté d'être payé 10 000 dollars, alors que Boukreev en recevait 25 000.

Beidleman, d'une nature sensible, était bien conscient de sa place de subalterne. «J'étais vraiment considéré comme le troisième guide, reconnut-il après l'expédition. J'ai essayé de ne pas trop me mettre en avant et je n'ai pas pris la parole à un moment où, peut-être, j'aurais dû le faire. Et maintenant, je me le reproche.»

Il m'apprit que, selon le plan défini en termes vagues

par Fischer pour le jour du sommet, Lopsang Jangbu devait être en tête, avec la radio et deux cordes qu'il installerait pour les clients. Boukreev et Beidleman — qui n'avaient de radio ni l'un ni l'autre — devaient se trouver «au milieu ou près de la tête selon la vitesse des clients» : «Scott, avec la seconde radio, ferait la voiture-balai, m'expliqua Beidleman. A la suggestion de Rob, nous avions décidé de fixer à 14 heures l'heure limite. Quiconque n'était pas tout près du sommet à cette heure-là devait faire demi-tour et redescendre. C'était à Scott d'obliger les clients à faire demi-tour. Nous en avions parlé et je lui avais dit qu'en tant que troisième guide je ne me sentais pas à l'aise pour dire à des clients qui avaient payé 65 000 dollars de redescendre. Scott admit que cela relevait de sa responsabilité. Mais, pour une raison ou pour une autre, il en alla différemment.»

En fait, les seuls à avoir atteint le sommet avant 14 heures étaient Boukreev, Harris, Beidleman, Adams, Schoening et moi. Si Fischer et Hall avaient respecté leur consigne, tous les autres auraient dû rebrousser chemin avant le sommet.

Malgré son inquiétude croissante, Beidleman ne pouvait en parler avec Fischer puisqu'il n'avait pas de radio. Lopsang, qui en avait une, se trouvait quelque part plus bas, hors de vue. Ce matin-là, de bonne heure, quand Neal avait trouvé le Sherpa en train de vomir dans la neige sur le Balcon, il lui avait pris ses deux cordes pour les installer. Aujourd'hui, il remarque avec regret : «Je n'ai pas pensé à prendre aussi sa radio.»

Cela eut des conséquences dont Beidleman se souvient parfaitement : «J'ai fini par rester assis un long moment au sommet en regardant ma montre dans l'attente de Scott. J'avais bien l'idée de redescendre mais, chaque fois que je me levais pour partir, un de nos clients apparaissait sur le bord et je me rasseyais pour attendre les autres.»

Sandy Pittman apparut dans la pente terminale vers 14 h 10, juste avant Charlotte Fox, Lopsang Jangbu, Tim Madsen et Lene Gammelgaard. Mais Pittman avançait très lentement et, un peu avant le sommet, elle se laissa tomber à genoux dans la neige. Quand Lopsang s'approcha pour l'aider, il s'aperçut que la troisième bouteille de Sandy était vide. Le matin, quand il avait commencé à la tirer, il avait également ouvert en grand son robinet d'oxygène — au débit de quatre litres par minute. Ce qui fait qu'elle consomma assez vite sa réserve. Fort heureusement, Lopsang — qui n'utilisait pas d'oxygène — avait une bouteille de rechange dans son sac. Il la fixa au détendeur de Sandy et tous deux franchirent les derniers mètres qui les séparaient du sommet.

Rob Hall, Mike Groom et Yasuko Namba arrivèrent à peu près au même moment. Hall adressa un message radio à Helen Wilton au camp de base pour lui annoncer la bonne nouvelle. «Rob disait qu'il y avait du vent et qu'il faisait froid là-haut, se souvient-elle, mais il avait l'air en bonne forme. Il a dit : "Doug est sur le point d'arriver ; tout de suite après, je descendrai. Si je n'appelle pas, c'est que tout va bien."» Wilton transmit l'information au bureau d'Adventure Consultants en Nouvelle-Zélande, et des télécopies furent envoyées aux amis et aux familles des clients pour annoncer le succès de l'expédition.

Mais, à ce moment-là, contrairement à ce que croyait Hall, Doug Hansen ne se trouvait pas à proximité du sommet, et Fischer non plus. Ce dernier arriverait à 15 h 40 et Hansen ne serait pas là avant 16 heures.

La veille — le jeudi 9 mai —, quand nous étions tous montés du camp III au camp IV, Fischer n'avait rejoint les tentes du col sud qu'après 17 heures. Il avait manifestement l'air fatigué, bien qu'il ait fait de son mieux pour le dissimuler à ses clients. «Ce soir-là, dit sa camarade de tente Charlotte Fox, il ne paraissait pas malade. Il remontait le moral de chacun comme un entraîneur de football encourage son équipe avant un grand match.»

En réalité, Fischer était épuisé à cause de la tension physique et morale des semaines précédentes. Malgré ses prodigieuses réserves d'énergie, il avait gaspillé ses forces et, quand il parvint au camp IV, il n'en avait presque plus. «Scott, homme fort, me fit remarquer Boukreev après l'expédition. Mais avant le sommet, fatigué, il a beaucoup de problèmes, dépensé beaucoup d'énergie. Soucis, soucis, soucis. Scott nerveux. Mais il le garde à l'intérieur.»

Fischer dissimulait aussi à tout le monde qu'il pouvait être souffrant le jour du sommet. En 1984, au cours d'une expédition sur le massif de l'Annapurna au Népal, il avait été atteint par un mal mystérieux qui avait entraîné une maladie chronique du foie. Il avait consulté de nombreux médecins et subi toutes sortes d'examens médicaux, mais sans qu'on puisse établir un diagnostic. Au petit nombre de personnes à qui il en parla, Fischer mentionna un simple kyste au foie et prétendit qu'il n'y avait pas lieu de s'inquiéter.

«Quoi qu'il en soit, dit Jane Bromet (l'une des rares à en être informés), cela provoquait des symptômes semblables à ceux de la malaria, bien que ce ne fût pas la malaria. Il se mettait brusquement à suer intensément et à trembler. Ces crises l'affaiblissaient, mais elles ne duraient que dix ou quinze minutes puis elles disparaissaient. A Seattle, elles survenaient environ chaque semaine mais, sous l'effet du stress, elles étaient plus fréquentes. Au camp de base, il en avait tous les deux jours, parfois tous les jours.»

Si Fischer eut de telles crises au camp IV ou au-dessus, il n'en a jamais parlé. Fox rapporta que, le jeudi soir, «il entra dans la tente, s'effondra et dormit profondément pendant deux heures environ». Lorsqu'il se réveilla, à 22 heures, il eut du mal à se préparer et il resta au camp bien après que ses clients, ses guides et ses Sherpas se furent mis en route.

L'heure à laquelle il quitta le camp IV n'est pas clairement établie. Peut-être vers 1 heure du matin, le vendredi 10 mai. Il resta loin des autres pendant la plus grande partie de la journée et n'arriva au sommet sud que vers 13 heures. Alors que je redescendais du sommet, je l'aperçus vers 14 h 45 pendant que j'attendais avec Andy Harris que le ressaut Hillary soit dégagé. Fischer était le dernier à monter et il avait l'air très éprouvé.

Nous échangeâmes quelques mots, puis il s'adressa brièvement à Martin Adams et à Boukreev, qui se tenaient juste au-dessus de Harris et moi, attendant eux aussi de pouvoir descendre le ressaut. «Hé, Martin, dit Fischer d'un ton enjoué à travers son masque, crois-tu que tu vas aller au sommet du mont Everest? — J'en viens, Scott», répondit Adams, chagriné que Fischer ne l'ait pas félicité.

Boukreev dit à Fischer : «Je redescends avec Martin.» Puis Scott reprit sa progression lente vers le sommet pendant que Harris, Boukreev, Adams et moi nous préparions pour descendre en rappel. Personne ne fit allusion à l'air épuisé de Fischer. L'idée qu'il puisse être en danger ne nous effleura pas.

«A 15 h 10, le vendredi après-midi, Fischer n'était toujours pas parvenu au sommet», me confia Beidleman, qui ajouta : «J'ai décidé qu'il était grand temps de déguerpir, même si Scott ne s'était pas encore montré.» Il rassembla Pittman, Gammelgaard, Fox et Madsen et entama la descente de l'arête du sommet. Vingt minutes plus tard, juste au-dessus du ressaut Hillary, ils rencontrèrent Fischer. «Il fit seulement une sorte de signe de la main. On voyait qu'il souffrait, mais c'était Scott, aussi ne me suis-je pas inquiété. Je me disais qu'il allait atteindre le sommet et nous rattraper pour nous aider à ramener les clients.»

A ce moment-là, le principal souci de Beidleman, c'était Pittman. «Personne n'en pouvait plus, mais Sandy titubait; je me suis dit que si je ne restais pas tout près d'elle, elle avait de bonnes chances de passer par-dessus l'arête. Alors, je me suis assuré qu'elle était bien accrochée à la corde et, là où il n'y en avait pas, j'ai tenu son baudrier par-derrière. Elle était tellement à bout que je me demande si elle s'est seulement rendu compte que j'étais là.»

A une courte distance en dessous du sommet sud, tandis que d'épais nuages enveloppaient les grimpeurs et que la neige tombait, Pittman s'effondra à nouveau et demanda à Fox de lui faire une injection de dexaméthasone — un puissant stéroïde qui a la propriété de combattre momentanément les effets de l'altitude. Dans le groupe de Fischer, chacun emportait une seringue toute préparée dans un étui de brosse à dents placé sous les vêtements pour qu'elle ne gèle pas. «J'ai un peu écarté le pantalon de Sandy, se souvient Fox, et j'ai enfoncé l'aiguille dans sa hanche à travers son caleçon long et le reste.»

Beidleman, après s'être attardé au sommet sud pour faire l'inventaire des bouteilles d'oxygène, put, en revenant vers le groupe, voir Fox plonger la seringue dans la chair de Pittman qui s'était allongée dans la neige. «En voyant Sandy étendue à cet endroit et Charlotte penchée sur elle avec une seringue hypodermique, je me suis dit : "Ça va mal!" Quand j'ai demandé à Sandy ce qui se passait, elle a essayé de me répondre mais n'a pu émettre qu'une suite de gargouillements.» Très inquiet, Beidleman ordonna à Gammelgaard d'échanger sa bouteille d'oxygène pleine avec celle de Pittman, qui était presque vide. Il s'assura que le détendeur était réglé à plein débit puis il saisit par le baudrier une Pittman semi-comateuse

219

et la traîna sur la pente couverte de neige de l'arête sud-est. « Après être parvenu à la faire glisser, m'expliqua-t-il, je suis moi-même descendu en glissade devant elle. Tous les cinquante mètres, je m'arrêtais, enroulais la corde fixe autour de mon bras et me calais pour stopper sa descente avec mon corps. La première fois qu'elle est arrivée sur moi, la pointe de ses crampons a traversé mon vêtement. Des plumes se sont mises à voleter partout. » Au grand soulagement de chacun, l'injection et l'oxygène firent leur effet et, au bout de vingt minutes, Pittman fut en mesure de reprendre la descente par ses propres moyens.

Vers 17 heures, au moment où Beidleman accompagnait ses clients le long de l'arête, Mike Groom et Yasuko Namba parvenaient au Balcon, quelque cent cinquante mètres plus bas. A partir de ce promontoire, situé à 8 412 mètres, le chemin prend un virage aigu et s'écarte de l'arête pour descendre plus au sud vers le camp IV. Quand Groom regarda dans l'autre direction, vers le versant nord de l'arête, il distingua à travers la neige un grimpeur solitaire qui s'était complètement trompé de route : c'était Martin Adams, que la tempête avait désorienté et qui commençait à descendre la face du Kangshung, au Tibet.

Dès qu'Adams eut aperçu Groom et Namba au-dessus de lui, il comprit son erreur et remonta lentement vers le Balcon. « Martin n'en pouvait plus quand il nous a rejoints, Yasuko et moi, se souvient Groom. Il n'avait plus son masque à oxygène et son visage était couvert de neige. Il a demandé : "Où sont les tentes ?" » Groom lui indiqua la direction et Adams se mit immédiatement à descendre du bon côté en suivant la piste que j'avais tracée dix minutes plus tôt.

Pendant que Groom attendait Adams, il envoya Namba en avant et essaya de retrouver l'étui de son appareil photo qu'il avait laissé à cet endroit lors de la montée. En regardant autour de lui, il remarqua qu'il y avait une autre personne sur le Balcon. «A cause de la neige qui faisait une sorte de camouflage, je l'ai pris pour quelqu'un du groupe de Fischer et je n'y ai pas fait attention. Et puis cette personne est venue se placer devant moi et m'a dit : "Salut Mike", j'ai vu alors que c'était Beck.»

Groom, aussi surpris que je l'avais été de rencontrer Beck, sortit sa corde et commença à descendre le Texan vers le col sud. «Beck était si complètement aveugle, raconte Groom, que tous les dix mètres il mettait un pied dans le vide. Je devais le retenir avec la corde. A chaque fois, je craignais qu'il ne m'entraîne dans sa chute. C'était terrible pour les nerfs. Je devais bien assurer l'ancrage de mon piolet, être sûr que mes crampons mordaient dans quelque chose de solide.»

Un par un, en suivant les traces que j'avais laissées quinze ou vingt minutes auparavant, Beidleman et le reste des clients de Fischer descendirent en file indienne dans un blizzard de plus en plus violent. Adams était derrière moi, en avant des autres, puis venaient Namba, Groom et Weathers, Schoening et Gammelgaard, Beidleman et, en bout de ligne, Pittman, Fox et Madsen.

A cent cinquante mètres au-dessus du col sud, à l'endroit où le schiste abrupt laisse la place à une douce pente neigeuse, Namba se trouva à court d'oxygène. La petite Japonaise s'assit et refusa de bouger. «Quand j'ai essayé de lui ôter son masque pour qu'elle puisse mieux respirer, dit Groom, elle a insisté pour le remettre. Rien ne pouvait la persuader qu'elle n'avait plus d'oxygène et que son masque l'étouffait. De son côté, Beck s'était affaibli au point de ne plus pouvoir marcher tout seul. Je devais le soutenir. Heureusement que Neal nous a rejoints peu après.» En voyant que Groom était entièrement occupé par Weathers, Beidleman se mit à tirer Namba vers le camp IV, bien qu'elle ne fît pas partie du groupe de Fischer.

Il était maintenant 18 h 45 et il faisait presque complètement nuit. Beidleman, Groom, leurs clients et deux Sherpas de Fischer qui étaient apparus dans la brume — Tashi Tshering et Ngawang Dorje — s'étaient fondus en un seul groupe. Tout en avançant lentement, ils étaient parvenus à moins de soixante mètres en dénivellation du camp IV. A ce moment-là, j'arrivais tout juste aux tentes avec une avance sur les premiers éléments du groupe de Beidleman qui ne dépassait pas quinze minutes. Mais dans ce bref espace de temps, la tempête se transforma brusquement en ouragan et la visibilité se réduisit à moins de six mètres.

Désireux d'éviter la dangereuse pente de glace qui se trouve à cet endroit, Beidleman fit prendre à son groupe un chemin qui, la contournant largement par l'est, a une inclinaison bien plus douce et, vers 19 h 30, ils atteignirent sains et saufs le large évasement légèrement vallonné du col sud. Mais seules trois ou quatre personnes avaient des lampes frontales dont les piles fonctionnaient encore et tous étaient au bord de l'épuisement. Fox sollicitait de plus en plus l'assistance de Madsen ; Weathers et Namba ne pouvaient plus marcher sans l'aide de Groom et de Beidleman.

Ce dernier savait qu'ils étaient sur le versant est du col — du côté du Tibet — et que les tentes se situaient quelque part vers l'ouest. Mais pour aller dans cette direction, il fallait marcher face au vent. Des granules de glace frappaient violemment le visage des grimpeurs, leur blessaient les yeux et les empêchaient de voir où ils allaient.

« C'était tellement difficile et douloureux, expliqua Schoening, qu'il y avait une tendance insurmontable à éviter le vent, à dévier vers la gauche, et c'est ainsi que nous nous sommes égarés. Par moment, ça soufflait si fort qu'on ne voyait plus ses propres pieds. Je craignais que quelqu'un ne s'assoie ou ne se sépare du groupe et qu'on ne le revoie plus jamais. Une fois que nous fûmes arrivés sur le plat du col, nous avons suivi les Sherpas et je m'imaginais qu'ils savaient où était le camp. Puis soudain, ils se sont arrêtés et ont fait demi-tour. Il était évident qu'ils n'avaient pas la moindre idée de l'endroit où nous étions. C'est alors que j'ai eu une sensation pénible dans le creux de l'estomac. J'ai compris que nous étions en difficulté. »

Pendant les deux heures qui suivirent, Beidleman, Groom, les deux Sherpas et les sept clients tournèrent en rond dans la tempête en espérant tomber par hasard sur le camp. Ils étaient dans un état d'épuisement et d'hypothermie de plus en plus avancé. A un moment, ils trouvèrent deux bouteilles d'oxygène vides, ce qui indiquait que les tentes étaient proches, mais ils ne purent les localiser. « C'était le chaos complet, dit Beidleman, les gens allaient de tous les côtés. Je leur ai crié de suivre l'homme de tête. Finalement, probablement vers 22 heures, je me suis avancé sur une petite élévation et j'ai eu le sentiment que je me tenais au bord du monde. Je sentais un immense vide au-dessous de moi. »

Sans le vouloir, le groupe avait dérivé vers l'extrémité est du col, au bord du précipice de deux mille mètres de la face du Kangshung. Il était au même niveau que le camp, à trois cents mètres des tentes[1]. « Mais, dit Beidleman, je savais que si nous continuions à errer dans la tempête, nous allions bientôt perdre quelqu'un. Le fait de tirer Yasuko m'avait épuisé. Charlotte et Sandy tenaient à peine debout. J'ai donc crié à tout le monde de rester groupé à cet endroit et d'attendre que la tempête s'apaise. »

Beidleman et Schoening se mirent à la recherche d'un emplacement à l'abri du vent, mais ils ne trouvèrent rien. Personne n'avait plus d'oxygène depuis longtemps, ce qui rendait le groupe plus sensible au froid, lequel atteignait

---

1. Si le groupe avait su où se trouvait le camp, il lui aurait fallu à peine quinze minutes pour y parvenir.

– 60 °C. Les grimpeurs se blottirent contre un rocher pas plus grand qu'une machine à laver, sur un sol gelé balayé par le vent. Ils formaient un cercle pathétique.

«Le froid, dit Charlotte Fox, avait presque eu raison de moi. Mes yeux étaient gelés. Je ne savais pas si nous allions en sortir vivants. Ce froid était si douloureux que je pensais ne plus pouvoir le supporter. Je me suis recroquevillée en espérant que la mort viendrait rapidement.»

«Nous avons essayé de nous réchauffer en nous frappant mutuellement, se souvient Weathers. Quelqu'un nous a crié de remuer nos bras et nos jambes sans arrêt. Sandy était en pleine hystérie. Elle n'arrêtait pas de hurler : "Je ne veux pas mourir! Je ne veux pas mourir! Je ne veux pas mourir!" Personne d'autre ne parlait.»

A trois cents mètres de là vers l'ouest, dans ma tente, je ne pouvais m'empêcher de trembler. J'étais enfoui dans mon sac de couchage avec tous mes vêtements, et la tornade menaçait à chaque instant d'emporter la tente. Chaque fois que l'entrée s'ouvrait, des flocons poussés par le vent pénétraient dans l'abri, de sorte que tout était recouvert par 3 centimètres de neige. Ignorant la tragédie qui se déroulait dehors, j'étais à la limite de la perte de conscience, en proie à un délire causé par l'épuisement, la déshydratation et les effets cumulés du manque d'oxygène.

Au début de la soirée, mon compagnon de tente, Stuart Hutchison, entra, me secoua et me demanda si je voulais l'aider à taper sur des casseroles et à allumer des feux pour aider les grimpeurs égarés. Mais j'étais trop faible, trop abruti pour réagir. Hutchison — qui était rentré au camp à 14 heures et qui, de ce fait, se trouvait en bien meilleur état que moi — essaya de faire lever les Sherpas et les autres clients. Mais tout le monde avait trop froid et était trop fatigué. Alors, Hutchison sortit tout seul dans la tempête.

Six fois, cette nuit-là, il quitta notre tente pour aller à la recherche des grimpeurs manquants. Mais le blizzard soufflait si fort qu'il ne put prendre le risque de s'aventurer au-delà de quelques mètres après la limite du camp. « Le vent était comme le souffle d'un canon et la neige frappait comme de la mitraille. Je ne pouvais tenir plus de quinze minutes ; après, j'avais trop froid et je devais revenir sous la tente. »

Dehors, parmi les grimpeurs blottis au bord du col, Beidleman s'efforçait de rester éveillé pour guetter un apaisement de la tempête. Juste avant minuit, sa vigilance fut récompensée. Il remarqua soudain quelques étoiles au-dessus de lui et cria aux autres de regarder. Le vent balayait toujours le sol avec rage, mais au-dessus le ciel avait commencé à s'éclaircir et on apercevait les silhouettes massives de l'Everest et du Lhotse. Grâce à ces repères, Klev Schoening put se faire une idée de la position du groupe par rapport au camp. Après en avoir discuté avec Beidleman, il convainquit le guide qu'il savait par où aller pour retrouver les tentes.

Beidleman essaya d'exhorter chacun à se lever et à avancer dans la direction indiquée par Schoening, mais Pittman, Fox, Weathers et Namba étaient trop faibles pour marcher. Cependant, le guide savait que si quelqu'un n'allait pas jusqu'aux tentes pour organiser les secours, tout le monde allait mourir. Il rassembla donc ceux qui étaient encore valides, Schoening, Gammelgaard, Groom et les deux Sherpas, laissant derrière lui les quatre clients et Tim Madsen. Celui-ci, qui ne voulait pas quitter son amie Charlotte Fox, fut volontaire pour rester en attendant l'arrivée des secours.

Vingt minutes plus tard, le contingent de Beidleman

entra dans le camp. Les retrouvailles avec Anatoli Boukreev, très inquiet, furent pleines d'émotion. Schoening
et Beidleman, pouvant à peine parler, indiquèrent au
Russe où trouver ceux qui étaient restés au rocher, puis
ils s'effondrèrent, complètement épuisés.

Boukreev était arrivé au col sud plusieurs heures avant
les autres membres du groupe de Fischer. En fait, à
17 heures, pendant que ses camarades étaient encore en
train de peiner dans les nuages à 8 500 mètres, il avait
déjà rejoint sa tente et se reposait en buvant du thé. Des
collègues expérimentés devaient plus tard s'interroger sur
sa décision de prendre tellement d'avance sur ses clients,
ce qui est une conduite peu orthodoxe pour un guide.
L'un des clients de son groupe a exprimé par la suite une
réprobation sans réserve de l'attitude de Boukreev : au
moment crucial, le guide était parti «à toute vitesse».

Anatoli avait quitté le sommet vers 14 heures et s'était
trouvé pris dans l'embouteillage du ressaut Hillary. Dès
que la foule fut passée, il descendit très rapidement l'arête
sud-est sans attendre ses clients, et cela bien qu'il ait dit
à Fischer en haut du ressaut qu'il allait accompagner
Martin Adams. Il arriva ainsi au camp IV longtemps
avant que la tempête atteigne toute sa force.

Après l'expédition, je demandai à Anatoli pourquoi il
s'était précipité en avant du groupe. Il me tendit la transcription d'une interview qu'il avait donnée quelques jours
auparavant à *Men's Journal* par l'intermédiaire d'un interprète. La parcourant aussitôt, j'arrivai à une série de questions sur sa descente. Voici sa réponse :

Je suis resté environ une heure au sommet... Il faisait
très froid, ce qui diminuait mes forces... Je considérais
que je ne serais pas bon à grand-chose si je restais ainsi
à attendre et à geler debout. Je serais plus utile si je
retournais au camp de façon à prendre de l'oxygène et

à revenir chercher les clients au cas où certains se sentiraient faibles pendant la descente...

Il ne fait pas de doute que la sensibilité de Boukreev au froid était grandement accrue par le fait qu'il n'utilisait pas d'oxygène. Dès lors, il lui était impossible d'attendre les clients en retard sur le sommet sans risquer gelures et hypothermie. Mais quelle qu'en soit la raison, il fila en avant du groupe, ce qui avait été son comportement habituel pendant toute l'expédition, comme l'attestent les dernières lettres et conversations téléphoniques de Fischer.

Quand je lui demandai s'il était sage d'abandonner ses clients au sommet, Anatoli répéta que c'était pour le bien du groupe : « Il valait bien mieux me réchauffer au col sud et me tenir prêt à aller porter de l'oxygène si un client en avait besoin. » A vrai dire, peu après la tombée de la nuit, Boukreev prit conscience que le groupe pouvait se trouver en difficulté et fit une tentative courageuse pour leur apporter de l'oxygène. Mais son plan comportait un grave défaut. Comme ni Beidleman ni lui-même ne disposaient d'une radio, il n'avait aucun moyen de connaître la nature des difficultés que rencontraient les grimpeurs manquants et il ne pouvait même pas savoir dans quelle partie de la montagne ils se trouvaient.

Vers 19 h 30, Boukreev quitta le camp à la recherche du groupe, sans tenir compte des intempéries. Il se souvient bien de ce moment :

Au début, il y avait peut-être un mètre de visibilité, puis plus du tout. J'avais une lampe et j'ai commencé à utiliser de l'oxygène pour aller plus vite. Je portais trois bouteilles. J'essayais d'aller plus vite mais je n'y voyais rien... j'étais comme sans yeux. C'était très dangereux. Je pouvais tomber dans une crevasse ou faire une chute sur le versant sud du Lhotse, un précipice de trois mille mètres. J'ai essayé de monter dans l'obscurité mais je n'ai pas pu trouver les cordes fixes.

A deux cents mètres au-dessus du col, Boukreev reconnut la futilité de ses efforts et retourna aux tentes, mais il faillit bien perdre son chemin. De toute façon, à ce moment-là, ses camarades n'étaient plus à l'endroit vers lequel il se dirigeait. Le groupe de Beidleman errait sur le col à deux cents mètres *en dessous* du Russe.

Quand il revint au camp, vers 21 heures, Boukreev était préoccupé par l'absence des dix-neuf grimpeurs. Mais il n'avait aucune idée de leur position et ne pouvait rien faire d'autre qu'attendre. Puis, à 0 h 45, Beidleman, Groom, Schoening et Gammelgaard pénétrèrent dans le camp. « Klev et Neal étaient à bout de forces, se souvient Boukreev. Ils m'ont dit que Charlotte, Sandy et Tim avaient besoin d'aide, que Sandy était sur le point de succomber. Puis ils m'ont indiqué où je les trouverais. »

En entendant arriver les grimpeurs, Stuart sortit aider Groom. « J'ai fait entrer Mike dans sa tente, dit-il, et j'ai vu qu'il était vraiment épuisé. Il parvenait à parler distinctement mais cela exigeait de lui un terrible effort, comme les dernières paroles d'un mourant : "Il faut que tu demandes aux Sherpas d'aller chercher Beck et Yasuko." Et il a tendu le bras vers le versant du Kangshung. »

Mais les efforts d'Hutchison pour organiser les secours furent infructueux. Chuldum et Arita — les Sherpas que Hall avait laissés en réserve au camp, précisément en prévision d'une urgence — s'étaient intoxiqués au monoxyde de carbone en faisant de la cuisine à l'intérieur de leur tente. Chuldum vomissait du sang. Et les quatre Sherpas qui étaient montés au sommet étaient trop affaiblis.

Après l'expédition, j'ai demandé à Hutchison pourquoi, ayant appris où se trouvaient les grimpeurs, il n'avait pas essayé de faire lever Frank Fischbeck, Lou

Kasischke ou John Taske, ni fait une deuxième tentative pour me réveiller. « Il était évident que vous étiez tous complètement vidés. Je n'ai même pas envisagé de faire appel à vous. Vous étiez tellement au-delà de la fatigue ordinaire que j'ai pensé que si vous tentiez d'apporter votre aide, vous ne feriez que rendre la situation pire encore et qu'il deviendrait nécessaire de vous porter secours également. » Stuart partit donc tout seul dans la tempête mais, une fois sorti du camp, il eut peur de ne plus retrouver son chemin s'il allait plus loin.

Au même moment, Boukreev essayait lui aussi d'organiser une équipe de secours, mais il ne prit pas contact avec Stuart ni ne vint dans ma tente. Les efforts de Hutchison et de Boukreev ne furent pas coordonnés. Quant à moi, j'ignorais tout de leurs plans. Finalement, Boukreev fit la même constatation que Stuart : tous ceux qu'il essayait de faire lever étaient trop malades, trop épuisés ou trop effrayés pour être d'aucune aide. C'est pourquoi il décida de ramener le groupe tout seul. S'enfonçant dans la tornade, il fouilla le col pendant presque une heure mais ne trouva personne.

Pourtant, il n'abandonna pas. Il retourna au camp pour obtenir de Beidleman et de Schoening des indications plus détaillées. Puis il ressortit dans la tempête. Cette fois, il aperçut la faible lueur de la lampe frontale de Madsen et put localiser les grimpeurs. « Ils étaient étendus sur la glace, sans mouvement, incapables de parler, me dit Boukreev. Madsen, encore conscient, pouvait se débrouiller seul, mais Pittman, Fox et Weathers étaient dans un état désespéré, et Namba paraissait morte. »

Après le départ de Beidleman et des autres pour aller chercher de l'aide, Madsen avait rassemblé ceux qui restaient et les avait encouragés à remuer pour conserver leur chaleur. « J'ai assis Yasuko tout contre Beck, se souvient Madsen, mais il paraissait inconscient et Yasuko ne bougeait plus du tout. Un peu plus tard, j'ai vu qu'elle s'était

229

étendue sur le dos... la neige entrait dans sa capuche. Elle avait perdu un gant... sa main droite était nue et ses doigts tellement crispés qu'on ne pouvait pas les déplier. Ils avaient l'air gelés jusqu'aux os. J'ai pensé qu'elle était morte mais, un moment après, elle s'est mise soudain à bouger, et cela m'a effrayé. Elle a tendu son cou lentement comme si elle essayait de se redresser, elle a levé son bras droit, et ce fut tout. Yasuko est retombée sur le dos et n'a plus bougé.»

Boukreev comprit qu'il ne pourrait ramener qu'une seule personne à la fois. Il apportait une bouteille d'oxygène que Madsen et lui fixèrent au masque de Pittman. Puis il indiqua à Madsen qu'il allait revenir dès que possible et entreprit d'aider Fox à rejoindre les tentes. «Après leur départ, dit Madsen, Beck s'est recroquevillé en position fœtale, il ne bougeait presque plus. Sandy s'était pelotonnée contre moi et elle ne bougeait pas tellement plus. Je lui ai crié : "Hé, continue à remuer tes mains ! Montre-moi tes mains !" Elle s'est assise et a sorti ses mains. Elles étaient nues; ses gants se balançaient à ses poignets. Alors j'ai essayé de les lui remettre quand tout d'un coup Beck a marmonné : "J'étais sûr que cela arriverait." Ensuite, il a comme roulé à une certaine distance, s'est accroupi sur un rocher et s'est placé face au vent en écartant les bras. Une seconde plus tard, une rafale l'a renversé et il est tombé dans la nuit hors de portée de ma lampe. C'est la dernière fois que je l'ai vu. Anatoli est revenu peu après et il a saisi Sandy, alors j'ai pris mes affaires et je les ai suivis en essayant de ne pas perdre de vue la lumière de leur lampe. A ce moment-là, je pensais que Yasuko était morte et que Beck était perdu.»

Ils atteignirent le camp à 4 h 30. Le ciel commençait à s'éclaircir vers l'est. Quand il apprit que Yasuko n'avait pas résisté, Beidleman éclata en sanglots et pleura pendant trois quarts d'heure.

16

Col sud. 6 heures. 11 mai 1996.
7 925 mètres

Je me méfie des résumés, de tout raccourci temporel, de toute prétention à maîtriser ce que l'on rapporte. Je pense que quelqu'un qui prétend comprendre mais conserve manifestement son calme, que quelqu'un qui prétend écrire avec émotion mais se souvient en toute tranquillité est un imbécile ou un menteur. Comprendre, c'est trembler. Se souvenir, c'est revivre et être déchiré… J'admire l'autorité de celui qui est à genoux devant les événements.

Harold Brodkey
« Manipulations »

Stuart Hutchison parvint à me réveiller en me secouant à 6 heures, le 11 mai.

« Andy n'est pas dans sa tente, me dit-il d'un air sombre, et il n'est pas non plus dans une autre tente. Je ne crois pas qu'il soit rentré… — Harold n'est pas là ? Ce n'est pas possible, je l'ai vu de mes propres yeux rentrer dans le camp ! »

Bouleversé, je mis mes chaussures et me précipitai dehors pour chercher Harris. Le vent était encore violent, au point de me renverser à plusieurs reprises, mais c'était une aube lumineuse et dégagée; la visibilité était parfaite. Pendant plus d'une heure, je cherchai dans toute la moitié ouest du col, regardant derrière chaque rocher et dans les tentes abandonnées depuis longtemps, mais je ne trouvai pas trace de Harris. Des larmes me montèrent aux yeux. Elles gelèrent aussitôt et me fermèrent les paupières. Où pouvait bien être Andy?

Je retournai à l'endroit où il avait glissé le long de la glace, juste au-dessus du col, puis je refis méthodiquement le chemin qu'il avait suivi en direction du camp. C'était un large goulet presque plat. A l'endroit où je l'avais aperçu pour la dernière fois, lorsque les nuages étaient descendus, un virage serré vers la gauche l'aurait amené, après dix ou quinze mètres d'une éminence rocheuse, jusqu'aux tentes.

Cependant, je compris que s'il avait continué tout droit dans le goulet au lieu de tourner à gauche — ce qui pouvait facilement arriver dans la brume, même à quelqu'un qui n'aurait pas été épuisé et que le mal d'altitude n'aurait pas diminué — il serait rapidement parvenu à l'extrémité ouest du col. A cet endroit, la glace grise de la face du Lhotse descend sur mille deux cents mètres jusqu'à la combe ouest. Effrayé à l'idée de m'approcher du bord, je remarquai les traces d'une paire de crampons qui conduisaient tout droit à l'abîme. Ces traces, j'en avais bien peur, étaient celles d'Andy Harris.

A mon retour au camp, l'après-midi précédent, j'avais annoncé à Hutchison que j'avais vu Harris arriver sain et sauf. Il avait transmis cette nouvelle par radio au camp de base et, de là, elle était parvenue — via le téléphone satellite — à Fiona McPherson, qui partageait la vie de Harris en Nouvelle-Zélande. Elle avait été extrêmement soulagée de l'apprendre. Et maintenant, la femme de Hall, Jan Arnold, devrait rappeler la jeune femme pour l'informer qu'il y avait eu un terrible malentendu, qu'Andy avait disparu et était considéré comme mort. En imaginant cette conversation téléphonique et mon rôle dans ce quiproquo, je me laissai tomber à genoux, en proie à la nausée, tandis que le vent glacé soufflait dans mon dos.

Après ma vaine recherche, je revins à ma tente juste à temps pour intercepter une conversation radio entre Hall et le camp de base. Il était sur l'arête du sommet et il demandait du secours. Hutchison me dit ensuite que Beck et Yasuko étaient morts et que Fischer était porté disparu, quelque part au-dessus de nous. Peu après, nos piles de radio cessèrent de fonctionner, ce qui nous coupait du reste de la montagne. Inquiets d'avoir perdu le contact avec nous, les membres de l'expédition IMAX, qui se trouvaient au camp II, appelèrent les Sud-Africains dont la tente n'était qu'à quelques mètres de la nôtre. David Breashears, le chef d'IMAX, que je connais depuis vingt ans, se souvient de cette conversation : «Nous savions que les Sud-Africains disposaient d'une radio puissante qui fonctionnait, alors nous sommes allés voir quelqu'un de leur groupe au camp II pour qu'il appelle Woodall. "C'est un cas d'urgence, lui avons-nous dit. Il y a des gens qui sont en train de mourir là-haut. Nous devons communiquer avec les survivants de l'équipe de Hall pour organiser les secours. Pouvez-vous prêter une radio à Jon Krakauer ?" La réponse de Woodall fut : "Non." Des vies humaines étaient en jeu, mais ils ont refusé de prêter leur radio.»

A mon retour de l'expédition, en préparant mon article pour *Outside*, j'ai interrogé le plus grand nombre possible d'équipiers de Hall et de Fischer qui avaient été au sommet et je me suis entretenu à plusieurs reprises avec la plupart d'entre eux. Martin Adams, qui se méfie des reporters, garda un profil bas après la tragédie et, jusqu'à la parution d'*Outside*, ne répondit pas à mes demandes répétées.

Quand je parvins enfin à le joindre au téléphone, à la mi-juillet, et qu'il eut consenti à me parler, je commençai par lui demander de me raconter tout ce qu'il se rappelait de la journée du sommet. Etant, parmi les clients, l'un des meilleurs grimpeurs, il était resté dans le groupe de tête et, pendant la plus grande partie de l'ascension, il s'était trouvé juste devant ou juste derrière moi. Comme il possède une mémoire exceptionnellement fidèle, j'étais curieux de savoir si sa version correspondait à la mienne.

Adams me dit que, très tard dans l'après-midi, lorsqu'il était redescendu du Balcon, à 8 412 mètres, il m'avait aperçu. J'avais environ quinze minutes d'avance sur lui, mais je descendais plus rapidement et bientôt j'avais disparu de sa vue. « Quand je vous ai revu, me dit-il, il faisait presque nuit et vous traversiez le terrain plat du col sud, à environ trente mètres des tentes. Je vous ai reconnu à votre parka rouge clair. »

Peu de temps après, Adams était parvenu à un passage plat, juste au-dessus de la pente glacée qui m'avait donné tant de mal, et il était tombé dans une petite crevasse. Il avait réussi à s'en extraire pour retomber dans une autre, plus profonde. Il me dit, d'un air songeur :

« Etendu dans cette crevasse, je pensais : "C'est peut-être la fin." J'ai attendu un moment et finalement j'ai réussi à sortir de celle-là également. Quand je suis remonté à la surface, mon visage était couvert de neige. Très vite, elle s'est transformée en glace. Puis j'ai aperçu quelqu'un qui était assis à l'écart sur la gauche. Il portait une lampe frontale. Alors je me suis dirigé vers lui. Ce n'était pas encore la nuit noire, mais il faisait assez sombre pour que je ne puisse plus distinguer les tentes... Je me suis donc approché de ce type et je lui ai demandé : "Hé, où sont les tentes ?" et lui — je ne sais pas qui c'était — m'a indiqué la direction avec sa main. J'ai dit : "Oui, c'est ce que je pensais", puis le type a dit quelque chose comme : "Fais attention, c'est plus raide que ça n'en a l'air. Nous devrions peut-être aller chercher une corde et des broches de glace..." J'ai pensé : "Tant pis, j'y vais." J'ai fait deux ou trois pas, j'ai trébuché et j'ai glissé sur la poitrine, la tête la première. Pendant cette glissade, la pointe de mon piolet a accroché quelque chose, ce qui m'a fait pivoter, puis je me suis arrêté en bas. Je me suis relevé et j'ai marché jusqu'aux tentes. C'est à peu près comme ça que ça s'est passé. »

Pendant qu'Adams décrivait sa rencontre avec le grimpeur anonyme et sa glissade sur la glace, je sentis ma bouche se dessécher et mes cheveux se dresser sur ma tête. Quand il eut fini de parler, je lui demandai : « Martin, pensez-vous que j'aie pu être l'homme que vous avez rencontré à cet endroit? — Sûrement pas, répondit-il en riant. Je ne sais pas qui c'était, mais je suis sûr que ce n'était pas vous! »

Ensuite, je lui racontai ma rencontre avec Andy Harris. Il y avait là une étonnante série de coïncidences : j'avais vu Harris à peu près au même moment et au même endroit. La plus grande partie de ma conversation avec Harris correspondait à celle d'Adams avec l'inconnu. Enfin, Adams avait glissé le long de la pente la tête la première ainsi que j'avais vu Harris le faire.

Quelques minutes plus tard, Adams était convaincu : « Alors c'est à vous que j'ai parlé là-bas », dit-il, effaré. Il avait dû se tromper en croyant me voir sur la partie plate du col à la tombée de la nuit. « Et c'est à moi que vous avez parlé. Cela veut dire que ce n'était pas du tout Harris. Bon Dieu, il va falloir tout reprendre... »

J'étais assommé. Pendant deux mois, j'avais annoncé à tout le monde que Harris avait marché jusqu'au bord du col sud, où il avait trouvé la mort. Et ce n'était pas du tout ce qui s'était passé. Mon erreur avait aggravé la peine de Fiona McPherson, ainsi que celle des parents et du frère de Harris et de ses nombreux amis.

Andy était de haute taille, de forte stature, et il parlait avec un accent néo-zélandais prononcé. Martin mesurait quinze centimètres de moins, pesait autour de soixante-cinq kilos et avait l'accent traînant du Texas. Comment avais-je pu commettre une bévue aussi énorme? Etais-je diminué au point de regarder en face quelqu'un qui m'était presque étranger et de le confondre avec un ami que je fréquentais quotidiennement depuis six semaines? Et si Andy n'était jamais parvenu au camp IV, que lui était-il donc arrivé?

17

Sommet. 15 h 40. 10 mai 1996.
8 848 mètres

Notre accident vient certainement de ce brusque mauvais temps qui semble être survenu sans cause. Je ne pense pas que des êtres humains aient connu un mois comme celui que nous venons de passer. Malgré ce temps, nous aurions pu nous en sortir s'il n'y avait eu la maladie d'un second camarade, le capitaine Oates, le manque de fuel dans nos dépôts — que je ne m'explique pas — et cette tempête qui s'est abattue sur nous à moins de 18 km du dépôt où nous espérions trouver des vivres. La malchance ne pouvait être plus grande... Nous avons pris des risques, nous savions que nous les prenions, les choses ont mal tourné et par conséquent nous ne pouvons pas nous plaindre. Nous nous inclinons devant la providence, en restant toutefois déterminés à faire de notre mieux jusqu'au dernier...

Si nous avions survécu, j'aurais pu parler de la hardiesse, de l'endurance et du courage de mes compagnons, et cela aurait touché le cœur de chaque Anglais. Ces simples notes et nos cadavres en feront le récit.

Robert Falcon Scott
dans son «Message au public»
écrit juste avant sa mort dans l'Antarctique,
le 29 mars 1912,
cité dans *Le Pôle meurtrier*

Scott Fischer arriva au sommet vers 15 h 40 dans l'après-midi du 10 mai. Son sirdar et fidèle ami Lopsang Jangbu l'y attendait. Le Sherpa sortit sa radio, établit le contact avec Ingrid Hunt au camp de base puis tendit l'appareil à Fischer : «Nous avons réussi, dit-il à Hunt. Dieu que je suis fatigué!» Quelques minutes plus tard, Makalu Gau arriva avec deux Sherpas. Rob Hall était là également, attendant impatiemment l'arrivée de Doug Hansen. C'est alors qu'une couche de nuages menaçants vint envelopper l'arête sommitale.

Selon Lopsang, pendant les quinze ou vingt minutes que Fischer passa au sommet, il se plaignit à plusieurs reprises de ne pas se sentir bien — ce qu'il n'avait presque jamais fait. «Scott m'a dit : "Je suis trop fatigué, je suis malade, il me faut un médicament pour l'estomac", se souvient le Sherpa. Je lui ai donné du thé, mais il n'en a bu qu'un peu, à peine une demi-tasse. Alors je lui ai dit : "Scott, redescends vite", et nous sommes repartis à ce moment-là.»

Fischer s'est mis en route le premier, vers 15 h 55. D'après Lopsang, Scott, qui avait utilisé de l'oxygène pendant toute l'ascension et dont la troisième bouteille était aux trois quarts pleine, enleva son masque pour une raison inconnue.

Peu après lui partirent Gau et ses Sherpas, suivis par Lopsang. Hall restait seul, il attendait toujours Hansen. Peu après, vers 16 heures, Hansen apparut enfin, avançant lentement et péniblement sur la dernière bosse avant le sommet. Dès qu'il vit Hansen, Hall se précipita vers lui.

L'heure limite qu'il avait fixée était dépassée de deux heures. Beaucoup de ses collègues — qui connaissaient son caractère extrêmement prudent et méthodique — se sont étonnés de cette erreur de jugement inhabituelle. Pourquoi donc, se sont-ils demandé, n'a-t-il pas obligé Hansen à faire demi-tour beaucoup plus bas, dès qu'il fut devenu évident que l'Américain avait pris du retard?

L'année précédente, Hall l'avait fait redescendre du sommet sud à 14 h 30, et Hansen avait été cruellement déçu d'échouer si près du sommet. Il m'avait dit à plusieurs reprises que c'était en grande partie à l'incitation de Hall qu'il était revenu sur l'Everest. Rob lui avait téléphoné de Nouvelle-Zélande une douzaine de fois pour le persuader de faire une autre tentative. « Je veux le faire et ne plus y penser, m'avait confié Doug deux jours plus tôt au camp II. Je ne veux pas avoir à revenir ici, je deviens trop vieux pour ce truc. »

Il n'est sans doute pas exagéré de penser que Hall devait répugner à causer à Hansen une seconde déception. « Il est très difficile de faire faire demi-tour à quelqu'un près du sommet », indique Guy Cotter, qui est monté au sommet avec Hall en 1992 et faisait partie de son expédition de 1995 lors de la première tentative de Hansen. « Si un client voit que le sommet est proche, il voudra absolument y aller, il vous rira au nez et continuera. » Comme Peter Lev — un guide américain chevronné — le déclara à *Climbing* après la tragédie : « Nous croyons que les gens nous paient pour prendre les bonnes décisions, mais en réalité, ils paient pour aller au sommet. »

Quoi qu'il en soit, Hall ne fit pas revenir Hansen à 14 heures. Selon Lopsang, quand il rejoignit son client juste en dessous de la cime, il plaça le bras de Hansen autour de son cou et l'aida à franchir les douze mètres qui le séparaient du sommet. Ils n'y restèrent qu'une minute ou deux, puis entamèrent leur descente.

Quand Lopsang vit que Hansen titubait, il s'arrêta pour s'assurer que Rob et Doug traversaient sans encombre la dangereuse corniche située immédiatement sous le sommet. Puis, soucieux de rejoindre Fischer — qui se trouvait à plus de trente minutes devant lui —, il reprit sa descente le long de l'arête, laissant Hansen et Hall en haut du ressaut Hillary.

Juste après le départ de Lopsang, Hansen se trouva à

court d'oxygène et s'effondra. Il avait été jusqu'à la limite de ses forces pour atteindre le sommet, et il ne lui restait plus de réserves pour descendre. « Il lui est arrivé à peu près la même chose en 1995, dit Ed Viesturs, qui, comme Cotter, était guide dans l'expédition de Hall cette année-là. Il allait bien pendant la montée, mais, dès qu'il s'est mis à descendre, il a perdu tous ses moyens, mentaux et physiques. Il est devenu une sorte de zombie, comme s'il avait dépensé toutes ses ressources à la montée. »

A 16 h 30 puis à 16 h 41, Hall envoya un message radio pour dire que Hansen était en difficulté en haut de l'arête sommitale et avait un besoin urgent d'oxygène. Deux bouteilles pleines les attendaient au sommet sud. Si Hall l'avait su, il aurait pu y aller assez rapidement et rapporter une bouteille à Hansen. Mais Andy Harris, qui se trouvait encore au dépôt d'oxygène en proie à sa démence hypoxique, capta les appels radio et dit à Hall ce qu'il avait déjà dit à Mike Groom et à moi, à savoir que toutes les bouteilles du sommet sud étaient vides.

Groom entendit cette conversation sur sa radio. Il se trouvait juste au-dessous du Balcon, sur l'arête sud-est, avec Yasuko Namba. Il essaya d'appeler Hall pour corriger l'information mais, explique-t-il : « Je pouvais capter les appels mais je parvenais rarement à me faire entendre. A une ou deux occasions, Rob m'a reçu. J'ai essayé de lui expliquer où se trouvaient les bouteilles mais j'ai été immédiatement interrompu par Andy qui affirmait qu'il n'y avait pas d'oxygène au sommet sud. »

Ne sachant pas à quoi s'en tenir, Hall considéra qu'il valait mieux rester avec Hansen pour essayer de l'aider à descendre. Mais, quand ils arrivèrent en haut du ressaut Hillary, Hall ne put faire franchir à Hansen cette pente verticale de douze mètres et ils durent s'arrêter.

Un peu avant 17 heures, Groom réussit à joindre Hall et l'informa qu'il y avait bien de l'oxygène au sommet sud. Quinze minutes plus tard, Lopsang arriva au sommet sud et y trouva Harris[1]. Selon Lopsang, Harris avait fini par comprendre qu'il restait au moins deux bouteilles pleines, car il demanda au Sherpa de l'aider à les apporter à Hall et Hansen sur le ressaut. « Andy me dit qu'il me paiera 500 dollars pour apporter l'oxygène à Rob et Doug, mais je dois m'occuper de mon groupe. Je dois m'occuper de Scott. Alors je dis non à Andy et je me dépêche de descendre. »

A 17 h 30, à l'instant où Lopsang quittait le sommet sud pour reprendre sa descente, il se retourna et aperçut Harris — qui devait être très affaibli, à en juger par l'état dans lequel je l'avais trouvé deux heures auparavant — en train de monter avec peine l'arête du sommet dans l'intention de venir en aide à Hall et Hansen. C'était de sa part un acte d'héroïsme qui devait lui coûter la vie.

Un peu plus bas, Scott Fischer descendait avec difficulté l'arête sud-est. Il s'affaiblissait de plus en plus. En arrivant en haut des ressauts rocheux qui se trouvent à 8 650 mètres, il aurait dû effectuer une série de rappels difficiles. Trop fatigué pour cet exercice complexe, il glissa sur ses fesses le long d'une pente neigeuse adjacente. C'était plus facile que de suivre les cordes mais, pour rejoindre l'itinéraire une fois en bas, il fallait faire une traversée ascendante de cent vingt mètres dans une couche de neige où l'on s'enfonçait jusqu'aux genoux.

Vers 17 h 20, Tim Madsen, qui descendait avec Bei-

1. Ce ne fut que le 25 juillet 1996, lors de mon interview de Lopsang à Seattle, que j'appris qu'il avait vu Harris dans l'après-midi du 10 mai. Auparavant, j'avais eu à plusieurs reprises de brefs entretiens avec le Sherpa, mais je n'avais jamais songé à lui demander s'il avait rencontré Harris au sommet sud parce que, à ce moment-là, j'étais certain de l'avoir vu au col sud — neuf cents mètres plus bas — à 18 h 30. Bien plus, Guy Cotter avait demandé à Lopsang s'il avait vu Harris et, pour une raison ou pour une autre — peut-être simplement parce qu'il n'avait pas compris la question —, Lopsang avait répondu par la négative.

dleman, aperçut Fischer par hasard depuis le Balcon au moment où il entamait sa traversée. «Il avait vraiment l'air fatigué, se souvient-il. Il faisait dix pas puis il s'arrêtait pour se reposer, encore quelques pas, nouveau repos. Il avançait très lentement. Mais j'apercevais Lopsang en train de descendre l'arête au-dessus de lui et je me suis dit qu'avec Lopsang tout irait bien pour Scott.»

Lopsang rejoignit Fischer vers 18 heures, juste au-dessus du Balcon : «Scott ne se sert pas de son oxygène, alors je lui remets son masque. Il dit : "Je suis très malade, trop malade pour descendre. Je vais sauter." Il le dit plusieurs fois et se comporte comme un fou. Alors je l'attache à la corde, très vite, sinon il saute au Tibet.»

Retenant Fischer avec une corde de vingt-deux mètres, Lopsang persuada son ami de ne pas sauter, puis il le fit descendre lentement vers le col sud. «La tempête est très forte maintenant, se souvient-il. Comme deux coups de canon, boum! boum! gros tonnerre. La foudre tombe deux fois près de Scott et moi. Nous sommes très effrayés.»

A cent mètres au-dessous du Balcon, le facile couloir de neige qu'ils avaient emprunté laissa la place à des affleurements de schiste instables et abrupts. Dans son état, Fischer était incapable d'affronter ce terrain. «Maintenant, Scott ne peut plus marcher. J'ai gros problème. J'essaie de le porter, mais je suis très fatigué, moi aussi. Scott, grand corps, moi, très petit. Je ne peux pas le porter. Il me dit : "Lopsang, descends!", je lui dis : "Non, je reste avec toi."»

Vers 20 heures, Lopsang se reposait avec Fischer sur une vire couverte de neige quand Makalu Gau et ses deux Sherpas apparurent dans le blizzard. Gau était presque aussi faible que Fischer et, tout comme ce dernier, il ne pouvait descendre les difficiles strates de schiste. Alors, ses Sherpas l'assirent à côté de Lopsang et Fischer, et continuèrent sans lui. «Je suis resté une heure avec Scott et Makalu, dit Lopsang. J'ai très froid, je suis très fatigué.

Scott me dit : "Descends, envoie Anatoli." Alors je dis : "D'accord, j'envoie vite Sherpas et Anatoli." Puis j'installe bien Scott et je descends.»

Lopsang laissa Fischer et Gau sur cette vire à trois cent soixante mètres au-dessus du col sud et se fraya un chemin dans la tempête. Ne voyant plus rien, il s'écarta de la route, allant trop à l'ouest, et arriva au-dessous du niveau du col. Ayant compris son erreur, il remonta sur le bord nord de la face du Lhotse[1] pour repérer le camp IV. Vers minuit, il était en sécurité : «Je vais à la tente d'Anatoli. Je lui dis : "S'il te plaît, lève-toi. Scott est très malade, il ne peut pas marcher." Puis je vais dans ma tente et je m'endors, comme un mort.»

Guy Cotter, ami de longue date de Hall et de Harris, se trouvait à quelques kilomètres du camp de base dans l'après-midi du 10 mai. Il guidait une expédition sur le Pumori et avait suivi les transmissions radio de Hall tout au long de la journée. A 14 h 15, il parla à Hall, qui était sur le sommet. Tout allait bien. Mais à 16 h 30 et 16 h 41, quand Hall appela pour dire que Doug n'avait plus d'oxygène et était incapable de marcher, Cotter ressentit une grande inquiétude. A 16 h 53, il appela Hall et le pressa de descendre au sommet sud. «Il s'agissait de le convaincre d'aller chercher de l'oxygène, dit Cotter, parce qu'on savait bien qu'il ne pourrait rien pour Doug sans cela. Rob répondit qu'il pouvait descendre sans problème, mais pas avec Doug.»

Quarante minutes plus tard, Hall était toujours en haut du ressaut Hillary. Il n'avait pas bougé. Par des appels radio, à 17 h 36 et 17 h 57, Cotter supplia son ami de laisser Hansen et de descendre seul. «Je sais que ça paraît

---

1. Le lendemain matin, en cherchant Harris sur le col, je devais trouver les traces des crampons de Lopsang sur la glace qui conduit à la face du Lhotse et je crus qu'il s'agissait de celles de Harris se dirigeant vers le bord.

salaud d'avoir conseillé à Rob d'abandonner son client, mais il était évident que c'était le seul choix possible.» Hall ne voulut pas entendre parler de descendre sans Hansen.

Ensuite, il ne se manifesta pas jusqu'au milieu de la nuit. A 2 h 46, Cotter se réveilla dans sa tente sur le Pumori pour capter une longue transmission, sans doute involontaire. Hall, qui portait un micro sur la bretelle de son sac à dos, avait dû l'ouvrir par mégarde. «Je crois, dit Cotter, qu'il ne se rendait pas compte qu'il émettait. Je pouvais entendre quelqu'un crier. C'était peut-être Rob lui-même, mais je n'en étais pas sûr à cause du bruit que faisait le vent. Il disait quelque chose comme : "Avance! Avance!" sans doute à Doug.»

Si c'était le cas, cela voulait dire que, dans les premières heures du matin, Hall et Hansen — peut-être accompagnés par Harris — étaient encore en train de marcher dans la tornade entre le ressaut et le sommet sud. Il leur aurait donc fallu plus de dix heures pour descendre une arête que, d'ordinaire, les grimpeurs franchissaient dans le même sens en moins d'une demi-heure.

Bien entendu, ce n'est qu'une supposition. Ce qui est sûr, c'est qu'à 17 h 57 il était toujours au-dessus du ressaut avec Hansen et qu'à 4 h 43, le lendemain matin 11 mai, il était parvenu au sommet sud. Ni Hansen ni Harris n'étaient avec lui.

Au cours de plusieurs communications qui eurent lieu pendant les deux heures suivantes, Rob donna l'impression troublante d'avoir perdu sa lucidité. A 4 h 43, il dit à Caroline Mackenzie que ses jambes ne fonctionnaient plus, qu'il était «trop maladroit pour descendre». D'une voix brisée, à peine audible, il dit : «Harold était avec moi cette nuit, mais on dirait qu'il n'est plus là maintenant, il était très faible.» Puis, l'esprit manifestement brouillé, il demanda : «Harold était-il avec moi? Pouvez-vous me le dire?»

Hall était en possession de deux bouteilles d'oxygène, mais les valves de son masque étaient obstruées par le gel.

Il indiqua cependant qu'il allait essayer de les dégeler. « Cela nous rassura un peu, dit Cotter. C'était le premier point positif dans ce qu'il disait. »

A 5 heures, le camp de base parvint à établir une communication satellite avec Jan Arnold, à Christchurch en Nouvelle-Zélande. Elle avait effectué une ascension de l'Everest avec Hall en 1993 et ne se faisait aucune illusion sur la gravité de la situation de son mari. « Cela m'a fendu le cœur de l'entendre. Il articulait mal, on avait l'impression qu'il s'éloignait dans les airs. Je suis montée là-haut, je sais ce que cela représente d'y être par mauvais temps. Rob et moi avions parlé de l'impossibilité d'être secouru sur l'arête sommitale. "C'est comme si on était sur la Lune", avait-il dit. »

A 5 h 31, Hall prit quatre milligrammes de dexaméthasone par voie orale et indiqua qu'il essayait toujours de déboucher son masque. A plusieurs reprises, il interrogea le camp de base sur Makalu Gau, Fischer, Beck Weathers, Yasuko Namba et sur ses autres clients. C'est le sort d'Andy Harris qui le préoccupait le plus. Il voulait savoir où il était. Cotter essaya de détourner la conversation, pensant que, selon toute probabilité, Harris était déjà mort. « Nous ne voulions pas que Hall ait une raison supplémentaire de rester là-haut. A un moment, Ed Viesturs intervint depuis le camp II et fit un pieux mensonge : « Ne t'en fais pas pour Andy, il est ici avec nous. »

Un peu plus tard, Mackenzie demanda à Rob comment allait Hansen. Hall répondit : « Doug est parti. » Ce fut tout, et il ne parla plus de lui.

Le 23 mai, quand David Breashears et Ed Viesturs atteignirent le sommet, ils ne devaient trouver aucune trace du corps de Hansen. Cependant, il découvrirent un piolet planté à quinze mètres à la verticale au-dessus du sommet sud sur une section très exposée de l'arête au bout des cordes fixes. Il est fort possible que Hall, ou Harris, soit parvenu à descendre Hansen sur les cordes mais que ce dernier ait perdu pied et fait une chute de deux mille mètres sur l'à-pic de la face sud-ouest, laissant son piolet planté là où il avait glissé. Mais ceci est une pure conjecture.

Il est encore plus difficile de comprendre ce qui est arrivé à Harris. Par le témoignage de Lopsang, les appels radio de Hall et le fait qu'un autre piolet — identifié avec certitude comme étant celui de Harris — ait été trouvé sur le sommet Sud, il est à peu près sûr qu'il était avec Hall sur le sommet sud pendant la nuit du 10 mai. On ne sait rien de plus sur la façon dont le jeune guide perdit la vie.

A 6 heures, Cotter demanda à Hall si le soleil était déjà arrivé jusqu'à lui. «Presque», répondit Rob. C'était bon signe. Il avait indiqué un peu plus tôt qu'il ne pouvait s'empêcher de trembler dans ce froid horrible. Ce qui, ajouté au fait qu'il ne pouvait plus marcher, avait beaucoup inquiété ses interlocuteurs. Il était néanmoins remarquable qu'il soit encore en vie après une nuit passée à 8 748 mètres, dans la tempête, sans abri et sans oxygène, et par un froid de − 70 °C.

Au cours de la même communication radio, Hall s'inquiéta à nouveau de Harris. «Est-ce que quelqu'un a vu Harold cette nuit, à part moi-même?» Trois heures plus tard, il était toujours obsédé par le sort d'Andy. A 8 h 43, il dit par radio : «Il y a encore des affaires d'Andy ici. Je pense qu'il a dû partir pendant la nuit. Ecoutez, est-ce que vous avez des nouvelles ou pas?» Wilton tenta d'éluder la question, mais Rob insista : «Son piolet est ici, avec sa parka et ses affaires.» Viesturs intervint depuis le camp II : «Rob, si tu peux mettre la parka, prends-la. Continue à descendre. Pense seulement à toi. Nous prenons soin des autres. Occupe-toi seulement de descendre.»

Après avoir essayé pendant deux heures de dégeler son masque, Hall parvint enfin à le faire fonctionner. A 9 heures, il put à nouveau respirer de l'oxygène. Il venait de passer plus de seize heures au-dessus de 8 700 mètres sans oxygène. En bas, ses amis unirent leurs efforts pour l'encourager à descendre. Wilton, d'une façon quelque peu inopportune, l'appela avec des larmes dans la voix : «Rob, ici Helen, au camp de base. Pense à ton petit bébé. Tu vas le voir dans deux mois, alors tiens bon!»

A plusieurs reprises, Hall annonça qu'il se préparait à descendre et, à un moment, nous fûmes certains qu'il avait quitté le sommet sud. Au camp IV, Lhakpa Chhiri et moi grelottions dans le vent devant les tentes, observant une tache minuscule qui descendait lentement la partie supérieure de l'arête sud-est. Convaincus qu'il s'agissait de Rob, Lhakpa et moi nous congratulâmes et fîmes des vœux pour lui. Une heure plus tard, notre optimisme s'effondra : la tache n'avait pas bougé. Ce n'était qu'un rocher. En réalité, Rob n'avait jamais quitté le sommet sud.

Vers 9 h 30, Ang Dorje et Lhakpa Chhiri quittèrent le camp IV dans l'intention de porter secours à Hall. Ils se mirent à monter vers le sommet sud avec un thermos de thé et deux bouteilles d'oxygène. Aussi étonnant et courageux qu'ait été le sauvetage de Sandy Pittman et de Charlotte Fox par Boukreev la nuit précédente, ce n'était rien en comparaison de ce que les deux Sherpas se proposaient de faire. Pittman et Fox étaient à vingt minutes de marche sur un terrain relativement plat, alors que Hall se trouvait à plus de neuf cents mètres à la verticale au-dessus du camp IV. Ce qui représentait une ascension épuisante de huit ou neuf heures si les conditions atmosphériques étaient bonnes.

Or elles ne l'étaient absolument pas. Le vent soufflait à plus de quarante nœuds. Ang Dorje et Lhakpa avaient froid et ils étaient fatigués à cause de leur ascension de la veille. Si jamais ils parvenaient jusqu'à Hall, ce serait seulement en fin d'après-midi, ce qui ne leur laisserait que deux heures avant la nuit pour accomplir le plus difficile : redescendre. Cependant, leur loyauté envers Hall était telle qu'ils ne tinrent pas compte des obstacles et grimpèrent aussi vite qu'ils purent vers le sommet sud.

Peu après, deux Sherpas de Mountain Madness — Tashi Tshering et Ngawang Sya Kya (un petit homme aux tempes grisonnantes, qui est le père de Lopsang) — et un Sherpa de l'expédition taïwanaise se mirent en route pour aller chercher Scott Fischer et Makalu Gau. A trois cent cinquante mètres au-dessus du col sud, ils trouvèrent les deux hommes sur la vire, là où Lopsang les avait laissés. Ils essayèrent de donner de l'oxygène à Fischer, mais il ne réagissait plus. Il respirait encore, mais à peine. Ses yeux étaient fixes et ses dents serrées. Les Sherpas conclurent que son cas était désespéré et le laissèrent sur la vire. Ils entreprirent de descendre Gau qui, après avoir bu du thé et reçu de l'oxygène, réussit à descendre jusqu'aux tentes avec l'aide des Sherpas.

La journée avait commencé par être ensoleillée et claire, mais le vent restait violent et, en fin de matinée, le haut de la montagne s'enveloppa de nuages. Au sommet, le vent vrombissait comme une escadrille d'avions. Sur l'arête sud-est, Ang Dorje et Lhakpa Chhiri continuaient résolument à se diriger vers Hall malgré l'aggravation de la tempête. Mais, à 15 heures, alors qu'ils parvenaient à deux cents mètres au-dessous du sommet sud, ils ne purent plus monter. Il y avait trop de vent et il faisait trop froid. Leur vaillante tentative avait échoué. Lorsqu'ils se mirent à redescendre, les chances de survie de Hall se réduisirent à presque rien.

Tout au long de la journée du 11 mai, ses amis ne cessèrent de le supplier de descendre par ses propres moyens. A plusieurs reprises, il annonça qu'il s'y préparait mais à chaque fois il changea d'avis et resta au sommet sud. A 15 h 20, Cotter, qui avait rejoint le camp de base, lui dit sur un ton de reproche : «Rob, il faut que tu descendes l'arête.»

Hall répliqua, agacé : «Ecoute, si je pensais pouvoir

descendre les cordes avec mes mains gelées, cela ferait six heures que je serais en bas. Envoie simplement deux gars avec un grand thermos et tout ira bien. — Ceux qui sont montés aujourd'hui ont dû rebrousser chemin à cause du vent, dit Cotter en essayant de lui faire comprendre aussi délicatement que possible que les secours avaient été abandonnés, aussi, le mieux serait que tu descendes un peu plus bas... — Je peux tenir encore une nuit si tu envoies deux gars avec du thé sherpa dès le matin, pas plus tard que 9 h 30, 10 heures. — Nous t'enverrons des garçons demain matin.»

A 18 h 20, Cotter appela Hall pour lui dire que Jan Arnold était en ligne depuis Christchurch. «Donne-moi une minute, dit Rob, ma bouche est sèche, je veux manger un peu de neige avant de lui parler.»

Un peu plus tard, il prit la communication et dit d'une voix lente, affreusement déformée : «Salut, ma chérie, j'espère que tu es dans un bon petit lit chaud. Comment vas-tu? — Je peux te dire que je pense beaucoup à toi. Tu as l'air en meilleure forme que je ne pensais... As-tu chaud? — Dans le contexte de l'altitude et de l'installation, je suis relativement à l'aise. — Comment vont tes pieds? — Je n'ai pas enlevé mes chaussures pour vérifier, mais je crois que j'ai quelques gelures. — Tout ira bien quand tu seras rentré à la maison. Je sais que tu vas être secouru. Ne te sens pas seul. J'envoie vers toi toute mon énergie!»

Puis, avant de mettre un terme à la communication, Hall dit à sa femme : «Je t'aime. Dors bien, ma chérie. Je t'en prie, ne te fais pas trop de souci.»

Ce furent ses derniers mots. Les tentatives pour établir un contact radio avec lui dans la soirée et le lendemain restèrent sans résultat.

Douze jours plus tard, quand Breashears et Viesturs parvinrent au sommet sud, ils trouvèrent Hall allongé sur le côté droit, dans un creux de glace peu profond. La neige poussée par le vent avait recouvert le haut de son corps.

18

Arête nord-est. 10 mai 1996.
8 702 mètres

L'Everest incarnait les forces physiques du monde. C'est contre cela que s'élevait l'esprit de l'homme. S'il réussissait, il pourrait voir la joie illuminer le visage de ses camarades. Il imaginait le plaisir que sa réussite donnerait à tous les alpinistes, le prestige qu'en retirerait l'Angleterre, l'intérêt que cela susciterait dans le monde entier, le renom que cela lui vaudrait, la satisfaction durable qu'il ressentirait d'avoir donné un sens à sa vie... Peut-être ne formula-t-il jamais ces pensées, mais dans son esprit il y avait l'idée du « tout ou rien ». De ces deux possibilités : faire demi-tour pour la troisième fois ou mourir, la seconde était probablement la plus facile à envisager pour Mallory. Les souffrances de la première dépassaient ce qu'il pouvait endurer en tant qu'homme, en tant qu'alpiniste et en tant qu'artiste.

Sir Francis Younghusband
L'Epopée de l'Everest, 1926

Le 10 mai à 16 heures, à peu près à la même heure où Doug Hansen, épuisé, arrivait au sommet soutenu par Rob Hall, trois alpinistes de la province du Ladakh, dans le nord de l'Inde, adressèrent un message radio à leur chef pour l'informer qu'ils étaient parvenus au sommet de l'Everest. Membres d'une expédition de trente-neuf personnes organisée par la police de la frontière indo-tibétaine, Tsewang Smanla, Tsewang Paljor et Dorje Morup avaient réalisé l'ascension depuis le versant tibétain par l'arête nord-est — route célèbre sur laquelle George Leigh Mallory et Andrew Irvine ont disparu en 1924.

Six Ladakhis avaient quitté leur camp supérieur, situé à 8 300 mètres, à 5 h 45[1]. En début d'après-midi, à trois cents mètres en dessous de la cime, ils furent pris dans les mêmes nuages de tempête qui nous enveloppaient de l'autre côté de la montagne. Trois membres du groupe jetèrent l'éponge et redescendirent vers 14 heures. Mais Smanla, Paljor et Morup continuèrent malgré la détérioration du temps. « Ils avaient la fièvre du sommet », expliqua Harbhajan Singh, l'un de ceux qui firent demi-tour.

Les trois hommes atteignirent ce qu'ils prirent pour le sommet à 16 heures. A ce moment, les nuages étaient devenus si denses que la visibilité ne dépassait pas trente mètres. Ils informèrent par radio leur camp de base, situé sur le glacier du Rongbuck, qu'ils venaient d'arriver au sommet. Aussitôt, le chef d'expédition, Mohindor Singh, appela New Delhi au moyen du téléphone satellite pour annoncer fièrement ce succès triomphal au Premier ministre Narashima Rao. Les trois alpinistes célébrèrent leur réussite en déposant en offrande des fanions de prière, des katas et des pitons d'escalade sur ce qu'ils pensaient être l'emplacement le plus élevé. Puis ils redescendirent dans le blizzard qui augmentait rapidement.

---

1. Pour éviter toute confusion, nous utilisons l'heure népalaise, bien que ces événements se soient passés au Tibet, qui a la même heure que Pékin, soit deux heures et quinze minutes d'avance sur celle du Népal : quand il est 6 heures au Népal, il est 8 h 15 au Tibet.

En réalité, les Ladakhis avaient fait demi-tour à 8 702 mètres, à deux heures de marche du véritable sommet, qui, à ce moment-là, dépassait encore de la couche de nuages la plus élevée. Le fait qu'ils se soient arrêtés involontairement avant leur but explique qu'ils n'aient pas aperçu Hansen, Hall ou Lopsang, et vice versa.

Plus tard, un peu après la tombée de la nuit, des grimpeurs qui se trouvaient plus bas sur l'arête nord-est aperçurent deux lampes frontales aux alentours de 8 626 mètres, juste au-dessus d'une falaise notoirement difficile appelée le Second Ressaut, mais aucun des trois Ladakhis ne regagna les tentes ce soir-là ni n'envoya de message radio.

Le lendemain 11 mai, à 1 h 45 — à peu près au moment où Anatoli Boukreev était à la recherche de Sandy Pittman, Charlotte Fox et Tim Madsen sur le col sud — deux grimpeurs japonais accompagnés par trois Sherpas partaient vers le sommet, en dépit du vent violent, depuis le même camp supérieur que celui des Ladakhis. A 6 heures, en contournant un promontoire escarpé appelé le Premier Ressaut, Eisuke Shigekawa, âgé de vingt et un ans, et Hiroshi Hanada, trente-six ans, eurent la surprise d'apercevoir l'un des Ladakhis, probablement Paljor, étendu dans la neige, affreusement gelé mais toujours en vie. Il marmonnait des paroles inintelligibles. Désireux de ne pas porter préjudice à leur tentative en s'arrêtant pour aider cet homme, les deux Japonais continuèrent leur ascension.

A 7 h 15, ils arrivèrent au pied du Second Ressaut — une proue verticale de schiste friable. Généralement, on le franchit au moyen d'une échelle en aluminium qui a été fixée à la paroi par une expédition chinoise en 1975. Mais, à la déconvenue des Japonais, elle s'était en partie détachée de la roche. Aussi leur fallut-il une heure et demie d'une escalade éprouvante pour gravir cette falaise de six mètres. Juste après le Second Ressaut, ils trouvèrent les deux autres Ladakhis, Smanla et Morup. Selon un article du *Financial Times* rédigé par le journaliste britannique Richard Cowper — qui a pu interroger Hanada et Shigekawa immédiatement après leur ascension : «L'un des Ladakhis leur sembla proche de la mort et l'autre était accroupi dans la neige. Aucune parole ne fut échangée. Rien ne fut donné : ni eau, ni aliment, ni oxygène. Les Japonais s'éloignèrent de cinquante mètres et là, ils se reposèrent et changèrent leurs bouteilles d'oxygène.»

Hanada dit à Cowper : «Nous ne les connaissions pas. Non, nous ne leur avons pas donné d'eau. Nous ne leur avons pas parlé. Ils souffraient d'un mal d'altitude sévère. Ils paraissaient dangereux.»

De son côté, Shigekawa expliqua : «Nous étions trop fatigués pour les aider. Au-dessus de 8 000 mètres, la moralité est une chose que l'on ne peut pas se permettre.»

Abandonnant Smanla et Morup, les Japonais reprirent leur progression. Ils dépassèrent les drapeaux de prières et les pitons laissés par les Ladakhis à 8 702 mètres et, faisant preuve d'une ténacité étonnante, ils atteignirent le sommet à 11 h 45 dans les hurlements du vent. Au même moment, Rob Hall était sur le sommet sud en train de lutter pour sa vie, à une demi-heure.

Lors de leur retour vers leur camp supérieur, les Japonais aperçurent à nouveau Smanla et Morup au-dessus du Second Ressaut. Morup semblait mort. Smanla, bien que toujours vivant, s'était emmêlé dans une corde fixe. Un Sherpa de l'équipe japonaise, Pasang Kami, le libéra puis continua sa descente. En dessous du Premier Ressaut, il n'y avait plus trace du troisième Ladakhi.

Sept jours plus tard, l'expédition indienne fit une nouvelle tentative. Quittant leur camp supérieur à 1 h 15, le 17 mai, deux Ladakhis et trois Sherpas trouvèrent les corps gelés de leurs camarades. Ils racontèrent que l'un d'entre eux, dans son agonie, avait arraché presque tous ses vêtements avant de mourir. Smanla, Morup et Paljor furent laissés sur la montagne à l'endroit où ils étaient morts, et les cinq grimpeurs poursuivirent leur ascension. Ils arrivèrent au sommet à 7 h 40.

19

Col sud. 7 h 30. 11 mai 1996. 7 925 mètres

Tournant sans cesse en cercles toujours plus larges
Le faucon n'entend pas le fauconnier ;
Les choses se défont, le centre ne les maintient plus ;
L'anarchie se répand sur le monde,
Monte la marée au sang affaibli et partout
La cérémonie de l'innocence est submergée.

William Butler Yeats
« La Seconde Venue »

Le samedi 11 mai, quand je rentrai au camp vers 7 h 30, ce qui était arrivé et qui se poursuivait encore commença à m'apparaître avec une force qui me paralysa. J'étais physiquement et émotionnellement épuisé pour avoir seulement passé une heure à parcourir le col sud à la recherche d'Andy Harris. J'en avais retiré la conviction qu'il était mort. Les communications radio de Rob Hall — que Stuart Hutchison avait écoutées — établissaient clairement que notre chef d'expédition se trouvait dans une situation désespérée et que Doug Hansen était mort. Des membres du groupe de Fischer, qui avaient passé la plus grande partie de la nuit sur le col, disaient que Yasuko Namba et Beck Weathers n'avaient pas survécu. Et Scott Fischer et Makalu Gau étaient considérés comme morts ou très proches de la mort, à trois cents mètres au-dessus des tentes.

Devant ce sinistre décompte, mon esprit s'enferma dans un détachement étrange, presque robotique. Je me sentais émotionnellement anesthésié et cependant hyperconscient, comme si je m'étais réfugié dans un bunker à l'intérieur de mon crâne et que, de là, j'épiais le désastre qui m'entourait par une étroite ouverture dans le blindage. Tandis que, du fond de mon engourdissement, je contemplais le ciel, il me parut avoir pris une teinte d'un bleu pâle surnaturel, presque lavé de toute couleur. La ligne hachée de l'horizon était illuminée par une sorte de couronne qui scintillait devant mes yeux. Je me demandais si je n'avais pas commencé à sombrer dans la folie, avec sa spirale d'horribles rêves.

Après une nuit à 7 925 mètres sans oxygène, je me sentais encore plus faible et épuisé que la veille, au retour du sommet. Si, d'une manière ou d'une autre, nous ne nous procurions pas des bouteilles pleines ou si nous ne descendions pas à un camp inférieur, je savais que mes camarades et moi-même continuerions à nous affaiblir rapidement.

La méthode d'acclimatation rapide utilisée par Hall et par la plupart des alpinistes actuels sur l'Everest est remarquablement efficace. Elle permet à des grimpeurs de partir pour le sommet après une période préparatoire relativement courte : quatre semaines au-dessus de 5 182 mètres et une seule excursion d'acclimatation à 7 315 mètres [1]. Cependant, cela suppose que tout le

---

1. En 1996, le groupe de Hall ne passa que huit nuits au camp II (6 493 mètres) ou plus haut avant de partir pour le sommet depuis le camp de base. Ce qui constitue aujourd'hui une période d'acclimatation normale. Avant 1990, les alpinistes passaient beaucoup plus de temps au camp II ou plus haut — avec au moins une ascension à 7 925 mètres. Bien qu'on puisse

monde disposera d'oxygène en permanence au-dessus de 6 400 mètres. Quand ce n'est pas le cas, tout s'effondre.

Parti à la recherche des autres membres du groupe, je trouvai Frank Fischbeck et Lou Kasischke étendus dans une tente toute proche. Lou délirait, balbutiant des propos incohérents. Il était atteint par l'ophtalmie des neiges et ne pouvait s'en sortir tout seul. Frank paraissait en état de choc, mais il faisait de son mieux pour s'occuper de Lou. John Taske se trouvait dans une autre tente avec Mike Groom. Les deux hommes semblaient soit endormis soit inconscients. Aussi faible et chancelant que je fusse, il était évident que les autres, à l'exception de Stuart Hutchison, se trouvaient dans un état encore plus désastreux.

En allant de tente en tente, j'essayai de découvrir des bouteilles d'oxygène. Elles étaient toutes vides. L'hypoxie qui commençait, associée à une profonde fatigue, augmentait mon impression de chaos et de désespoir. Le vent, en faisant claquer impitoyablement les toiles de nylon, rendait impossible toute communication de tente à tente. Les piles de notre unique radio étaient presque vides. Une atmosphère de fin du monde se répandait dans le camp, aggravée par le fait que notre groupe avait été incité à s'en remettre en tout à nos guides et se trouvait maintenant sans direction : Rob et Andy n'étaient plus là, et bien qu'il y eût encore Mike Groom, l'épreuve de la nuit précédente l'avait terriblement marqué. Atteint de graves gelures, il gisait dans sa tente et, pour le moment, ne pouvait même plus parler.

Nos guides étant *hors de combat*[1], Hutchison se proposa pour remplir ce rôle. Nerveux et sérieux, cet homme

---

discuter de la valeur d'une acclimatation à 7 925 mètres (les effets délétères de la haute altitude pouvant en anéantir les bénéfices), il est hors de doute qu'on obtiendrait une plus grande marge de sécurité en effectuant les huit ou neuf nuits d'acclimatation à 7 300 mètres plutôt qu'à 6 400.

1. En français dans le texte. *(N.d.T.)*

jeune issu de la bonne société anglophone de Montréal était un chercheur brillant qui entreprenait une grande expédition tous les deux ou trois ans mais qui, le reste du temps, n'avait pas assez de loisir pour pratiquer l'escalade. Dans le climat de crise qui se développait au camp IV, il fit de son mieux pour se montrer à la hauteur des circonstances.

Pendant que j'essayais de récupérer après ma recherche infructueuse d'Andy Harris, Hutchison mit sur pied une équipe de quatre Sherpas — avec à sa tête Lhakpa Chhiri — pour retrouver les corps de Weathers et de Namba. Au moment de partir, Stuart était tellement assommé de fatigue qu'il oublia de mettre ses chaussures et s'apprêtait à quitter le camp en chaussons. Il fallut que Lhakpa lui signale son oubli. Suivant les indications de Boukreev, les Sherpas retrouvèrent facilement les deux corps sur une pente de glace grise parsemée de rochers près du bord de la face du Kangshung. Mais, extrêmement superstitieux à l'égard des morts, ils s'arrêtèrent à une vingtaine de mètres et attendirent l'arrivée de Stuart.

«Les deux corps étaient en partie enfouis, se souvient ce dernier. Leurs sacs à dos se trouvaient à environ trente mètres, un peu plus haut. Leur visage et leur torse étaient recouverts par la neige. Seuls dépassaient les mains et les pieds. Le vent hurlait sur le col.» Le premier corps était celui de Namba, mais Hutchison ne put l'identifier avant de s'être agenouillé et d'avoir enlevé la carapace de huit centimètres de glace qui lui recouvrait le visage. Il eut la stupéfaction de constater qu'elle respirait encore. Elle avait perdu ses deux gants et ses mains nues étaient complètement gelées. Ses yeux étaient grands ouverts. La peau de son visage avait la couleur de la porcelaine. «C'était terrible. J'étais bouleversé. Elle était tout près de mourir. Je ne savais pas quoi faire.»

Il alla voir Beck, étendu six mètres plus loin. Sa tête était également recouverte d'une épaisse couche de gel.

Des boules de glace de la taille de grains de raisin étaient collées à ses cheveux et à ses paupières. Après l'en avoir débarrassé, il s'aperçut que le Texan était vivant lui aussi. «Beck marmonnait quelque chose, mais je ne pouvais pas comprendre ce qu'il disait. Il n'avait plus son gant droit et souffrait d'horribles gelures. J'essayai en vain de l'asseoir. Il était aussi proche de la mort qu'on peut l'être tout en respirant encore.»

Très secoué, Hutchison alla demander son avis à Lhakpa. Ce montagnard chevronné était unanimement respecté. Il conseilla vivement à Stuart de laisser Beck et Yasuko où ils étaient. Même s'ils survivaient assez longtemps pour parvenir jusqu'au camp IV, ils mourraient certainement avant de pouvoir être ramenés au camp de base et cette tentative de sauvetage mettrait inutilement en danger la vie des autres grimpeurs qui, pour la plupart, auraient déjà bien du mal à redescendre sans dommage.

Hutchison considéra que Lhakpa avait raison. Même si c'était dur à admettre, il n'y avait qu'une chose à faire : laisser Beck et Yasuko, dont la fin était inévitable, et garder les ressources du groupe pour ceux qui pouvaient encore être secourus. C'était un cas classique de tri médical. Quand Stuart rentra au camp, il était au bord des larmes et ressemblait à un fantôme. A sa demande, nous réveillâmes Taske et Groom et nous nous réunîmes dans leur tente pour décider ce que nous devions faire au sujet de Beck et Yasuko. La conversation, chargée d'angoisse, fut hésitante. Nous évitions de nous regarder dans les yeux. Mais au bout de cinq minutes, nous étions tous du même avis : la décision de laisser Beck et Yasuko là où ils gisaient était la bonne.

Nous nous demandâmes aussi s'il fallait redescendre au camp II dans l'après-midi, mais Taske insista pour que nous ne quittions pas le col tant que Hall serait bloqué au sommet sud. «Je n'envisage pas de partir sans lui», dit-

il. Cela pouvait se discuter mais, de toute façon, Kasischke et Groom étaient si mal en point qu'il était hors de
question pour le moment d'aller où que ce soit.

«A cet instant, dit Hutchison, je craignais la répétition
de ce qui s'était passé sur le K2 en 1986.» Le 4 juillet de
cette année-là, sept grimpeurs — il y avait parmi eux le
célèbre alpiniste autrichien Kurt Diemberger — étaient
partis à l'assaut de ce sommet. Six d'entre eux avaient
réussi à atteindre la cime, mais une forte tempête s'était
abattue sur le haut du K2, ce qui les avait cloués dans
leur camp supérieur, à 8 000 mètres. Le blizzard avait
soufflé sans discontinuer pendant cinq jours et les alpinistes s'étaient affaiblis de plus en plus. Quand le vent
avait cessé, seul Diemberger et un autre avaient pu rester en vie.

Le samedi matin, pendant que nous nous demandions
ce qu'il convenait de faire au sujet de Namba et de Weathers, et s'il fallait ou non redescendre, Neal Beidleman
faisait sortir les membres du groupe de Fischer de leurs
tentes et les rassemblait pour leur faire quitter le col. «Ils
étaient tellement éprouvés par la nuit précédente que ce
fut très dur de les faire lever. J'ai presque dû en brutali-
ser certains pour qu'ils mettent leurs chaussures. Mais je
voulais que nous partions immédiatement. Selon moi,
rester à près de 8 000 mètres plus longtemps que ce n'est
absolument nécessaire, c'est chercher les ennuis. Je voyais
que l'on s'occupait de porter secours à Scott et à Rob,
alors j'ai tourné toute mon attention vers nos clients pour
les faire descendre à un camp inférieur.»

Pendant que Boukreev restait au camp pour attendre
Fischer, Beidleman entama avec son groupe une lente
descente du col. A 7 620 mètres, il s'arrêta pour admi-
nistrer à Pittman une seconde injection de dexaméthasone, puis tout le monde eut droit à un long repos au

camp III. David Breashears s'y trouvait : «J'ai vu arriver ces gens avec stupeur. Ils avaient l'air de revenir de cinq mois de guerre. Sandy a eu une crise de nerfs et s'est mise à crier : "C'était terrible! J'avais baissé les bras et je m'étais couchée pour mourir!" Tous paraissaient dans un grave état de choc.»

Juste avant la tombée de la nuit, les derniers membres du groupe étaient en train de descendre laborieusement la glace en forte pente de la partie inférieure de la face du Lhotse quand, à cent cinquante mètres de la fin des cordes fixes, un groupe de Sherpas d'une expédition népalaise de nettoyage arriva pour les aider. Au moment où ils reprenaient leur descente, une volée de pierres de la taille d'un pamplemousse s'abattit sur eux. L'une d'elles atteignit un Sherpa à la base du crâne.

«On aurait dit, se souvient Klev Schoening, qu'il avait été frappé par une batte de base-ball.» Le coup fut si violent qu'il arracha un morceau de crâne de la taille d'une pièce d'argent de 5 dollars. Le Sherpa perdit conscience et fit un arrêt cardiaque. Schoening bondit près de lui et parvint à arrêter sa chute. Mais un instant plus tard, pendant qu'il le soutenait, une autre pierre toucha le Sherpa. Cette fois encore, à l'arrière du crâne. Malgré cela, il eut un halètement violent puis se remit à respirer. Beidleman parvint à le descendre en bas de la face du Lhotse, où ses camarades le recueillirent et le transportèrent au camp II. «Klev et moi, dit Beidleman, nous nous sommes regardés d'un air incrédule, comme pour nous dire : Mais que se passe-t-il donc? Qu'avons-nous fait pour que la montagne soit tellement en colère?»

Tout au long du mois d'avril et au début du mois de mai, Rob Hall avait exprimé sa crainte que certains groupes parmi les moins compétents ne se mettent en mauvaise posture et ne nous obligent à leur porter secours, ce qui contrarierait notre ascension. L'ironie du sort voulait que ce fût l'expédition de Hall qui eût de graves ennuis et que les autres dussent venir à notre aide. C'est sans la moindre amertume que trois de ces groupes — ceux de Todd Burleson, de David Breashears et de Mal Duff — reportèrent leur départ vers le sommet pour nous prêter assistance.

La veille — le vendredi 10 mai — pendant que les groupes de Hall et de Fischer montaient du camp IV au sommet, l'expédition Alpine Ascents dirigée par Burleson et Athans arrivait au camp III. Le samedi matin, dès qu'ils apprirent ce qui se passait plus haut, les deux alpinistes laissèrent leurs clients aux soins du troisième guide, Jim Williams, et montèrent en toute hâte au col sud.

Pendant ce temps, Breashears, Ed Viesturs et les autres membres de l'expédition IMAX se trouvaient au camp II. Breashears arrêta immédiatement le tournage de son film de façon à pouvoir mettre les ressources de son expédition au service des secours. Tout d'abord, il me fit parvenir un message pour me dire qu'il y avait des piles de rechange dans l'une des tentes d'IMAX sur le col. Je pus les trouver au milieu de l'après-midi, ce qui nous permit de rétablir une liaison radio avec les camps inférieurs. Ensuite, Breashears mit à notre disposition les réserves d'oxygène de son expédition — cinquante bouteilles qui avaient été transportées à grand-peine sur le col. Bien que cela puisse porter préjudice à son film de 5,5 millions de dollars, il nous offrit son oxygène sans hésitation.

Athans et Burleson arrivèrent au camp IV au milieu de la matinée et commencèrent aussitôt la distribution des bouteilles d'oxygène d'IMAX à ceux d'entre nous qui en avaient le plus besoin, puis ils attendirent le retour des Sherpas partis au secours de Hall, Fischer et Gau. A 16 h 35, Burleson était dehors lorsqu'il aperçut quelqu'un qui avançait lentement vers les tentes d'une démarche étrangement raide. Todd, s'adressant à Athans, lui dit :

«Pete, viens voir, quelqu'un arrive au camp.» En guise de salut, la personne en question leva une main droite sans gant, affreusement gelée. Athans crut voir une momie sortie d'un film d'horreur à petit budget. Quand la momie se fut approchée, Burleson comprit que c'était Beck Weathers qui revenait de la mort.

La nuit précédente, avançant difficilement en compagnie de Groom, Beidleman, Namba et les autres, Weathers s'était senti envahi progressivement par le froid. «J'avais perdu mon gant droit. Mon visage commençait à geler. Mes mains aussi. Je m'engourdissais. Il m'était très difficile de me concentrer et finalement j'ai, en quelque sorte, glissé dans l'inconscience.»

Pendant la nuit et la plus grande partie du jour suivant, Beck était resté étendu sur la glace, exposé au vent, en état de catalepsie, à peine vivant. Il ne se souvient pas de Boukreev, venu chercher Pittman, Fox et Madsen. Ni de Hutchison, qui, le matin, lui avait ôté la glace de son visage. Il était resté dans le coma pendant plus de douze heures puis, le samedi, pour une raison inconnue, une lueur avait traversé son cerveau, le ramenant à la conscience.

«Tout d'abord, j'ai cru que c'était un rêve. Je pensais être dans mon lit. Je ne sentais ni le froid ni l'inconfort. J'ai roulé sur le côté, ouvert les yeux et là, j'ai aperçu ma main droite, juste devant moi. Quand j'ai vu à quel point elle était gelée, cela m'a aidé à reprendre contact avec la réalité. Finalement, je me suis trouvé suffisamment éveillé pour comprendre que j'étais dans le pétrin, que la cavalerie n'allait pas venir me chercher et que je ferais mieux de me sortir de là tout seul.»

Bien qu'il n'y vît plus que d'un œil et que la vision de son autre œil ne dépassât pas un mètre, il se mit à avancer face au vent, pensant à juste titre que le camp se trouvait dans cette direction. S'il s'était trompé, il aurait tout de suite basculé dans la face du Kangshung dont le bord était à dix mètres à peine de l'autre côté. Quatre-vingt-dix minutes plus tard, il aperçut «quelques rochers anormalement doux d'une vague teinte bleue» qui se révélèrent être les tentes du camp IV.

Hutchison et moi étions dans notre tente en train d'écouter un message de Rob Hall quand Burleson fit irruption : «Docteur! On a besoin de vous! Beck vient d'arriver, il n'est pas en bon état!» Stupéfait de cette résurrection miraculeuse, Stuart partit malgré son extrême fatigue.

Aidé par Athans et Burleson, il plaça Beck dans une tente inoccupée, l'enveloppa dans deux sacs de couchage avec plusieurs bouillottes et lui mit un masque à oxygène. «Aucun d'entre nous, dit Hutchison, ne pensait que Beck passerait la nuit. Je sentais à peine son pouls de carotide, qui est le dernier à disparaître avant la mort. Il était dans un état critique. Et même s'il restait vivant jusqu'au lendemain, je ne voyais pas comment nous pourrions le faire redescendre.»

Les trois Sherpas qui étaient partis au secours de Fischer et de Makalu Gau avaient ramené Gau et laissé Fischer sur la vire, à 8 290 mètres, parce qu'ils le considéraient comme perdu. Mais Anatoli Boukreev, qui venait de voir revenir Beck pourtant donné pour mort, ne voulait pas abandonner Fischer. A 17 heures, alors que la tempête s'intensifiait, le Russe partit seul pour tenter de le sauver.

«Je trouve Scott à 19 heures, peut-être 19 h 30 ou 20 heures, dit-il. Il fait déjà nuit. La tempête est très forte. Il a son masque à oxygène mais la bouteille est vide. Il n'a plus ses moufles, ses mains sont complètement nues. L'un des bras est sorti de son vêtement. Je ne peux rien faire. Scott est mort.» Le cœur lourd, Boukreev plaça le sac à dos de Fischer sur son visage en guise de linceul et le laissa étendu sur la vire. Puis il prit l'appareil photo de Scott, son piolet et son couteau de poche — de retour à

Seattle, Beidleman remettrait ces objets au fils de Scott, âgé de neuf ans —, et il redescendit dans la tempête.

Ce samedi soir, le vent était encore plus déchaîné que la veille. Lorsque Boukreev revint au camp IV, la visibilité se réduisait à quelques mètres et il faillit ne pas retrouver les tentes.

Respirant pour la première fois de l'oxygène depuis trente heures grâce à IMAX, je sombrai dans un sommeil agité et intermittent malgré le claquement furieux de la tente. Un peu après minuit, j'étais en plein cauchemar — Andy, accroché à une corde, tombait sur la face du Lhotse et me demandait pourquoi je ne le retenais pas — quand Hutchison me secoua : «Jon, cria-t-il pour surmonter le bruit du vent, la tente m'inquiète ! Crois-tu qu'elle va tenir ?»

J'émergeai avec difficulté de mon rêve pénible comme un noyé remonte à la surface. Il me fallut une bonne minute pour comprendre pourquoi Stuart avait l'air si inquiet. Le vent avait à moitié aplati notre abri, qui tanguait fortement à chaque rafale. Plusieurs piquets étaient tordus et, à la lumière de ma lampe frontale, je vis que plusieurs des coutures principales étaient sur le point de céder. De fines particules de neige entraient dans la tente et recouvraient tout d'une couche de givre. Jamais je n'avais vu le vent souffler si fort, même sur la calotte glaciaire de Patagonie, qui est pourtant considérée comme la région la plus ventée du monde. Si la tente se désagrégeait avant le matin, notre situation deviendrait critique.

Stuart et moi rassemblâmes nos chaussures et nos vêtements et nous plaçâmes contre le vent. En appuyant du dos et des épaules contre les piquets, nous luttâmes pendant trois heures contre l'ouragan et, malgré notre fatigue, nous retenions le dôme de nylon comme si notre vie en dépendait. J'imaginai Rob sur le sommet sud, à 8 748 mètres, sans oxygène, exposé à la furie des éléments sans le moindre abri. Mais cela me mit tellement mal à l'aise que je m'efforçai de ne plus y penser.

Le dimanche 12 mai, juste avant l'aube, Stuart se trouva à court d'oxygène. «J'avais de plus en plus froid, me dira-t-il plus tard. Je commençais à ne plus sentir ni mes mains ni mes pieds et je craignais de ne plus être capable de quitter le col. Je me disais que si je ne redescendais pas ce matin, je pourrais bien ne plus jamais redescendre.» Je donnai ma bouteille à Stuart et fouillai la tente jusqu'à ce que j'en trouve une autre qui contenait encore du gaz. Puis nous fîmes notre paquetage en vue de la descente.

Quand je m'aventurai à l'extérieur, je m'aperçus qu'au moins une des tentes inoccupées avait été emportée par le vent. Puis je remarquai Ang Dorje, debout dans ce vent terrible. Il pleurait la disparition de Rob. Après l'expédition, lorsque j'en parlai à son amie canadienne Marion Boyd, elle m'expliqua : «Ang Dorje considère que son rôle sur terre est de veiller sur les autres — lui et moi en avons souvent parlé. C'est très important pour lui; cela tient à sa religion, à la préparation de son prochain passage sur terre[1]. Bien que Rob fût le chef de l'expédition, Ang Dorje considérait qu'il lui appartenait de veiller à la sécurité de Rob, de Doug Hansen et des autres. Quand ils moururent, il ne put s'empêcher de faire porter le blâme sur lui-même.»

Craignant qu'Ang Dorje ne soit dans une détresse telle qu'il en vienne à refuser de partir, Hutchison alla le conjurer de descendre tout de suite. Puis, à 8 h 30, persuadé qu'à cette heure Rob, Andy, Doug, Scott, Yasuko et Beck étaient morts, Mike Groom, malgré de graves gelures, se força à sortir de sa tente, rassembla Hutchi-

---

1. Les bouddhistes croient au *sonam* — un décompte des actions justes qui peut permettre à quelqu'un d'échapper au cycle des naissances successives et de s'élever pour toujours au-dessus de ce monde de peine et de douleur.

son, Taske, Fischbeck et Kasischke, et entreprit de les guider dans la descente.

En l'absence d'un autre guide, je me portai volontaire pour fermer la marche. Pendant que notre pauvre troupe s'éloignait lentement en file indienne et se dirigeait vers l'Eperon des Genevois, je fis appel à tout mon courage pour rendre une dernière visite à Beck, dont je pensais qu'il avait dû mourir pendant la nuit. Je vis que sa tente avait été aplatie par le vent et que les deux ouvertures étaient grandes ouvertes. Mais, à l'intérieur, j'eus la surprise de trouver Beck encore vivant.

Il était allongé sur le dos, à même le sol, en proie à un tremblement convulsif. Son visage était très enflé. Des taches noires comme de l'encre qui lui couvraient le nez et les joues indiquaient des gelures profondes. La tempête avait emporté les deux sacs de couchage et il était resté exposé sans protection au vent glacial, incapable, à cause de ses mains gelées, de retenir les sacs ou de fermer les ouvertures de la tente. «Bon Dieu, gémit-il, les traits distordus par un rictus de douleur et de désespoir, que faut-il donc faire pour avoir un peu d'aide par ici!» Il avait appelé au secours pendant deux ou trois heures, mais le bruit de la tempête avait couvert sa voix.

Beck s'était réveillé au milieu de la nuit : «La tornade avait écrasé la tente et était en train de la disloquer. Le vent pressait la toile sur moi, ce qui m'empêchait de respirer. Il relâchait sa pression pendant une seconde puis la toile se plaquait brutalement contre mon visage et ma poitrine en me coupant le souffle. Et le pire de tout, c'est que mon bras droit enflait. J'avais au poignet cette stupide montre; plus mon bras grossissait, plus elle me serrait et coupait la circulation du sang dans ma main. Mais avec des mains en si mauvais état, je ne pouvais rien faire. J'ai appelé au secours. Personne n'est venu. Ça a été une longue nuit d'enfer. J'ai été drôlement content de te voir quand tu as passé la tête à l'intérieur de la tente!»

J'étais si bouleversé par l'horrible état de Beck — et par la façon impardonnable dont nous l'avions une seconde fois laissé tomber — que j'éclatai presque en sanglots. «Tout va bien, ne t'inquiète pas, tout est en ordre», lui dis-je en refoulant mes larmes et en remettant sur lui les sacs de couchage. Puis je fermai les ouvertures de la tente et essayai de la remettre debout.

Dès que j'eus installé Beck de la façon la plus confortable possible, j'appelai le Dr Mackenzie au camp de base et lui dis d'une voix hystérique : «Caroline! Que faut-il que je fasse pour Beck? Il est toujours en vie, mais pas pour longtemps, je pense. Il est vraiment mal en point...
— Essaie de garder ton calme, Jon. Il faut que tu descendes avec Mike et le reste du groupe. Où sont Pete et Todd? Demande-leur de s'occuper de Beck et mets-toi en route.»

J'allai vite réveiller Athans et Burleson, qui se précipitèrent aussitôt vers Beck avec un thermos de thé chaud. Pendant que je me dépêchais de rejoindre mes camarades, Athans s'apprêtait à injecter quatre milligrammes de dexaméthasone dans la cuisse du Texan agonisant. C'était un geste louable, mais personne n'aurait pu imaginer son effet.

20

L'Eperon des Genevois. 12 mai 1996.
9 h 45. 7 894 mètres

Le seul grand avantage que l'inexpérience donne à l'apprenti alpiniste, c'est qu'il n'est pas embarrassé par la tradition et les précédents. Pour lui, tout semble simple, et il choisit les solutions les plus directes aux problèmes qu'il rencontre. Evidemment, il arrive souvent que cela le conduise à l'échec, et quelquefois à une issue tragique, mais il ne s'en rend pas compte au moment où il se lance dans son aventure. Maurice Wilson, Earl Denman, Klaus Becker-Larsen — aucun d'entre eux n'en savait beaucoup sur l'escalade, sinon ils ne se seraient pas lancés dans leurs entreprises sans espoir. Et pourtant, comme les considérations techniques ne les arrêtaient pas, leur détermination les a menés loin.

Walt Unsworth
L'Everest

En ce dimanche matin, quinze minutes après mon départ du col sud, je rattrapai mes camarades qui descendaient la crête de l'Eperon des Genevois. C'était pathétique : nous étions tous tellement affaiblis que nous mîmes un temps incroyablement long à descendre les quelques dizaines de mètres qui aboutissent à la pente neigeuse. Mais ce qu'il y avait de plus poignant, c'était la réduction de ce groupe. Des onze personnes qui étaient montées à cet endroit trois jours plus tôt, il n'en restait plus que six.

Stuart Hutchison était le dernier de la file. Quand je le rejoignis, il allait descendre en rappel les cordes fixes. Je remarquai qu'il n'avait pas ses lunettes de soleil. Même par temps couvert, à cette altitude, les rayons ultraviolets pouvaient le rendre aveugle très rapidement. « Stuart, lui criai-je dans le vent en lui montrant mes yeux, tes lunettes ! — Ah, oui, répondit-il d'une voix lasse, merci de me le rappeler. Puisque tu es là, peux-tu vérifier mon encordement ? Je suis tellement fatigué que je n'ai plus les idées claires. J'aimerais que tu aies l'œil sur moi. »

En examinant son baudrier, je vis tout de suite que la boucle était mal fermée. S'il avait fixé son attache de sécurité à la corde, il aurait dégringolé dans le vide. Quand je le lui fis remarquer, il me dit : « C'est ce que je pensais, mais j'avais trop froid aux mains pour ajuster la boucle correctement. » Otant rapidement mes gants dans le froid mordant, je bouclai son baudrier et lui fis descendre l'Eperon à la suite des autres. Au moment où il accrocha son attache de sécurité, il laissa tomber son piolet, mais il l'abandonna sur les rochers et entama son premier rappel. « Stuart, lui criai-je, ton piolet ! — Je suis trop fatigué pour le porter, laisse-le. »

J'étais tellement épuisé moi-même que je ne pris pas la peine de discuter. Je laissai le piolet, me mousquetonnai à la corde et suivis Stuart le long du flanc à pic de l'Eperon.

Une heure plus tard, nous parvînmes en haut de la Bande-Jaune et, comme chacun descendait avec précaution cette falaise verticale, il en résulta un embouteillage. Pendant que j'attendais en haut des cordes, plusieurs Sherpas de Scott Fischer nous rejoignirent. Parmi eux se trouvait Lopsang Jangbu, rendu à demi fou par la peine et l'épuisement. Je mis mes mains sur ses épaules et lui dis combien j'étais désolé pour Scott. Lopsang courba le buste et dit en pleurant : «Je suis très mauvaise chance, très mauvaise chance. Scott est mort. C'est ma faute. Je suis très mauvaise chance.»

C'est vers 13 h 30 que j'entrai en me traînant dans le camp II. Bien que nous fussions à une altitude élevée — 6 492 mètres — l'endroit semblait bien différent du col sud. Le vent était complètement tombé. Au lieu de frissonner et de craindre les gelures, je suais sous l'effet du soleil. Je ne me sentais plus relié à la survie par un fil ténu.

Je vis que notre tente de mess avait été transformée en un hôpital de fortune dirigé par un médecin danois du groupe de Mal Duff — Henrik Jessen Hansen — et par un médecin américain, client de l'expédition de Todd Burleson, Ken Kamler. A 15 heures, je buvais une tasse de thé quand six Sherpas amenèrent Makalu Gau, qui avait un air hagard. Les médecins intervinrent aussitôt.

Ils l'étendirent, lui enlevèrent ses vêtements et le placèrent sous perfusion. En examinant ses mains et ses pieds gelés — qui avaient un aspect blanchâtre, comme un lavabo sale —, Kamler remarqua avec une grimace : «Ce sont les pires gelures que j'aie jamais vues.» Quand il lui demanda s'il pouvait prendre une photographie de ses membres pour les archives médicales, le Taïwanais acquiesça avec un grand sourire. Tel un soldat montrant ses blessures, il paraissait fier des siennes.

Une heure et demie plus tard, alors que les médecins s'occupaient toujours de Makalu, la voix de Breashears retentit dans la radio : «Nous descendons avec Beck. Nous l'amènerons au camp II à la tombée de la nuit.»

Il me fallut un long moment avant de comprendre que Breashears ne voulait pas dire qu'ils descendaient le corps de Beck mais qu'ils le ramenaient vivant. Je ne parvenais pas à le croire. Quand je l'avais laissé au col sud, sept heures auparavant, j'étais persuadé qu'il ne tiendrait pas jusqu'à la fin de la matinée.

Une nouvelle fois donné pour mort, Beck avait tout simplement refusé de mourir. Plus tard, j'appris par Pete Athans qu'après avoir reçu de la dexaméthasone le Texan avait repris des forces de façon étonnante : «Vers 10 h 30, nous l'avons habillé, nous lui avons enfilé son baudrier et nous avons constaté qu'il pouvait tenir debout et marcher. Ça nous a plutôt surpris...»

Ils entamèrent la descente. Athans se tenait juste devant Beck et lui indiquait où il fallait poser les pieds. Burleson agrippait par-derrière le baudrier du Texan. «A certains moments, il fallait l'aider, dit Athans, mais vraiment, il avançait étonnamment bien.»

A 7 620 mètres, en arrivant au-dessus de la falaise de calcaire de la Bande-Jaune, ils furent rejoints par Ed Viesturs et Robert Schauer, qui firent descendre Beck le long du rocher escarpé. Au camp III, ils reçurent l'aide de Breashears, Jim Williams, Veikka Gustafsson et Araceli Segarra. Les huit alpinistes réussirent à descendre Beck sur la face du Lhotse en bien moins de temps que nous n'en avions mis, mes camarades et moi, un peu plus tôt dans la matinée.

Quand j'appris que Beck arrivait, je me dirigeai vers ma tente, enfilai mes chaussures de montagne et partis à la rencontre de l'équipe de secours, pensant la trouver en bas de la face du Lhotse. Mais à vingt minutes à peine du camp, j'eus la surprise de trouver tout le groupe. Bien que retenu par une corde, Beck progressait par ses propres moyens. Breashears et les autres lui firent descendre le glacier à une allure si rapide que, dans mon état déplorable, je pus à peine les suivre.

On plaça Beck auprès de Gau dans la tente-hôpital et les médecins se mirent à lui enlever ses vêtements. Quand il vit la main droite de Beck, le Dr Kamler s'exclama : «Mon Dieu! Ses gelures sont encore pires que celles de Makalu.» Trois heures plus tard, alors que je me glissais dans mon sac de couchage, les médecins, à la lueur de leur lampe frontale, continuaient à réchauffer les membres gelés de Beck en les trempant dans une bassine d'eau tiède.

Le lendemain matin — nous étions le lundi 13 mai —, je quittai les tentes au lever du jour et traversai sur quatre kilomètres les profondes fissures de la combe ouest jusqu'au bord de la cascade de glace. Là, conformément aux instructions que m'envoyait Guy Cotter depuis le camp de base, je me mis à la recherche d'une aire d'atterrissage pour un hélicoptère.

Les jours précédents, Cotter s'était donné beaucoup de mal pour obtenir, grâce au téléphone satellite, une évacuation par hélicoptère depuis l'extrémité inférieure de la combe. Ainsi, Beck n'aurait pas à emprunter les cordes et les échelles de la cascade de glace, ce qui aurait été difficile et dangereux étant donné l'état de ses mains. Des hélicoptères avaient déjà atterri sur la combe par le passé. En 1973, une expédition italienne en avait utilisé deux pour transporter des chargements depuis le camp de base. C'étaient néanmoins des vols extrêmement périlleux, à la limite des possibilités des appareils, et d'ailleurs, l'un des deux s'était écrasé sur le glacier. Depuis, personne n'avait tenté de renouveler l'expérience.

Mais Cotter insista et, grâce à ses efforts, l'ambassade américaine persuada l'armée népalaise de faire une tentative de sauvetage sur la combe. Ce lundi matin vers 8 heures, pendant que je cherchais en vain une place pour l'atterrissage, la voix de Cotter se fit entendre dans la radio : «L'hélicoptère arrive, Jon. Il peut être là à tout instant. Tu ferais bien de lui trouver rapidement un endroit pour atterrir.» Espérant découvrir un terrain plat plus haut sur le glacier, je remontai et rencontrai rapidement

Beck, escorté par le groupe IMAX. Breashears, qui a vu beaucoup d'hélicoptères au cours de sa longue carrière de cinéaste, trouva immédiatement une aire encadrée par deux profondes crevasses. J'attachai un kata en soie à une tige de bambou pour servir de manche à air pendant que Breashears traçait, au mercurochrome, un grand X rouge dans la neige, au centre de l'aire. Quelques minutes plus tard apparut Makalu Gau, tiré sur une bâche en plastique par une demi-douzaine de Sherpas. Peu après, nous entendîmes l'hélicoptère monter avec effort dans l'air raréfié.

Piloté par un lieutenant-colonel de l'armée népalaise, l'Ecureuil vert olive — débarrassé de tout équipement inutile et avec le minimum de carburant — fit deux passages infructueux. Lors du troisième, le pilote parvint à poser l'appareil, mais la queue était au-dessus d'une insondable crevasse. Laissant les moteurs à pleine puissance, ne quittant pas son tableau de bord des yeux, le pilote leva un doigt pour indiquer qu'il ne pouvait prendre qu'un seul passager. A cette altitude, avec une charge plus lourde, le crash se serait produit dès le décollage.

A cause de ses pieds gelés, Gau ne pouvait plus marcher, ni même se tenir debout. C'est pourquoi Breashears, Athans et moi-même fûmes d'accord pour évacuer le Taïwanais. « Désolé, criai-je à Beck dans le vacarme des turbines, il pourra peut-être revenir ! » Beck hocha la tête avec philosophie.

Nous hissâmes Gau à l'arrière de l'hélicoptère, qui s'éleva dans l'air avec difficulté. Dès que les patins eurent quitté le glacier, il tomba comme une pierre au-delà du rebord de la cascade de glace et disparut dans les ténèbres. Un grand silence régnait désormais dans la combe ouest.

Trente minutes plus tard, nous nous trouvions toujours au même endroit, en train de discuter de la manière de faire descendre Beck, quand un léger bruit monta de la vallée. Il augmenta de plus en plus et le petit hélicoptère apparut à nouveau. Le pilote passa d'abord sur le haut de la combe, de façon à orienter son appareil vers la vallée, puis, sans hésitation, il se posa une seconde fois sur la croix rouge. Breashears et Athans firent monter Beck à bord et, quelques secondes après, l'hélicoptère reprenait les airs et franchissait l'épaule de l'Everest comme une bizarre libellule métallique. Une heure plus tard, Beck et Makalu Gau recevaient des soins à l'hôpital de Katmandou.

Après le départ de l'équipe de secours, je restai assis un long moment, seul dans la neige, le regard sur mes chaussures, en m'efforçant de comprendre ce qui s'était passé pendant les dernières soixante-douze heures. Comment les choses avaient-elles pu si mal tourner ? Comment se pouvait-il qu'Andy, Rob, Scott, Doug et Yasuko soient morts ? J'avais beau chercher, je ne trouvais pas de réponse. L'étendue du désastre dépassait tellement ce que j'avais pu imaginer que mon cerveau s'obscurcissait. Abandonnant l'espoir de comprendre, je mis mon sac à dos et descendis dans le désert ensorcelé de la cascade de glace, nerveux comme un chat. Ce serait la dernière fois que je traverserais ce labyrinthe de séracs instables.

21

Camp de base. 13 mai 1996.
5 365 mètres

On ne manquera pas de me solliciter pour que je donne une appréciation réfléchie sur cette expédition, ce qui n'était pas possible quand nous en étions tous encore trop proches... D'un côté, on pouvait constater qu'Amundsen était allé directement là-bas, y était arrivé le premier et en était revenu sans perdre un seul homme, et sans rien imposer de plus à soi-même et à ses compagnons que le travail quotidien d'une expédition polaire. De l'autre côté, il y avait notre expédition, qui avait pris de terribles risques, réalisé des exploits d'endurance, obtenu une immortelle renommée, que l'on avait honorée du haut des chaires des cathédrales et pour laquelle on avait érigé des statues. Et cependant, au terme de notre terrible voyage, nous avions atteint le pôle trop tard et les cadavres de nos meilleurs hommes étaient restés sur la glace. Il serait ridicule de ne pas voir ce contraste, et écrire un livre qui n'en tiendrait pas compte ne serait qu'une perte de temps.

Apsley Cherry-Garrard
The Worst Journey in the World
Récit de la malheureuse expédition
de Robert Falcon Scott au pôle Sud en 1912

Le matin du lundi 13 mai, en arrivant en bas de la cascade de glace, je trouvai Ang Tshering, Guy Cotter et Caroline Mackenzie qui m'attendaient au bord du glacier. A présent, j'étais sain et sauf. La tension des jours précédents ne pesait plus sur moi. Guy me donna une bière, Caroline m'embrassa et tout ce dont je me souviens ensuite c'est que j'étais assis sur la glace, le visage dans les mains, pleurant comme je n'avais jamais pleuré depuis l'enfance. Je pleurais la perte de mes camarades, je pleurais de reconnaissance d'être encore vivant, je pleurais parce que je me sentais malheureux d'avoir survécu alors que d'autres étaient morts.

Le mardi après-midi, Neal Beidleman organisa une cérémonie funèbre dans le campement de Mountain Madness. Le père de Lopsang Jangbu, Ngawang Sya Kya — qui est lama —, fit brûler de l'encens et chanta des textes sacrés sous un ciel gris fer. Neal dit quelques mots, Guy aussi, Anatoli déplora la perte de Scott Fischer. Je me levai à mon tour et évoquai en bredouillant quelques souvenirs de Doug Hansen. Pete Schoening essaya de nous encourager à regarder l'avenir et non le passé. Mais à la fin de la cérémonie, quand nous nous dispersâmes pour rejoindre nos tentes, une atmosphère lugubre régnait sur le camp de base.

Le lendemain matin de bonne heure, un hélicoptère vint évacuer Charlotte Fox et Mike Groom, dont les gelures nécessitaient un traitement médical immédiat. John Taske les accompagnait pour veiller sur eux. Puis, un peu avant midi, Lou Kasischke, Stuart Hutchison, Frank Fischbeck, Caroline et moi nous mîmes en route pour rentrer chez nous. Helen Wilton et Guy Cotter restaient sur place afin de procéder au démontage du campement d'Adventure Consultants.

Le jeudi 16 mai, nous fûmes transportés par hélicoptère depuis Pheriche jusqu'au village de Tyangboche, juste au-dessus de Namche-Bazar. Pendant que nous marchions sur l'aire d'atterrissage malpropre pour attendre l'appareil qui nous emmènerait à Katmandou, Stuart, Caroline et moi fûmes abordés par trois Japonais au visage sombre. Le premier s'appelait Muneo Nukita — c'était un alpiniste himalayen qui avait atteint deux fois le sommet de l'Everest. Il nous expliqua avec politesse qu'il s'adressait à nous en tant que guide et interprète des deux autres. Ces derniers étaient le mari et le frère de Yasuko Namba. Ils me posèrent pendant quarante-cinq minutes des questions auxquelles je ne pus que rarement donner des réponses.

La mort de Yasuko faisait déjà la une de l'actualité dans tout le Japon. Le 12 mai, moins de vingt-quatre heures après sa mort sur le col sud, un hélicoptère avait atterri au milieu du camp de base. Deux journalistes portant des masques à oxygène en étaient sortis. Ils avaient interrogé la première personne qui passait pour lui demander des informations sur Yasuko.

Nukita nous avertit qu'un essaim de reporters de presse et de télévision — tout aussi avides de nouvelles — nous attendait à Katmandou.

Un peu plus tard, nous montâmes à bord d'un énorme Mi-17 et décollâmes en passant dans une ouverture entre les nuages. Une heure après, l'appareil se posait à l'aéroport international de Tribhuvan. Dès l'ouverture de la porte, nous fûmes assaillis par des micros et des caméras de télévision. En tant que journaliste, je trouvais instructif d'être pour une fois de l'autre côté de la barrière. La foule des reporters — principalement japonais — voulait obtenir une description bien nette de la catastrophe, avec ses bons et ses méchants. Mais l'expérience chaotique et douloureuse que j'avais connue ne pouvait se réduire à quelques petites phrases. Au bout de vingt minutes de questions ininterrompues, le consul des Etats-Unis vint me délivrer et me conduisit à l'hôtel Garuda.

D'autres reporters me firent subir des interviews encore

plus éprouvantes, puis un groupe de fonctionnaires renfrognés du ministère du Tourisme vint m'interroger à son tour.

Le vendredi soir, tout en déambulant dans les ruelles du quartier du Thamel, je me mis en quête d'un remède contre la dépression. En échange d'une poignée de roupies, un jeune Népalais me tendit un minuscule paquet dont le papier d'emballage était orné d'un tigre rugissant. De retour dans ma chambre, j'en émiettai le contenu dans une feuille de papier à cigarette. Les bourgeons vert pâle étaient collants à cause de la résine et sentaient le fruit pourri. Je roulai un joint que je fumai complètement, puis je m'en roulai un second. Arrivé à la moitié, je sentis que la chambre se mettait à tourner, alors je l'écrasai dans un cendrier.

J'étais nu sur mon lit, écoutant les bruits de la nuit qui entraient par la fenêtre ouverte : sonnettes de pousse-pousse, avertisseurs de voiture, appels des colporteurs, le rire d'une femme, la musique d'un bar tout proche. Etendu sur le dos, trop défoncé pour pouvoir bouger, je fermai les yeux et laissai la chaleur moite de l'avant-mousson me recouvrir comme un baume. J'avais l'impression de me mélanger au matelas. Une succession de feux d'artifice et de figures de dessins animés flottait sous mes paupières dans un éclairage de néon.

Quand je tournai la tête sur le côté, mon oreille entra en contact avec une tache humide. Je compris que des larmes coulaient sur mon visage et trempaient les draps. Du plus profond de moi, je sentis monter et grossir une bulle de chagrin et de honte qui finit par sortir en un flot de morve. Le premier sanglot fut suivi par un autre, et un autre, et un autre...

Le 19 mai, je pris l'avion pour les Etats-Unis. J'emportais deux sacs marins avec les affaires de Doug Hansen pour les remettre à ses proches. A l'aéroport de

Seattle, je trouvai ses enfants, Angie et Jaime; sa compagne, Karen Marie; d'autres membres de sa famille et des amis. Devant leurs larmes, je me sentis stupide et suprêmement impuissant.

En respirant l'air vif qui avait une odeur de marée, je m'émerveillai de la fécondité du printemps de Seattle dont je ressentais le charme humide et moussu comme jamais auparavant. Lentement, avec précaution, Linda et moi entreprîmes de nous réhabituer l'un à l'autre. Les douze kilos que j'avais perdus revinrent, avec un supplément. Les plaisirs ordinaires de la vie chez soi — prendre le petit déjeuner avec sa femme, regarder le soleil descendre derrière le détroit de Puget, aller pieds nus au milieu de la nuit dans la salle de bain tiède — me donnaient une satisfaction proche de l'extase. Mais de tels moments étaient obscurcis par l'ombre de l'Everest que le temps ne parvenait pas à estomper.

Mijotant dans ma culpabilité, j'attendis si longtemps de téléphoner à l'amie d'Andy Harris et à la femme de Hall que ce furent elles qui, finalement, m'appelèrent de Nouvelle-Zélande. Je ne sus rien répondre à l'étonnement et à la colère de Fiona McPherson et, pendant ma conversation avec Jan Arnold, celle-ci passa plus de temps à me réconforter que l'inverse.

J'ai toujours su que l'alpinisme comporte de grands risques. Le danger me semblait faire partie du jeu et je considérais que, sans lui, l'escalade ne différait pas de centaines d'autres divertissements insignifiants. Il était passionnant de se frotter à l'énigme de la mort, de jeter un regard de l'autre côté de la frontière interdite. Si la montagne était une expérience magnifique, ce n'était pas en dépit de ses périls mais grâce à eux.

Cependant, jusqu'à mon séjour dans l'Himalaya, je n'avais jamais vu la mort de près. Je n'avais même jamais assisté à un enterrement. La mort était restée une notion douillettement hypothétique, une idée abstraite. Il était inévitable que tôt ou tard je perde cet état d'innocence. Mais quand cela se produisit, l'excès du carnage rendit le choc plus violent. Au printemps 1996, l'Everest tua en tout douze hommes et femmes. Ce fut la pire saison depuis que des alpinistes vont sur cette montagne, c'est-à-dire depuis soixante-quinze ans.

Dans l'expédition de Hall, parmi les six grimpeurs qui atteignirent le sommet, deux seulement — Mike Groom et moi — en sont revenus. Quatre camarades, avec lesquels j'avais ri et vomi, et longuement parlé, avaient perdu la vie. Par mes actes — ou leur absence — j'avais joué un rôle direct dans la mort d'Andy Harris. Et pendant que Yasuko Namba s'éteignait sur le col sud, j'étais à trois cents mètres de là, blotti dans ma tente, sans imaginer une seconde sa lutte pour survivre. Je ne pensais qu'à ma propre sécurité. Ce genre de chose laisse dans l'esprit une marque qui ne s'efface pas en quelques mois de chagrin et d'auto-accusation.

A la fin, j'allai parler de mon trouble à Klev Schoening, qui n'habite pas très loin de chez moi. Il me dit que lui aussi avait été très affecté par la perte de tant de vies mais que, contrairement à moi, il n'éprouvait pas le «complexe du survivant» : «Au cours de cette nuit sur le col, m'expliqua-t-il, j'ai fait tout ce que j'ai pu pour sauver ma vie et la vie de ceux qui m'accompagnaient. Quand nous sommes revenus aux tentes, je n'en pouvais absolument plus. Une de mes cornées était gelée et j'étais presque aveugle. J'étais en état d'hypothermie, je délirais et je ne pouvais m'empêcher de trembler. C'était terrible de perdre Yasuko, mais maintenant je suis en paix avec moi-même parce que je sais au plus profond de moi que je ne pouvais rien faire de plus pour la sauver. Ne sois pas si dur envers toi-même. C'était une terrible tempête. Dans l'état où tu étais, qu'est-ce que tu aurais pu faire pour elle?»

Rien, peut-être. Je l'admets. Mais contrairement à

Schoening, je n'en aurai jamais la certitude, et je ne parviens pas à cette paix dont il parle et que j'envie.

Beaucoup de gens considèrent qu'une tragédie de cette importance était prévisible étant donné le nombre d'alpinistes si peu qualifiés qui se rendent en foule sur l'Everest de nos jours. Mais personne ne pensait que ce serait l'expédition de Hall qui serait touchée. En homme très méthodique, il avait mis au point la procédure la plus minutieuse et la plus sûre. Alors, que s'est-il donc passé? Quelle explication peut-on donner aux proches des victimes mais aussi à un public plus large qui exige de savoir?

Dans cette affaire, une certaine démesure a certainement joué un rôle. Hall tenait tellement à emmener sur l'Everest des grimpeurs de tous niveaux qu'il est peut-être devenu un peu trop sûr de lui. Plus d'une fois, il s'est targué d'être capable de conduire au sommet n'importe quelle personne en bonne condition physique; et les résultats semblaient le confirmer.

Il avait aussi fait preuve d'une aptitude remarquable à vaincre l'adversité. En 1995, par exemple, Hall et ses guides avaient dû non seulement affronter les problèmes de Hansen mais aussi faire face à l'effondrement complet de la célèbre alpiniste Chantal Mauduit, qui en était pourtant à sa septième tentative de l'Everest sans oxygène. Atteinte d'une grave hypothermie, elle s'évanouit à 8 748 mètres et il fallut la transporter — « comme un sac de pommes de terre », selon la formule de Guy Cotter — depuis le sommet sud jusqu'au col sud. Après avoir ramené son monde sain et sauf, Hall a sans doute cru qu'il pouvait surmonter toutes les difficultés.

Cependant, au cours des années précédentes, il avait eu beaucoup de chance avec la météo. Il se peut que cela l'ait induit en erreur. David Breashears, qui a participé à plus d'une douzaine d'expéditions himalayennes, dont trois ascensions de l'Everest, est de cet avis : « Saison après saison, Rob a bénéficié d'un temps exceptionnel le jour du sommet. Il n'avait jamais été pris dans une tempête à cette altitude. » En fait, la tornade du 10 mai, bien que violente, n'avait rien d'extraordinaire ; c'était un grain assez habituel sur l'Everest. Si elle était survenue deux heures plus tard, il est probable que personne ne serait mort. A l'inverse, deux heures plus tôt, elle aurait tué dix-huit ou vingt grimpeurs, y compris moi-même.

Mais la météo n'est pas seule en cause. Le temps perdu a compté au moins autant, et cette négligence ne peut être attribuée au ciel. Les attentes aux cordes fixes étaient prévisibles et pouvaient être évitées. Et ce fut une faute grave de ne pas tenir compte de l'heure du retour.

Il est possible que la rivalité entre Fischer et Hall ait contribué à leur faire reculer le moment du retour. Fischer n'avait encore jamais guidé une expédition sur l'Everest. D'un point de vue commercial, il était extrêmement important qu'il réussisse. Il voulait absolument emmener ses clients au sommet, particulièrement une célébrité comme Sandy Pittman.

De son côté, il aurait été très mauvais pour Hall, qui n'avait pu emmener personne au sommet en 1995, qu'il échoue à nouveau l'année suivante. Surtout si Fischer réussissait. Scott possédait une personnalité dont le charisme avait été intensivement utilisé par Jane Bromet dans sa démarche de prospection commerciale. Fischer essayait de toutes ses forces de s'emparer du marché de Hall, qui le savait parfaitement. Dans ces conditions, la perspective de faire faire demi-tour à ses clients pendant que son rival emmenait les siens au sommet pouvait être suffisamment désagréable pour altérer le jugement de Rob.

On ne saurait non plus trop insister sur le fait que Hall, Fischer et nous tous fûmes contraints de prendre des mesures décisives dans un état d'hypoxie qui nous handicapa gravement. Pour comprendre comment ce désastre a pu se produire, il faut se souvenir que la pensée lucide est presque impossible à 8 800 mètres.

Il est facile de faire preuve de sagesse après les événements. Impressionnés par le coût humain, certains critiques se sont empressés de suggérer des mesures qui empêcheraient de telles catastrophes de se reproduire. Il a été proposé par exemple que l'on respecte la proportion d'un guide par client. Chaque client aurait son guide personnel auquel il resterait relié par une corde en permanence.

Le moyen le plus simple de réduire les pertes à l'avenir serait peut-être d'interdire l'utilisation de l'oxygène, sauf nécessité médicale. Quelques têtes brûlées pourraient périr en essayant d'atteindre le sommet sans oxygène, mais la grande masse des grimpeurs peu compétents serait contrainte de faire demi-tour avant d'avoir atteint une altitude vraiment dangereuse. Cela aurait également l'avantage de réduire l'engorgement ainsi que la quantité de détritus, puisque seule une minorité d'alpinistes voudrait tenter l'épreuve.

Mais la profession de guide sur l'Everest est très mal réglementée. Elle est administrée par une de ces bureaucraties byzantines du tiers-monde particulièrement inaptes à contrôler les qualifications d'un guide ou d'un client. En outre, les deux pays qui peuvent donner accès à la montagne — le Népal et la Chine — sont extrêmement pauvres. Ayant un besoin crucial de devises fortes, les deux gouvernements ont tout intérêt à distribuer autant d'autorisations d'accès que possible et ils ne sont pas prêts à mettre en œuvre une politique qui limiterait leurs revenus.

Analyser les événements tragiques de l'Everest est certainement utile. On peut penser que cela préviendra quelques issues fatales. Mais croire qu'une dissection minutieuse de ce qui s'est produit en 1996 réduira le taux d'accidents mortels de manière significative n'est qu'une vue de l'esprit. Vouloir tirer les leçons des erreurs commises revient en grande partie à céder à l'auto-illusion. Si vous parvenez à vous convaincre que Rob Hall est mort à cause d'une succession d'erreurs que vous êtes trop intelligent pour commettre à votre tour, cela vous conduira à tenter l'ascension de l'Everest sans considérer — malgré l'évidence — combien c'est imprudent.

En réalité, le bilan meurtrier de 1996 n'a rien d'extraordinaire. Bien que ces douze décès constituent un record pour un printemps, ils ne représentent que 3 % des 398 grimpeurs qui montèrent au-dessus du camp de base, ce qui est légèrement inférieur au record historique, qui est de 3,3 % de décès. Regardons les choses autrement : entre 1921 et mai 1996, 144 personnes sont mortes pour 630 ascensions réussies, soit une sur quatre. Au printemps dernier, 12 grimpeurs ont disparu et 84 ont atteint le sommet, ce qui fait un sur sept. Replacée dans son contexte, l'année 1996 fut en fait moins meurtrière que la moyenne.

Pour dire la vérité, l'ascension de l'Everest a toujours été extrêmement dangereuse et, sans aucun doute, continuera de l'être, aussi bien pour les néophytes qui s'y font guider que pour les alpinistes de tout premier plan. Il convient de remarquer que, avant de prendre les vies de Hall et de Fischer, la montagne avait anéanti toute une série de grimpeurs d'élite, parmi lesquels Peter Boardman, Joe Tasker, Marty Hoey, Jake Breitenbach, Mike Burke, Michel Parmentier, Roger Marshall, Ray Genet et George Leigh Mallory.

Dans le cas des clients guidés, il m'apparut très vite en 1996 que peu d'entre eux faisaient une estimation exacte des risques encourus et de l'étroitesse de la marge de survie au-dessus de 7 600 mètres. Les Walter Mitty[1] qui rêvent de l'Everest doivent se souvenir que lorsque les choses tournent mal dans la «zone de la mort» — et cela arrive tôt ou tard — les meilleurs guides du monde sont impuissants à sauver la vie de leurs clients. Ils ne peuvent

---

1. Dans sa nouvelle *La Vie secrète de Walter Mitty*, l'écrivain américain James Thurber (1894-1961) décrit les fantasmes d'un rêveur éveillé. *(N.d.T.)*

même pas sauver leur propre vie. Ce n'est pas parce que le système de Hall était mauvais que mes quatre camarades sont morts — en fait, il n'y en avait pas de meilleur —, mais parce que, sur l'Everest, tout système présente des failles qui peuvent entraîner de graves conséquences.

Dans les réflexions a posteriori, on peut facilement perdre de vue que l'escalade ne sera jamais sûre, paisible, réglementée. C'est une activité qui idéalise le risque. Dans ce sport, ce sont toujours ceux qui ont pris le plus de risques et s'en sont sortis qui ont été les plus estimés. Pris globalement, les alpinistes n'ont jamais été caractérisés par un excès de prudence. Cela est particulièrement vrai de ceux qui vont sur l'Everest. Lorsqu'ils ont une occasion d'atteindre le sommet, ils perdent aussitôt toute faculté de jugement. Tom Hornbein, trente-cinq ans après sa première ascension de l'arête ouest, nous donne cet avertissement : «Il est certain que ce qui s'est passé sur l'Everest cette année se produira à nouveau.»

Pour prouver que les erreurs commises le 10 mai n'ont pas servi de leçon, il suffit d'observer ce qui est arrivé dans les semaines qui ont suivi. Le 17 mai, un Autrichien — nommé Reinhard Wlasich — et un Hongrois qui grimpaient sans oxygène par le côté tibétain atteignirent leur camp supérieur de l'arête nord-est, à 8 300 mètres. Ils s'installèrent dans une tente abandonnée par l'expédition ladakhi. Le lendemain matin, Wlasich se plaignit de se sentir mal et il perdit connaissance. Un médecin norvégien qui se trouvait là découvrit que l'Autrichien souffrait à la fois d'un œdème pulmonaire et d'un œdème cérébral. Bien que ce médecin lui ait administré des remèdes et donné de l'oxygène, Wlasich mourut à minuit.

Pendant ce temps, sur le versant népalais, l'expédition IMAX de David Breashears se regroupait et s'interrogeait sur ce qu'il convenait de faire. L'argent investi dans le film constituait une forte incitation à poursuivre le tournage et à tenter l'ascension du sommet. Breashears, Ed Viesturs et Robert Schauer constituaient sans conteste l'équipe la plus forte et la plus qualifiée. Ils avaient donné la moitié de leur réserve d'oxygène pendant les opérations de secours, mais ils avaient pu reconstituer une grande partie de leur stock en récupérant le surplus d'oxygène d'autres expéditions qui rentraient.

Paula, la femme de Viesturs, en tant que responsable du camp de base, avait assuré les liaisons radio d'IMAX le 10 mai. C'était une amie de Hall et de Fischer et leur mort la laissait anéantie. Elle pensait qu'après des événements aussi horribles IMAX plierait ses tentes et rentrerait. Mais elle intercepta une conversation entre Breashears et un autre grimpeur dans laquelle le responsable d'IMAX déclarait tranquillement que le groupe avait l'intention de prendre un court repos au camp de base et de partir pour le sommet ensuite.

«Après tout ce qui s'était passé, déclare Paula, je ne pouvais pas croire qu'ils allaient vraiment retourner là-haut. Et quand j'ai entendu cette conversation, j'ai perdu les pédales.» Elle en fut si bouleversée qu'elle quitta le camp de base et descendit à Tengboche, où elle demeura cinq jours, le temps de recouvrer ses esprits.

Le mercredi 22 mai, l'expédition IMAX arriva au col sud par un temps idéal et se mit en route pour le sommet pendant la nuit. Ed Viesturs, qui était la vedette principale du film, arriva au sommet à 11 heures, le jeudi matin, sans utiliser d'oxygène [1]. Breashears le rejoignit vingt minutes plus tard, suivi par Araceli Segarra, Robert Schauer et Jamling Norgay Sherpa — qui était le fils de Tenzing Norgay (l'auteur de la première) et le neuvième membre du clan Norgay à atteindre le sommet. En tout,

---

1. Viesturs avait déjà escaladé l'Everest sans oxygène en 1990 et 1991. En 1994, il avait effectué une troisième ascension, avec Rob Hall, mais cette fois il avait utilisé de l'oxygène parce qu'il était guide et qu'il aurait été irresponsable d'agir autrement.

seize grimpeurs montèrent sur la cime ce jour-là, et parmi eux se trouvaient le Suédois Göran Kropp, qui était venu de Stockholm à bicyclette, et Ang Rita Sherpa, dont c'était la deuxième visite au sommet de l'Everest.

Lors de la montée, Viesturs avait trouvé les corps gelés de Fischer et de Hall. «Les femmes de Hall et de Fischer m'avaient toutes deux demandé de leur rapporter quelque objet personnel, me dit Viesturs timidement. Je savais que Scott avait à son cou une alliance attachée par une chaîne et je voulais la rapporter à Jean, mais je n'ai pas pu me résoudre à déblayer la neige qui recouvrait le corps. C'était au-dessus de mes forces.» Lors de la descente, Viesturs s'assit un instant auprès de Fischer et demanda avec tristesse à son ami : «Alors, Scott, comment vas-tu? Que s'est-il donc passé?»

Le vendredi 24 mai dans l'après-midi, en descendant du camp IV au camp II, l'expédition IMAX rencontra à la Bande-Jaune ce qui restait du groupe sud-africain — Ian Woodall, Cathy O'Dowd, Bruce Herrod et trois Sherpas. Ils montaient vers le col sud.

«Bruce paraissait en forme, se souvient Breashears, son visage faisait bonne impression. Il m'a donné une forte poignée de main, nous a félicités et m'a dit qu'il se sentait très bien. A une demi-heure derrière lui, nous avons trouvé Ian et Cathy, effondrés sur leur piolet. Ils semblaient exténués. J'ai mis un point d'honneur à ne rester que très peu de temps avec eux. Mais je les savais très inexpérimentés, alors je leur ai dit : "Soyez prudents, vous avez vu ce qui est arrivé. N'oubliez pas qu'aller au sommet est facile, c'est redescendre qui est difficile."»

Les Sud-Africains partirent pour le sommet cette nuit-là. O'Dowd et Woodall quittèrent les tentes vingt minutes après minuit avec les Sherpas Pemba Tendi, Ang Dorje[1]

1. Le Sherpa Ang Dorje qui appartenait à l'expédition sud-africaine n'est pas le même que celui qui était dans le groupe de Hall.

et Jangbu, qui transportaient leurs réserves d'oxygène. Il semble que Herrod ait quitté le camp moins de vingt minutes après eux mais, au cours de la montée, il prit de plus en plus de retard. Le samedi 25 mai à 9 h 50, Woodall appela Patrick Conroy, son opérateur radio au camp de base, pour lui annoncer qu'il se trouvait au sommet avec Pemba et que O'Dowd serait là quinze minutes plus tard avec Ang Dorje et Jangbu. Il ajouta que Herrod — qui n'avait pas de radio — se trouvait plus bas, il ne savait pas exactement où.

J'avais rencontré plusieurs fois Herrod sur l'Everest. C'était un homme de trente-sept ans, aimable, fortement charpenté. Bien qu'il n'eût pas d'expérience de la haute altitude, c'était un bon alpiniste qui avait passé dix-huit mois dans les étendues glacées de l'Antarctique en tant que géophysicien. Il était de loin le meilleur grimpeur du groupe sud-africain. Depuis 1988, il avait fait beaucoup d'efforts pour devenir photographe indépendant et il espérait que cette ascension donnerait à sa carrière l'impulsion dont elle avait besoin.

Il apparut plus tard qu'au moment où Woodall et O'Dowd se trouvaient au sommet Herrod progressait encore sur l'arête sud-est avec une lenteur inquiétante. Vers 12 h 30, il croisa Woodall, O'Dowd et les trois Sherpas qui redescendaient. Ang Dorje lui confia une radio et lui indiqua l'endroit où une bouteille d'oxygène avait été laissée à son intention. Puis Herrod continua tout seul à monter vers le sommet. Il ne l'atteignit qu'un peu après 17 heures, soit sept heures après les autres. Woodall et O'Dowd se trouvaient déjà dans leur tente au col sud.

Lorsque Herrod signala par radio au camp de base qu'il était arrivé au sommet, le hasard voulut qu'au même moment sa compagne, Sue Thompson, téléphone à Conroy depuis son domicile londonien. « Quand Patrick m'a dit que Bruce se trouvait au sommet, je lui ai répondu : "Ce n'est pas possible qu'il y soit aussi tard ; il est 17 h 15 ! Je n'aime pas ça du tout." »

Juste après, Conroy parvint à établir la communication entre Herrod et Thompson. « Bruce semblait avoir tous ses esprits, dit-elle. Il voyait bien qu'il avait mis beaucoup de temps à monter, mais il paraissait aussi normal qu'on peut l'être à cette altitude. Il avait enlevé son masque pour parler, pourtant il n'avait pas l'air essoufflé. »

Néanmoins, il avait fallu dix-sept heures à Herrod pour monter du col sud au sommet. Bien qu'il y ait eu un peu de vent, des nuages enveloppaient le haut de la montagne et la nuit approchait. Complètement seul sur le toit du monde, extrêmement fatigué, il devait être à court d'oxygène ou sur le point de l'être. Son camarade Andy de Klerk fait remarquer : « Qu'il se soit trouvé là-haut tout seul à une heure aussi tardive me paraît insensé. Ça me laisse sans voix. »

Herrod était resté au col sud du 9 au 12 mai. Il avait assisté au déchaînement de la tempête ; il avait entendu les appels radio désespérés ; il avait vu les affreuses gelures de Beck Weathers. Lors de son ascension du 25 mai, il était passé devant le cadavre de Scott Fischer et il avait dû enjamber le corps sans vie de Hall. Cette vision ne lui avait pas fait grande impression et, malgré son allure trop lente, il avait continué à monter.

Après son appel de 17 h 15, il n'y eut plus d'autre communication radio avec Herrod. « Nous l'avons attendu au camp IV en guettant un message radio, expliqua O'Dowd au journal de Johannesburg *Mail & Guardian*. Mais nous étions très fatigués et nous avons fini par nous endormir. Quand je me suis réveillée, le lendemain matin vers 5 heures, il n'avait toujours pas appelé, alors j'ai compris que nous l'avions perdu. »

Bruce Herrod est considéré comme mort. Ce fut le douzième accident mortel survenu au cours de cette saison-là.

Epilogue

Seattle. 29 novembre 1996. 82 mètres

Et maintenant je rêve de la moelleuse présence des femmes, du chant des oiseaux, de l'odeur de la terre que j'effrite entre mes doigts, du feuillage vert et brillant des plantes que j'arrose avec soin. Je cherche à acquérir une terre où il y aura des cerfs, des sangliers, des oiseaux, des peupliers et des sycomores. Je ferai une mare où viendront les canards et où, le soir, les poissons sauteront hors de l'eau pour attraper des insectes. Des sentiers traverseront la forêt et, toi et moi, nous nous perdrons dans ses recoins. Nous irons au bord de l'eau, nous nous étendrons sur l'herbe et là nous trouverons une discrète petite pancarte où nous lirons : « Voilà le monde véritable, muchachos, il nous appartient à tous. — B. Traven... »

Charles Bowden
L'Orchidée sanglante

Parmi les personnes qui étaient sur l'Everest en mai 1996, plusieurs m'ont dit qu'elles avaient réussi à surmonter le choc de cette tragédie. A la mi-novembre, je reçus une lettre de Lou Kasischke :

291

Dans mon cas, il m'a fallu plusieurs mois pour que les aspects positifs commencent à apparaître. Mais cela s'est fait. L'Everest fut la pire expérience de ma vie. Mais elle est passée, et maintenant je peux voir qu'elle avait des côtés positifs. J'ai appris sur la vie, sur les autres et sur moi-même des choses importantes. Il me semble que j'ai une vue plus claire de la vie. Je perçois des choses que je ne voyais pas auparavant.

Lou rentrait à peine d'un week-end passé avec Beck Weathers à Dallas. Après son évacuation par hélicoptère, Beck avait été amputé de la main droite jusqu'à la moitié de l'avant-bras. On lui avait aussi enlevé tous les doigts de la main gauche, pouce compris. Son nez avait été amputé également et remodelé grâce à du tissu prélevé sur son oreille et sur son front. D'après Lou, sa visite à Beck fut triste, mais elle lui donna en même temps un sentiment de succès :

Ça faisait mal de voir Beck dans cet état, le nez refait, infirme à vie. Il se demande s'il pourra encore pratiquer la médecine et autres choses du même genre. Mais il est étonnant de voir qu'un homme peut accepter son état et vouloir repartir dans la vie. C'est son objectif, et il va l'atteindre.
Beck n'a eu que des mots gentils pour chacun. Il ne blâme personne. Tu ne partageais pas ses conceptions politiques, mais tu aurais partagé ma fierté devant son attitude. D'une certaine façon, un jour, tout cela prendra un tour positif pour Beck.

Cela me réconforte de savoir que Beck, Lou et les autres sont apparemment capables de voir les côtés positifs de cette expérience. Je les envie. Peut-être que, dans quelque temps, je pourrai moi aussi découvrir le bien qui a résulté de tant de souffrances mais, pour l'instant, cela m'est impossible.

Au moment où j'écris ces lignes, une demi-année a passé depuis mon retour du Népal et, durant ces six mois, il n'y a guère eu que deux ou trois heures chaque jour où je n'ai pas pensé à l'Everest. Même dans mon sommeil, je n'ai pas de répit. L'escalade et ses suites continuent à hanter mes rêves.

Après la publication de mon article dans le numéro de septembre 1996 d'*Outside*, le magazine reçut une quantité inhabituelle de courrier. Beaucoup de lettres exprimaient de la sympathie pour ceux qui n'étaient pas revenus, mais il y avait aussi une bonne quantité de critiques acerbes. Ainsi, un juriste de Floride écrivait :

Tout ce que je peux dire, c'est que je suis d'accord avec M. Krakauer lorsqu'il note : «Par mes actes — ou leur absence — j'avais joué un rôle direct dans la mort d'Andy Harris.» Je suis également d'accord avec lui quand il dit : «J'étais à trois cents mètres de là, blotti dans ma tente...» Je ne sais pas comment il peut se regarder en face.

Parmi les lettres les plus courroucées, il y avait celles envoyées par les parents des défunts. C'étaient de loin les plus perturbantes. Ainsi, la sœur de Scott Fischer, Lisa Fischer-Luckenbach, m'écrivait :

D'après vos propos, vous semblez posséder l'étrange capacité de savoir ce qu'il y avait dans le cœur et l'esprit de chaque membre de l'expédition. Une fois rentré chez vous sain et sauf, vous avez jugé les choix des autres, analysé leurs intentions, leur comportement, leurs motivations, leur personnalité. Vous apportez vos commentaires sur ce qu'auraient dû faire les responsables, les Sherpas, les clients, et vous vous êtes livré à une mise en accusation méprisante de leurs erreurs. Et tout cela vient de ce Jon Krakauer qui, après avoir senti le danger, s'est réfugié dans sa tente pour assurer sa sécurité et sa survie...

Essayez donc de vous rendre compte de ce que vous faites en ayant l'air de tout savoir. Vous vous êtes déjà trompé dans vos spéculations sur ce qui est arrivé à Andy Harris et, par là, vous avez fait beaucoup de peine à sa famille et à ses amis. Ensuite, vous avez déshonoré Lopsang avec vos commérages sur lui.

Ce que j'ai lu, c'est le récit de votre propre ego cherchant par tous les moyens à trouver un sens à ce qui est arrivé. Vous aurez beau analyser, critiquer, juger ou émettre des hypothèses, rien ne vous donnera la paix à laquelle vous aspirez. Il n'y a aucune réponse. Ce n'est la faute de personne. Personne ne mérite d'être blâmé. Chacun a fait de son mieux au moment voulu dans les circonstances données.

Personne n'a voulu nuire à quiconque. Personne ne voulait mourir.

Cette lettre me mit particulièrement mal à l'aise parce que je la reçus peu de temps après avoir appris qu'il fallait ajouter Lopsang Jangbu au nombre des victimes. En août, après la fin de la mousson, Lopsang était retourné sur l'Everest pour guider un client japonais par la route du col sud et de l'arête sud-est. Le 25 septembre, juste en dessous de l'Eperon des Genevois, alors qu'ils montaient du camp III au camp IV, une plaque de neige s'était détachée et avait emporté Lopsang, un autre Sherpa et un grimpeur français. Ils avaient été entraînés en bas de la face du Lhotse et étaient tous morts. Lopsang laissait à Katmandou une jeune épouse et un bébé de deux mois.

D'autres mauvaises nouvelles m'étaient aussi parvenues. Le 17 mai, après seulement deux jours de repos, Anatoli Boukreev avait entrepris en solo l'ascension du Lhotse. «Je suis fatigué, me dit-il, mais je le fais pour Scott.» Il voulait escalader les quatorze sommets de plus de 8 000 mètres.

Puis, en septembre, il avait fait l'ascension au Tibet du Cho Oyu et du Shisha Pangma (8 014 mètres). Mais, à la mi-novembre, au cours d'une visite chez lui, au Kazakhstan, il avait eu un accident d'autocar. Le chauffeur avait été tué et Boukreev gravement blessé à la tête. On craignait qu'il ne perde l'usage d'un œil.

Le 14 octobre 1996, le message suivant fut diffusé sur Internet. C'était une contribution à un forum sur l'Everest organisé par les Sud-Africains :

Je suis un Sherpa orphelin. Mon père est mort sur la cascade de glace du Khumbu à la fin des années soixante en transportant des charges pour une expédition. Ma mère est morte d'une crise cardiaque en 1970 juste au-dessous de Pheriche à cause du poids excessif de la charge qu'elle portait pour une autre expédition. Dans ma famille, trois autres personnes sont mortes de diverses causes. Ma sœur et moi avons été envoyés dans des familles d'accueil en Europe et aux Etats-Unis.

Je ne suis jamais retourné dans ma patrie parce que j'ai l'impression qu'elle est maudite. Mes ancêtres se sont installés dans la région du Solo-Khumbu parce qu'ils fuyaient la persécution qu'ils subissaient dans les terres basses. Ils y trouvèrent un refuge à l'ombre de Sagarmathaji, déesse-mère de la Terre. En contrepartie, ils devaient protéger le sanctuaire de la déesse contre les étrangers.

Mais mon peuple a fait le contraire. Il a aidé les étrangers à entrer dans le sanctuaire et à profaner le corps de la déesse tout entier en allant jusqu'au sommet avec des cris de victoire et en la recouvrant de saletés. Certains d'entre eux ont dû se sacrifier, d'autres en ont réchappé de justesse ou bien ont donné d'autres vies à la place de la leur.

C'est pourquoi je pense que même les Sherpas sont à blâmer dans la tragédie de 1996 sur Sagarmatha. Je ne regrette pas de ne pas être retourné chez moi, car je sais que ceux qui habitent là-bas sont maudits, et le sont aussi ces étrangers riches et arrogants qui croient conquérir le monde. Souvenez-vous du Titanic. Même l'insubmersible a été submergé, et que sont ces mortels insensés comme Weathers, Pittman, Fischer, Lopsang, Tenzing, Messner, Bonington face à la déesse-mère? C'est la raison pour laquelle j'ai fait vœu de ne jamais rentrer chez moi, de ne jamais participer à ce sacrilège.

Il semble que l'Everest ait gâché la vie de beaucoup de gens. Des couples se sont séparés. La femme d'une des victimes a été hospitalisée pour une dépression. La dernière fois que j'ai parlé à un certain camarade, sa vie était très perturbée. Il me raconta que la tension engendrée par les suites de l'expédition menaçait de détruire ses relations avec sa femme. Dans son travail, il ne parvenait pas à se concentrer et il essuyait des railleries et des insultes de la part de gens qu'il ne connaissait pas.

A son retour à Manhattan, Sandy Pittman s'aperçut qu'elle était devenue une sorte de paratonnerre qui recevait une grande part de la colère du public. Le magazine *Vanity Fair* publia sur elle un article incendiaire dans son numéro d'août 1996. Une équipe de l'émission de télévision populaire *Hard Copy* faisait le siège de son appartement. Sur la dernière page du *New Yorker*, l'écrivain Christopher Buckley se moqua des tribulations de Pittman en haute altitude. A l'automne, elle confessa en larmes à un ami que son fils était tenu à l'écart et ridiculisé par ses camarades d'école. L'intensité de la vindicte collective — et le fait qu'elle soit dirigée en grande partie contre elle — l'atteignit par surprise et la fit vaciller.

Quant à Neal Beidleman, il avait permis de sauver cinq clients en les guidant dans la descente; et cependant il demeurait hanté par la mort de quelqu'un qui n'avait pas appartenu à son groupe et ne relevait pas de sa responsabilité.

J'en ai parlé avec lui après que nous nous fûmes tous deux réacclimatés à nos foyers respectifs. Il se souvenait de ce qu'il avait ressenti sur le col sud à la tête de son groupe, dans cet effroyable vent, en essayant de maintenir chacun en vie :

« Dès que le ciel s'est suffisamment éclairci pour permettre de repérer le camp, je me suis dit : "Cette accalmie peut ne pas durer, alors il faut y aller !" J'ai crié à tout le monde de se mettre en route, mais il est vite apparu que certains n'avaient plus la force de marcher ni même de se tenir debout. Les gens pleuraient. J'ai entendu quelqu'un hurler : "Ne me laissez pas mourir ici !" Il était évident que c'était tout de suite ou jamais. J'ai essayé de faire lever Yasuko. Elle a agrippé mon bras mais elle était trop faible pour se lever et elle restait à genoux. J'ai commencé à avancer en la tirant sur un pas ou deux, puis son étreinte s'est relâchée et elle est retombée. Il fallait que je continue. Quelqu'un devait atteindre les tentes pour demander du secours, sinon tout le monde mourrait. »

Beidleman fit une pause, puis il reprit, d'une voix étouffée :

« Je ne peux m'empêcher de penser à Yasuko. Elle était si menue. Je sens encore ses doigts glisser sur mon biceps et l'abandonner. Je ne me suis même pas retourné pour la regarder. »

Remerciements

Mon article dans *Outside* a indisposé plusieurs personnes qui s'y trouvent mentionnées et a blessé les amis et les parents de certaines des victimes. Je le regrette sincèrement car je ne voulais faire de peine à personne. Mon intention dans cet article, et plus encore dans ce livre, était simplement de raconter ce qui s'est passé avec le plus d'exactitude et d'honnêteté possible, et de le faire d'une manière délicate et respectueuse. Je suis persuadé qu'il était nécessaire de raconter cette histoire. A l'évidence, tout le monde n'est pas du même avis et je présente mes excuses à ceux qui auront été affectés par mon récit.

Je voudrais également exprimer mes sincères condoléances à Fiona McPherson, Ron Harris, Mary Harris, David Harris, Jan Arnold, Sarah Arnold, Eddie Hall, Millie Hall, Jaime Hansen, Angie Hansen, Bud Hansen, Tom Hansen, Steve Hansen, Diane Hansen, Karen Marie Rochel, Kenichi Namba, Jean Price, Andy Fischer-Price, Katie Rose Fischer-Price, Gene Fischer, Shirley Fischer, Lisa Fischer-Luckenbach, Rhonda Fischer Salerno, Sue Thompson et Ngawang Sya Kya Sherpa.

Dans la préparation de ce livre, j'ai reçu l'aide inestimable de nombreuses personnes, et tout particulièrement de Linda Mariam Moore et de Davis S. Roberts. Leurs conseils ont été déterminants dans le cas présent, mais je dois dire aussi que, sans leur soutien et leurs encouragements, je ne me serais pas engagé sur le chemin risqué de l'écriture et je n'aurais pas persévéré au fil des années.

Sur l'Everest, j'ai bénéficié de la présence amicale de Caroline Mackenzie, Helen Wilton, Mike Groom, Ang Dorje Sherpa, Lhakpa Chhiri Sherpa, Chhongba Sherpa, Ang Tshering Sherpa, Kami Sherpa, Tenzing Sherpa, Arita Sherpa, Chuldum Sherpa, Ngawang Norbu Sherpa, Pemba Sherpa, Tendi Sherpa, Beck Weathers, Stuart Hutchison, Frank Fischbeck, Lou Kasischke, John Taske, Guy Cotter, Nancy Hutchison, Susan Allen, Anatoli Boukreev, Neal Beidleman, Jane Bromet, Ingrid Hunt, Ngima Kale Sherpa, Sandy Hill Pittman, Charlotte Fox, Tim Madsen, Pete Schoening, Klev Schoening, Lene Gammelgaard, Martin Adams, Dale Kruse, David Breashears, Robert Schauer, Ed Viesturs, Paula Viesturs, Liz Cohen, Araceli Segarra, Sumiyo Tsuzuki, Laura Ziemer, Jim Litch, Peter Athans, Todd Burleson, Scott Darsney, Brent Bishop, Andy de Klerk, Ed February, Cathy O'Dowd, Deshun Deysel, Alexandrine Gaudin, Philip Woodall, Makalu Gau, Ken Kamler, Charles Corfield, Becky Johnston, Jim Williams, Mal Duff, Mike Trueman, Michael Burns, Henrik Jessen Hansen, Veikka Gustafsson, Henry Todd, Mark Pfetzer, Ray Door, Göran Kropp, Dave Hiddlestone, Chris Jillet, Dan Mazur, Jonathan Pratt et Chantal Mauduit.

Je tiens à exprimer ma grande reconnaissance à David Rosenthal et Ruth Fecych, éditeurs de Villard Books/Random House; ainsi qu'à Adam Rothberg, Annik LaFarge, Dan Remberg, Diana Frost, Kirsten Raymond, Jennifer Webb, Melissa Milsten, Dennis Ambrose, Bonnie Thompson, Brian McLendon, Beth Thomas, Caroline Cunningham, Dianne Russell, Katie Mehan et Suzanne Wickham.

Ce livre a pour origine une commande du magazine *Outside*. Je dois une gratitude particulière à Mark Bryant, qui, depuis maintenant quinze ans, publie mes travaux avec une intelligence et une sensibilité peu communes. A mon article sur l'Everest ont collaboré Brad Wetzler, John Alderman, Katie Arnold, John Tayman, Sue Casey, Greg Cliburn, Hampton Sides, Amanda Stuermer, Lorien Warner, Sue Smith, Cricket Lengyel, Lolly Merrell, Stephanie Gregory, Laura Hohnhold, Adam Horowitz, John Galvin, Adam Hicks, Elizabeth Rand, Chris Czmyrid, Scott Parmalee, Kim Gattone et Scott Mathews.

J'ai une dette particulière envers mon excellent agent John Ware. Je remercie également David Schensted et Peter Bodde, de l'ambassade des Etats-Unis à Katmandou, Lisa Choegyal, de Tiger Mountain, et Deepak Lama, de Wilderness Experience Trekking, pour leur aide au lendemain de la tragédie.

Pour leurs suggestions, hospitalité, amitié, informations et sages conseils, j'exprime ma reconnaissance à Tom Hornbein, Bill Atkinson, Madeleine David, Steve Gipe, Don Peterson, Martha Kongsgaard, Peter Goldman, Rebecca Roe, Keith Mark Johnson, Jim Clash, Muneo Nukita, Helen Trueman, Steve Swenson, Conrad Anker, Alex Lowe, Colin Grissom, Kitty Calhoun, Peter Hackett, David Shlim, Brownie Schoene, Michael Chessler, Marion Boyd, Graem Nelson, Stephen P. Martin, Jane Tranel, Ed Ward, Sharon Roberts, Matt Hale, Roman Dial, Peggy Dial, Steve Rottler, David Trione, Deborah Shaw, Nick Miller, Dan Cauthorn, Greg Collum, Dave Jones, Fran Kaul, Dielle Havlis, Lee Joseph, Pat Joseph, Pierret Vogt, Paul Vogt, David Quammen, Tim Cahill, Paul Theroux, Charles Bowden, Alison Lewis, Barbara Detering, Lisa Anderheggen-Leif, Helen Forbes et Heidi Baye.

Des camarades écrivains et journalistes ont bien voulu m'apporter leur aide. Il s'agit de : Elizabeth Hawley, Michael Kennedy, Walt Unsworth, Sue Park, Dile Seitz, Keith McMillan, Ken Owen, Ken Vernon, Mike Loewe,

Keith James, Davis Beresford, Greg Child, Bruce Barcott, Peter Potterfield, Stan Armington, Jennet Conant, Richard Cowper, Brian Blessed, Jeff Smoot, Patrick Morrow, John Colmey, Meenakshi Ganguly, Jennifer Mattos, Simon Robinson, David Van Biema, Jerry Adler, Rod Nordland, Tony Clifton, Patricia Roberts, David Gates, Susan Miller, Peter Wilkinson, Claudia Glenn Dowling, Steve Kroft, Joanne Kaufman, Howie Masters, Forrest Sawyer, Tom Brokaw, Audrey Salkeld, Liesl Clark, Jeff Herr, Jim Curran, Alex Heard et Lisa Chase.

Liste non exhaustive des personnes présentes sur l'Everest au printemps 1996

Rob Hall	Nouvelle-Zélande, guide et chef d'expédition
Mike Groom	Australie, guide
Andy «Harold» Harris	Nouvelle-Zélande, guide
Helen Wilton	Nouvelle-Zélande, responsable du camp de base
Dr Caroline Mackenzie	Nouvelle-Zélande, médecin du camp de base
Ang Tshering Sherpa	Népal, sirdar du camp de base
Ang Dorje Sherpa	Népal, sirdar d'altitude
Lhakpa Chhiri Sherpa	Népal, Sherpa d'altitude
Kami Sherpa	Népal, Sherpa d'altitude
Tenzing Sherpa	Népal, Sherpa d'altitude
Arita Sherpa	Népal, Sherpa d'altitude

Ngawang Norbu Sherpa	Népal, Sherpa d'altitude
Chuldum Sherpa	Népal, Sherpa d'altitude
Chhongba Sherpa	Népal, cuisinier du camp de base
Pemba Sherpa	Népal, Sherpa du camp de base
Tendi Sherpa	Népal, aide-cuisinier
Doug Hansen	USA, client
Dr Seaborn Beck Weathers	USA, client
Yasuko Namba	Japon, cliente
Dr Stuart Hutchison	Canada, client
Frank Fischbeck	Hongkong, client
Lou Kasischke	USA, client
Dr John Taske	Australie, client
Jon Krakauer	USA, client et journaliste
Susan Allen	Australie, randonneuse
Nancy Hutchison	Canada, randonneuse

Expédition guidée « Mountain Madness »

Scott Fischer	USA, chef d'expédition et premier guide
Anatoli Boukreev	Russie, guide
Neal Beidleman	USA, guide
Dr Ingrid Hunt	USA, responsable du camp de base et médecin de l'expédition
Lopsang Jangbu Sherpa	Népal, sirdar d'altitude
Ngima Kale Sherpa	Népal, sirdar du camp de base

Ngawang Topche Sherpa	Népal, Sherpa d'altitude
Tashi Tshering Sherpa	Népal, Sherpa d'altitude
Ngawang Dorje Sherpa	Népal, Sherpa d'altitude
Ngawang Sya Kya Sherpa	Népal, Sherpa d'altitude
Ngawang Tendi Sherpa	Népal, Sherpa d'altitude
Tendi Sherpa	Népal, Sherpa d'altitude
«Big» Pemba Sherpa	Népal, Sherpa d'altitude
Pemba Sherpa	Népal, garçon de cuisine du camp de base
Sandy Hill Pittman	USA, cliente et journaliste
Charlotte Fox	USA, cliente
Tim Madsen	USA, client
Pete Schoening	USA, client
Klev Schoening	USA, client
Lene Gammelgaard	Danemark, cliente
Martin Adams	USA, client
Dr Dale Kruse	USA, client
Jane Bromet	USA, journaliste

Expédition cinématographique MacGillivray Freeman
IMAX/IWERKS

David Breashears	USA, chef d'expédition et cinéaste
Jamling Norgay Sherpa	Inde, responsable en second et interprète du film

Ed Viesturs	USA, alpiniste et interprète du film
Araceli Segarra	Espagne, alpiniste et interprète du film
Sumiyo Tsuzuki	Japon, alpiniste et interprète du film
Robert Schauer	Autriche, alpiniste et cameraman
Paula Barton Viesturs	USA, responsable du camp de base
Audrey Salkeld	Royaume-Uni, journaliste
Liz Cohen	USA, responsable de la production
Liesl Clark	USA, producteur et écrivain

Expédition nationale taïwanaise

«Makalu» Gau Ming-Ho	Taïwan, chef d'expédition
Chen Yu-Nan	Taïwan, alpiniste
Kami Dorje Sherpa	Népal, sirdar d'altitude
Ngima Gombu Sherpa	Népal, Sherpa d'altitude
Mingma Tshering Sherpa	Népal, Sherpa d'altitude

Expédition du Sunday Times *de Johannesburg*

Ian Woodall	Royaume-Uni, chef d'expédition

Bruce Herrod	Royaume-Uni, chef d'expédition adjoint et photographe
Cathy O'Dowd	Afrique du Sud, alpiniste
Deshun Deysel	Afrique du Sud, alpiniste
Edmund February	Afrique du Sud, alpiniste
Andy de Klerk	Afrique du Sud, alpiniste
Andy Hackland	Afrique du Sud, alpiniste
Ken Woodall	Afrique du Sud, alpiniste
Ken Owen	Afrique du Sud, sponsor et randonneur
Philip Woodall	Royaume-Uni, responsable du camp de base
Alexandrine Gaudin	France, assistante administrative
Dr Charlotte Noble	Afrique du Sud, médecin de l'expédition
Ken Vernon	Afrique du Sud, journaliste
Richard Shorey	Afrique du Sud, photographe
Patrick Conroy	Afrique du Sud, opérateur radio
Ang Dorje Sherpa	Népal, sirdar d'altitude
Pemba Tendi Sherpa	Népal, Sherpa d'altitude
Jangbu Sherpa	Népal, Sherpa d'altitude

Expédition «Terres d'évasion»

Thierry Renard	France
Ang Babu Sherpa	Népal, Sherpa d'altitude
Dawa Sherpa	Népal, Sherpa d'altitude

Expédition guidée «Alpine Ascents International»

Todd Burleson	USA, chef d'expédition et guide
Pete Athans	USA, guide
Jim Williams	USA, guide
Dr Ken Kamler	USA, client et médecin de l'expédition
Charles Corfield	USA, client
Becky Johnston	USA, scénariste et randonneur

Expédition «International Commercial»

Mal Duff	Royaume-Uni, chef d'expédition
Mike Trueman	Hongkong, responsable en second
Michael Burns	Royaume-Uni, responsable du camp de base
Dr Henrik Jessen Hansen	Danemark, médecin de l'expédition
Veikka Gustafsson	Finlande, alpiniste
Kim Sejberg	Danemark, alpiniste
Ginge Fullen	Royaume-Uni, alpiniste
Jaakko Kurvinen	Finlande, alpiniste
Euan Duncan	Royaume-Uni, alpiniste

Expédition commerciale « Himalayan Guides »

Henry Todd	Royaume-Uni, chef d'expédition
Mark Pfetzer	USA, alpiniste
Ray Door	USA, alpiniste

Expédition suédoise en solo

Göran Kropp	Suède, alpiniste
Frederic Bloomquist	Suède, cinéaste
Ang Rita Sherpa	Népal, Sherpa d'altitude

Expédition norvégienne en solo

Petter Neby	Norvège, alpiniste

Expédition néo-zélandaise et malaisienne sur le Pumori

Guy Cotter	Nouvelle-Zélande, chef d'expédition et guide
Dave Hiddleston	Nouvelle-Zélande, guide
Chris Jillet	Nouvelle-Zélande, guide

Expédition commerciale américaine sur le Pumori et le Lhotse

Dan Mazur	USA, chef d'expédition

Jonathan Pratt	Royaume-Uni, chef d'expédition
Scott Darsney	USA, alpiniste et photographe
Chantal Mauduit	France, alpiniste
Stephen Koch	USA, alpiniste et snowboarder
Brent Bishop	USA, alpiniste
Diane Taliaferro	USA, alpiniste
Dave Sharman	Royaume-Uni, alpiniste
Tim Horvath	USA, alpiniste
Dana Lynge	USA, alpiniste
Martha Lynge	USA, alpiniste

Expédition népalaise de nettoyage

Sonam Gyalchhen Sherpa	Népal, chef d'expédition

Clinique de l'association des secours himalayens
(au village de Pheriche)

Dr Jim Litch	USA, médecin
Dr Larry Silver	USA, médecin
Laura Ziemer	USA, membre de l'équipe soignante

*Expédition de la police
de la frontière indo-tibétaine*
(versant tibétain de l'Everest)

Mohindor Singh	Inde, chef d'expédition

Harbhajan Singh	Inde, chef adjoint et alpiniste
Tsewang Smanla	Inde, alpiniste
Tsewang Paljor	Inde, alpiniste
Dorje Morup	Inde, alpiniste
Hira Ram	Inde, alpiniste
Tashi Ram	Inde, alpiniste
Sange Sherpa	Inde, Sherpa d'altitude
Nadra Sherpa	Inde, Sherpa d'altitude
Koshing Sherpa	Inde, Sherpa d'altitude

Expédition japonaise «Fukuoka»
(versant tibétain)

Koji Yada	Japon, chef d'expédition
Hiroshi Hanada	Japon, alpiniste
Eisuke Shigekawa	Japon, alpiniste
Pasang Tshering Sherpa	Népal, Sherpa d'altitude
Pasang Kami Sherpa	Népal, Sherpa d'altitude
Any Gyalzen	Népal, Sherpa d'altitude

*Cet ouvrage a été composé
par l'**Imprimerie Bussière**
et imprimé sur presse Cameron
dans les ateliers de
Bussière Camedan Imprimeries
à Saint-Amand-Montrond (Cher),
en février 1998*

N° d'édition : 6642. N° d'impression : 204-98001129/1.
Dépôt légal : mars 1998.
Imprimé en France